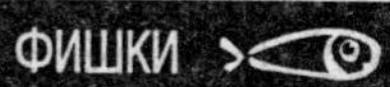
ФИШКИ

ДЖАННЕТТ ЭНДЖЕЛЛ

Девочка по вызову

Санкт-Петербург

2004

УДК 82/89
ББК 84(7Сое)6
Э 64

JEANNETTE ANGELL
Callgirl

Перевела с английского Н. Л. Кузовлева

Энджелл, Дж.

Э 64 Девочка по вызову : [роман] / Джаннетт Энджелл ; [пер. с англ. Н. Кузовлевой]. – СПб. : Ред Фиш. ТИД Амфора, 2004. – 462 с.

ISBN 5-901582-29-2 (рус.)
ISBN 1-57962-110-4 (англ.)

Реальные события, реальные люди. Вечная тема, муссируемая не одно тысячелетие: девочки по вызову и отношение к ним со стороны общества. И взгляд изнутри: автор книги Джаннетт Энджелл, в прошлом — девочка из эскорта, предлагает окунуться в ее мир, мир представительниц древнейшей профессии.

УДК 82/89
ББК 84(7Сое)6

ISBN 5-901582-29-2 (рус.)
ISBN 1-57962-110-4 (англ.)

Вступление

Меня часто спрашивают: «Ты этим занималась? Ты шутишь? Как ты начинала? На что это похоже? Какие люди пользуются этими услугами? Какие женщины там работают?»

Мужчин эта тема просто завораживает. Они не могут остановиться, рассуждая об этом, задают одни и те же вопросы по нескольку раз, не в состоянии удовлетворить свое любопытство. Они не в силах оторвать взгляд от приоткрытой двери в таинственный запретный мир, который карикатурно отображается в порнографии, подвергается ярым нападкам консерваторов и интересует практически каждого, без исключения. Мужчины приходят в сексуальное возбуждение, просто размышляя о нем. Женщины пытаются представить, что было бы, если бы им платили, причем немалые деньги, за то, что они регулярно делают за плату иного рода.

Люди пугаются, глядя на меня. Я могу быть одной из них, я и в самом деле одна из них. Я могла быть их сестрой, соседкой или подругой. Я совершенно не похожа на шлюху в общепринятом представлении. Наверное, поэтому им становится так страшно.

Общество предпочитает, чтобы девочки по вызову были легко узнаваемы и отличались от простых людей, — это дает им ощущение безопасности и определенности. Однако реальность такова, что мы обычно такие же, как все. Девочки, которые стоят на улицах, — другое дело. С ними все понятно, сами знаете. Честно сказать, я сама боюсь этих девочек. Однажды вечером, проезжая с Персиком мимо них на машине, мы закрыли все двери на замок. Это мы, люди, *предположительно* занимающиеся тем же! Суть в том, что мы не имеем с ними ничего общего.

Девочки по вызову, особенно работающие в службах эскорта, особенно в дорогих службах, которыми руководят женщины, — внешне ничем не отличаются от простых обывателей. Они далеко не всегда красавицы. Этим мы вас и пугаем: вы начинаете понимать, что сами могли бы оказаться на нашем месте.

Может, так оно и есть.

* * *

Терпеть не могу писать о телевидении, но мне придется это сделать. В то время я регулярно смотрела передачу «Западное крыло» — умную, острую, политически корректную и гуманную еженедельную программу. Каждый раз я поражалась цельности ее героев, их вдумчивости и серьезному отношению к теме разговора. Тем не менее в одном из сюжетов главный герой, говоря о девочке по вызову, заявлял, что она не имеет права рассуждать об этике, способна на все ради денег и что в данном случае нельзя отделить человека от профессии. То есть по сути она *является* проституткой. Это, мол, не та профессия, которой можно гордиться.

Кто из нас согласится с подобными измышлениями?

Пожалуйста, выслушайте нас. У девочек по вызову есть представления об этике. Мы принимаем решения так же, как и все остальные, основываясь на собственных религиозных и/или моральных принципах. Среди нас есть сторонники демократической, республиканской, независимой, социалистической и либеральной партий. Некоторые из нас проявляют заботу о животных. Мы не сексуально озабоченны и не нимфоманки. Мы умеем строить взаимоотношения с другими людьми, завоевывать их доверие и хранить секреты. Мы — дочери, сестры, матери и жены.

Реальность такова, что мужчины нуждаются в нас, но не хотят этого признать. Они предпочитают винить во всем нас. Поэтому ислам предписывает прятать женщин от мужских взглядов: они, судя по всему, сами виноваты в том, что, глядя на них, мужчины чувствуют искушение. Вот почему профессия «шлюхи» считается аморальной: мы имеем дело с тем, что считается аморальным.

Попробуйте на время отложить в сторону все многочисленные предположения и выводы. Освободитесь на время от своих предрассудков, чувства вины и осуждения. Только так вы сможете услышать мою историю.

* * *

В 1995 мне присвоили докторскую степень по социальной антропологии, и я предвкушала напряженную, захватывающую работу в каком-нибудь признанном ВУЗе. Вместо этого мне предложили цикл преподавательских лекций, поскольку университеты не могли предоставить мне должность профессора в той области, которая меня интересовала. В те годы гранты и хорошее финансирование не были распространены так широко, как раньше. Тем не менее я решила не отступать от своего профессионального выбора. Это было мое призвание.

Начав работать в службе эскорта, я по-прежнему читала лекции, семестр за семестром. За них мне платили в конце каждого семестра, причем оплату нельзя было назвать щедрой: 1300 долларов за каждый курс без учета налогов.

Персик – я буду называть ее так – руководила агентством, которое можно отнести к службе эскорта среднего уровня. Как бы это вам объяснить...

К ней не обращались рок-звезды, заезжавшие в наш город: ее клиентами была их свита. Звонили ей и владельцы не очень крупных компаний. Она обслуживала совладельцев «Времен Года», но у нее редко бывали административные деятели. К ней не обращались за быстрым минетом прямо в машине, но и на Багамы ее девушек приглашали тоже редко.

В поисках работников Персик публиковала рекламные объявления, которые выделялись из общей массы требованием как минимум среднего образования. В сущности, она помогла расплатиться с кредитами на образование многим выпускникам ВУЗов. У нее была своя ниша на рынке интимных услуг: ее клиентами были те, кто вместе с сексом хотел получить возможность содержательной беседы. Она требовала лояльности и от клиентов, и от девушек, стараясь быть справедливой к каждому.

Ей звонили преподаватели университетов, биржевые маклеры и адвокаты, криминальные персонажи, предлагавшие свою помощь в «решении вопросов», и компьютерные «гении», оторванные от реальной жизни. Ее клиенты владели ресторанами и салонами красоты. Среди них были люди неполноценные, постоянно занятые, социально не адаптированные или готовящиеся вступить в брак. Они принимали девушек в офисах, ресторанах, в супружеской постели, в сомнительных мотелях при стрип-барах, шикарных номерах «Парк-Плаза отеля» или на яхтах. Они составляли самую незаметную и ничем не примечательную группу мужчин в Бостоне, которых объединяло лишь то, что каждый из них мог позволить себе потратить двести долларов за час в компании девушки.

Они использовали оплаченное время по-разному, и этой фразой я отвечаю всем, кто в разговорах о нашей профессии осуждает кажущуюся деградацию отношений, обмен секса на деньги. Мой опыт свидетельствует о том, что это суждение не логично.

Вы, наверное, думаете, что я отвлеклась на семантику? Это не так. Выслушайте меня, и вы поймете, что я не пытаюсь сменить тему. Во многих профессиях человеческий труд оплачивается на почасовой основе, так? Работодатели, например, нанимают консультантов для того, чтобы воспользоваться их опытом в определенных сферах. Неважно, каким именно образом этот опыт будет потом использован. Работодатель, или клиент, оплачивает каждый час времени, потраченного на него консультантом. Консультант же в течение этого времени выполняет заранее оговоренные и согласованные обеими сторонами задачи.

Консультант использует свои знания и опыт для того, чтобы выполнить задание клиента, а не «продает» свой опыт. Он является профессионалом в области знаний и навыков, которые в данный момент пользуются спросом, и получает плату за свой труд в форме фиксированной ставки за час. Консультант продает только свое время. Знания и опыт остаются у консультанта, клиенту достается результат его труда, а время, потраченное на его получение, уходит безвозвратно.

Девочка по вызову – это консультант, использующий свои знания и опыт в соблазнении и доставлении удовольствия, установлении вербального контакта с клиентом, который оплачивает ей каждый час времени, необходимого для выполнения заранее согласованной задачи. Она – профессионал, обладающий знаниями, на которые есть спрос в данный момент времени, и клиент готов платить за них заранее оговоренную сумму. Она использует свой опыт для того, чтобы создать «продукт», необходимый клиенту, а не «продает» его.

Если вы считаете, что между клиентом и консультантом лежит глубокая пропасть и один из них деградировал сильнее, чем другой, то объясните мне, как именно это происходит, потому что я этого не понимаю.

У меня есть подруги, работающие официантками в так называемых роскошных ресторанах на Ньюбери-стрит, Колумбус-авеню и набережной. Мне очень жаль, но я *ни при каких условиях* не соглашусь на то, с чем они вынуждены мириться каждый вечер. Ни за какие деньги.

Кстати о деньгах. Девочкам по вызову неплохо платят. Помните: то, что мы зарабатываем, нам не приходится делить ни с государством, ни со страховыми компаниями. Я позволю себе повториться: платят нам очень неплохо.

Иногда нам не приходится заниматься сексом. Одинокие мужчины часто ищут просто компанию, или человека, который бы просто их выслушал. С их точки зрения это стоит того, чтобы потратить такие деньги. Я вспоминаю сцену из фильма «Френки и Джонни», когда герой Аль Пачино, только что вышедший из тюрьмы, нанимает женщину просто для того, чтобы она была рядом с ним: позволила ему уснуть в ее объятиях, прижавшись к ее телу. Я нахожу эту сцену удивительно трогательной.

Некоторые клиенты просят девушек сопроводить их на светский раут, в ресторан или на концерт. Это происходит потому, что им действительно некого пригласить, или они хотят убедить окружающих в своей способности «закадрить» хорошенькую девушку. Некоторые принимают нас за психотерапевтов и вызывают лишь для того, чтобы рассказать о своих проблемах, непонятости и одиночестве.

Однако большинство клиентов все же хотят секса. Кто-то предпочитает сделать все быстро и без затей, после чего девушка может идти, даже если время еще не истекло. Кто-то любит начинать все с прелюдии, напоминающей свидание, а потом спорит, если вдруг ему показалось, что он получил хоть на минуту меньше оплаченного времени. Произойти может все, что подскажет вам ваше воображение.

* * *

В этой книге все имена, кроме моего, — вымышленные. Я уверена, вы поймете почему. Тем не менее все описанные события реальны. В них участвовали реальные люди. Я тоже реальна. События происходили в Бостоне, в середине девяностых годов. Даю честное слово.

Итак... Вам это интересно? Вы хотите узнать, о чем мы думаем, что мы чувствуем, кто мы такие?

Тогда добро пожаловать в мой мир.

Глава первая

«Будьте осторожны! Смотрите под ноги!» Я стояла на платформе лондонского метро, в подземке, и слушала, как обезличенный голос говорил мне тоном суровой няни, что я должна быть осторожна. Я была признательна за заботу, но мне не нравилась форма ее выражения.

Итак, я стояла и смотрела под ноги, размышляя об объявлении в газете, которую несла в сумке. Мне казалось, будто каждый пассажир, стоявший в этот момент рядом со мной, мог точно сказать, что это было за объявление.

Я купила «Феникс» в день отъезда из Бостона, подчинившись осознанному импульсу. Я хочу сказать, что на самом деле это был вовсе не импульс, но я предпочла отнестись к нему именно как к таковому. Мои импульсы обычно хорошо и заранее обдуманы. Я приехала в Лондон на неделю, чтобы прочитать курс лекций в Экономическом университете, но моя голова была занята мыслями, далекими от работы.

Конечно, я должна была бы думать о лекциях, потому что этим приглашением мне оказали большую честь. К тому же я не должна была позволять своей личной жизни влиять на карьеру. Однако такое часто случается, правда? Вам кажется, что вы способны отделить одно от другого, разложить свою жизнь по полочкам, где ничто ни с чем не смешивается, но опыт показывает, что это не так.

Моя личная жизнь отчаянно взывала о внимании. Этот зов был очень внятным. Мне срочно требовались деньги. Много денег и очень быстро.

Мне нужны были деньги потому, что Питер, мой последний любовник, не только решил улететь в Сан-Франциско, чтобы воссоединиться с кем-то из своих «бывших» (как оказалось, они продолжали трахаться все время, пока мы были вместе), но и прихватил с собой содержимое моего банковского счета. Редкостное благородство!

Я должна была оплатить аренду квартиры. Разграбленный счет содержал в себе деньги, на которые я должна была жить до конца семестра, пока мне не заплатят два общественных колледжа, где я читала лекции. Мне и без того приходилось строго планировать свой бюджет, не позволяя себе никаких непредвиденных расходов.

Бегство Питера я отнесла к категории непредвиденных расходов.

В любом случае, до конца семестра оставалось два месяца, и поэтому мне срочно требовалось много наличных денег.

Я выходила из кризиса привычным способом: в первый вечер напилась, отчаянно жалея себя, на следующее утро приняла экстренные меры по борьбе с головной болью и составила список. Я люблю составлять списки и всегда делаю это с удовольствием. Списки дарят мне иллюзию власти и способности управлять событиями. Я составила список всех возможных способов добыть деньги.

Он получился угнетающе коротким.

Прежде всего, я не собиралась ни у кого просить помощи. Ошибку совершила я, и не было никакого смысла просить кого-то другого принять на себя ответственность за нее. Так что, даже написав в одном из пунктов об обращении в «государственные фонды», я не собиралась всерьез обдумывать эту возможность.

Я хмурилась, разглядывая оставшиеся пункты. Мне пришлось сразу вычеркнуть «присмотр за детьми», поскольку, во-первых, я не компетентна в этой области, и во-вторых, за эту работу мало платят.

Я нахмурилась еще сильнее. Итак, мне придется воспользоваться *одним* из вариантов, поскольку ничего другого не остается. Глубоко вздохнув, я отправилась на работу.

Я набрала номер, который нашла в рекламе одной из студенческих газет. Объявление гласило, что предприятие ищет сотрудников для работы на телефоне в специальных кабинках. От вас требовалось говорить о сексе, убедить клиента, что вы страстно его хотите, и так далее.

Ну что ж, подлец Питер как-то говорил, что у меня сексуальный голос, поэтому я решила, что могу хотя бы попробовать заняться этим. Только попробовать, разумеется.

Совершенно очевидно, что я недостаточно хорошо подумала, прежде чем решиться на этот поступок, потому что оказалась абсолютно не готовой к сальности моего собеседования. Я не представляла, насколько пугающей может оказаться действительность: ряды малюсеньких кабинок, в которых сидели постоянно разговаривающие женщины в наушниках. Женщины не умолкали, на их телефонных аппаратах вспыхивали и гасли какие-то лампочки. В основном дамам было за сорок, и яркий макияж лишь подчеркивал дряблость их лиц.

Я не могла представить себе скользкого, слишком молодого человека, который чрезмерно увлекался пирсингом и ни разу не посмотрел мне в глаза за все время разговора. Если можно было назвать разговором мои вопросы и его реплики, процеживаемые сквозь зубы, в которых он сжимал зубочистку. За все время нашего общения он лишь однажды оторвал взгляд от порножурнала.

— Хорошо, дорогуша. Восемь баксов в час, минимум — два вызова.

— В каком смысле минимум два вызова? Два звонка в час?

Я удостоилась взгляда. Непонятно только, чего в нем было больше: удивления или жалости.

— Два вызова *одновременно*.

Теперь настала моя очередь разглядывать его с недоумением.

— Вы хотите сказать, что я должна разговаривать сразу с двумя разными клиентами?..

— Да. — Он умирал от скуки. — Если один хочет, чтобы ты была украинской гимнасткой, а другой — татуированной лесбиянкой, ты будешь делать все, чтобы они в это поверили. Время — деньги. Тебе нужна работа?

Я никак не могла отделаться от мысли о том, что может произойти, если я случайно их перепутаю. Это было неслыханно. Конечно, за восемь долларов в час еще не такое может случиться.

Итак, я сдалась. Порвала свой список и снова предалась панике из-за отсутствия денег. Счета все приходили, это было уже привычной рутиной. Времени нет дела до денег. Я читала официальные надписи на конвертах сквозь матовое окошко почтового ящика. На некоторых конвертах была красная полоса. Мне не требовалось открывать их: я и так знала, что находится внутри.

По удивительному стечению обстоятельств одна из тем моих лекций звучала так: «Смерть: процесс и результат». Для этой темы мое состояние оказалось очень подходящим, поскольку у меня теперь было предостаточно темных мыслей. Я разбивала группу на дискуссионные команды, предоставив студентам возможность обменяться мнениями, а сама смотрела в окно поверх их голов, чувствуя где-то у горла холодную лапу страха. На одной из этих лекций мы говорили о самоубийстве.

Тогда оно не казалось мне совершенно неприемлемым выходом из положения.

Между тем мои мысли все настойчивее возвращались к той газете. Иногда я просматривала в «Фениксе» раздел «Полуночники». Правда, поняв, что не смогу быть одновременно украинской гимнасткой и татуированной лесбиянкой, я больше не интересовалась рекламой с кодом 900. За страницами с рекламой телефонных служб шли объявления об эскортных услугах.

Я просмотрела их и закрыла газету. Я даже позволила своему коту Скуззи вздремнуть на ней, пока проверяла сочинения студентов и старательно делала вид, что никакого объявления не существует. Но все же... все же....

Почему бы нет?

Что в этом невозможного? Неужели я так рвусь работать дополнительные пятьдесят часов в неделю в книжном магазине «Бордерс» или кофейне «Старбакс», получая за это смехотворную зарплату? Последние две вакансии стояли в моем списке следом за этим объявлением. Я даже ходила на собеседование. В «Бордерс» мне сказали, что я могу приступить к работе в любое время.

Где-то около десяти в моей голове зазвучал голос, подозрительно похожий на голос моей матери, причем он был явно недоволен ходом моих мыслей. Интересно то, что этот голос молчал, когда я обдумывала идею с сексом по телефону, но это уже совсем другая история. Теперь же голос явно проявлял чрезмерное рвение.

«Подожди, — говорил он, — не торопись. Подумай об этом хорошенько. Ты можешь сидеть в своей кабинке и делать вид, что занимаешься сексом с мужчиной (или не с одним, что следовало из разговора с управляющим), удерживая его у телефона как можно дольше. Ты можешь двадцать или тридцать раз за вечер повторять этот разговор. Или — один раз сделать это по-настоящему. За сумму, значительно превышающую восемь долларов».

«В чем же разница? — подумала я. — Только честно!»

«Разница колоссальная!» — ответил возмущенный голос, копируя интонации, с которыми мать реагировала на наши разногласия в вопросах морали. «Хорошо, — согласилась я, стараясь разобраться. — В чем она заключается? Где именно проходит граница между сносным и неприемлемым? Нельзя заниматься сексом за пять долларов, с этим я согласна. А дальше что? За пятьсот — можно? А за пять тысяч? А пять миллионов? Да, конечно, тогда другое дело! Выходит, прав был Черчилль, сказав когда-то: „Теперь, когда мы знаем, кто ты такой, осталось выяснить, сколько ты стоишь“».

Голос неловко молчал, и я его понимала: трудно спорить с Черчиллем.

Позже, познакомившись с девочками по вызову, я задала им тот же вопрос. Почему секс с мужчиной, которого ты подцепила в баре, считается приемлемым, а секс в качестве частного предпринимательства — нет? Что из этого более этично? Мэри ответила, что решилась работать в эскорте, когда задумалась, скольким мужчинам она совершенно безвозмездно позволяла пользоваться собой, позже содрогаясь от отвращения.

Эти слова заставляют задуматься.

Я позволяла уроду Питеру прикасаться к себе, целовать и трахать себя. Теперь меня начинало тошнить от одной только мысли о его члене, руках или языке. Я чувствовала себя грязной.

К тому же оказалось, что *я* заплатила *ему*.

Итак, отправляясь в аэропорт в Логан, чтобы лететь в Англию, я снова взяла «Феникс». Сидя в студенческом общежитии, — это было единственное жилье, которое я могла себе позволить, — я открыла раздел «Полуночники» и, просмотрев объявления, обвела одно из них кружочком.

* * *

Персик разговаривала со мной в довольно живой манере.

— Вы можете отказаться от любого вызова, если вам не понравится, как мужчина разговаривал с вами, или у вас возникли опасения на его счет, — сразу сказала она. — Вы можете отказаться от того, что не хотите делать, и я вас в этом поддержу. Единственное, что вам категорически запрещается делать, — это переманивать клиентов.

— Как переманивать клиентов? — мой вопрос прозвучал растерянно.

— Оставлять им свой номер телефона, договариваться о встречах, минуя службу. Мужчины все время пытаются это сделать. Мои постоянные клиенты ведут себя прилично, но с новой девушкой кто-нибудь обязательно постарается проделать этот трюк.

Мне бы в голову не пришло переманивать клиентов. Весь смысл работы в агентстве, по моему представлению, заключался в том, чтобы постоянно находиться под его защитой. Хорошо, признаю, тогда я была еще наивна.

Персик прочитала мне короткую, заранее заготовленную и явно хорошо отрепетированную речь. Я пыталась вникнуть во все, что она скажет.

— Этот бизнес похож на рулетку: иногда выпадает счастливый номер, иногда нет. Вы никогда не занимались этим раньше? Очень хорошо: клиентам это нравится. Мужчине всегда приятно думать, что он у тебя первый. Помните: вы всегда можете отказаться от любого предложения, если оно вам не нравится. У вас будет ровно час. Я получаю шестьдесят долларов с каждого часа, вы — все остальное. Чаевые все ваши, только особенно на них не рассчитывайте: сейчас не восьмидесятые годы. Никто не хочет давать чаевых. Ну что, попробуете? Всего один вызов? Опишите себя, и я отправлю вас к клиенту. После вы уже решите, хотите заниматься этим дальше или нет.

Я готова поклясться, что где-то во время разговора она подавила зевок.

Мне было не до зевоты. Я отвечала ей с некоторым волнением, но мои ответы, очевидно, оказались правильными: я прошла тест на профпригодность. Когда я закончила описание, в трубке возникла короткая пауза.

— Хм, хорошо. Я отправлю вас сегодня к Брюсу. Я уверена, что вы ему понравитесь.

— Сегодня? — при всем моем нетерпении, события развивались слишком быстро. Все становилось чересчур реальным. Я запаниковала. — Персик, я не одета!

На мне были джинсы и футболка, черная жилетка и оливковый льняной пиджак. В моем представлении девочка по вызову должна была выглядеть несколько иначе. Можно подумать, я в этом разбиралась: весь мой опыт основывался на фильмах «Красотка» и «Улица Полумесяца». Скажем так: в этом вопросе моя компетенция была ограничена.

Кроме того, меня смущала не только одежда.

— Понимаете, я надеялась встретиться с вами лично перед тем, как начать работать, — произнесла я. — Провести настоящее собеседование.

— В этом нет необходимости, — быстро ответила она. — Вы не можете обмануть меня в том, как вы выглядите. Человек, с которым вы встретитесь, увидит вас и расскажет мне правду. Мне совершенно не нужно встречаться с вами.

— Это нужно мне! — Я понимала, что это было чересчур, но ничего не могла с собой поделать. Я хотела выглядеть хотя бы относительно опытной. — Я хочу сказать, что с внешним видом у меня нет проблем, я выгляжу молодо и привлекательно, но... — Мой голос сорвался. Теперь я уж точно утратила способность говорить убедительно. Замечательное собеседование. Я показала высшее мастерство четкой формулировки мысли. Осталось только употребить его для своих лекций.

Голос Персика слегка изменился. Позже, узнав ее ближе, я научилась распознавать легкие перемены в ее речи и отношении: она превращалась в няню, которую перестал слушать ребенок. От нас ожидали послушания и сговорчивости.

— У нас работают разные женщины, — ответила она мне тоном, намекающим на то, что она не станет терпеть неповиновения. — У всех клиентов разные вкусы. Я уже знаю двух мужчин, которым вы можете понравиться. Один из них хирург, другой — музыкант. Это люди, которым будет интересно с вами поговорить, и они смогут оценить вас по достоинству. Они не из тех, кто потребует от вас просто быстро сделать свое дело.

Я поняла, что она старалась говорить аккуратно, избегая слова «секс» и ненужных подробностей.

— Мне кажется, что вам с ними понравится.

«Все, детки, игры закончились. Пора заняться делом», — слышалось мне между строк.

Стараясь, чтобы моя речь не звучала слишком упрямо или напористо, я произнесла:

— Все же я хотела бы встретиться с вами до того, как начну работать. Я хочу, чтобы вы меня увидели. Я хочу быть уверена в том, что все в порядке.

Голос Персика зазвучал категорично:

— Нам не имеет смысла встречаться до тех пор, пока вы не решите, что работа вам нравится и вы готовы ее продолжать. И не волнуйтесь: вы нормально одеты. Многие клиенты не возражают против повседневной одежды. Итак, вы идете или нет? Решайте. Позвоните мне в семь часов, если согласны, а дальше мы договоримся.

Все свелось к одному вопросу: идти или не идти.

Я решила пойти.

Персик сдержала слово. Когда я ей перезвонила, она выдала мне массу информации со скоростью и напором пулемета, и я сама не заметила, как начала что-то записывать на обороте конверта, лежавшего у меня в кармане.

— Его зовут Брюс, телефон номер 555-4629. Вас зовут Тиа, этим именем вы хотели назваться? В общем, вам двадцать шесть, вы весите 52 килограмма, а ваши параметры 94-64-93. Размер бюстгальтера «С». Вы – студентка. Позвоните ему, а после разговора перезвоните мне.

Интересно, она всегда говорит своим девушкам, как они должны выглядеть? Я не стала об этом спрашивать и потом узнала, что Персик подбирала описания точно в соответствии со вкусом клиента. Разумеется, в разумных пределах. В тот момент мне труднее всего было принять скорость развития событий. Я медленно произнесла:

– Персик, я позвонила, чтобы сказать, что согласна попробовать. Как вам удалось так быстро найти мне клиента?

Она засмеялась.

– У меня было предчувствие, что вы согласитесь. К тому же я всегда звоню Брюсу, когда у нас появляется новая девушка. Итак, позвоните ему. Вы запомнили все, что я сказала?

Едва ли. Глядя на конверт, я думала о том, что на меня свалилось слишком много информации. Причем такой, которой я ни при каких обстоятельствах не стала бы делиться с окружающими. Мне вспомнилась фраза из «Улицы Полумесяца»: «Не бойся, под этим нарядом я совершенно голая!»

Судя по всему, я скоро встречусь с людьми, которые не поверят этому на слово.

Хорошо, допустим, я не имела ни малейшего представления о том, каковы мои настоящие параметры, поэтому мне вполне могли подойти и те, которые мне продиктовали. Я глубоко вздохнула. Все. Я действительно решилась на это.

Брюс попросил меня повторить описание моей внешности, но в целом показался приятным человеком. Неужели я ожидала, что он станет заикаться? Он объяснил, как мне добраться до пристани и найти судно, на котором, судя по всему, он и жил.

Он был похож на медведя: большой, бородатый, с маленькими глазками, поблескивавшими за очками. Мы сидели на маленьком диванчике в каюте его небольшого парусника, пили замечательное охлажденное «Монтраше» и говорили о музыке. Наш разговор время от времени прерывался неловкими паузами. Все происходящее казалось мне до боли знакомым. Честно говоря, это было очень похоже на свидание. На слепое, неловкое первое свидание.

Он встал, чтобы освежить вино в бокалах, а когда вернулся, разыграл классическую сценку с зевком и потягиванием, которая известна всем по первым романам в старших классах. Но в тот момент, когда он собирался меня обнять, я наклонилась вперед, и он остался ни с чем. Вот незадача!

Если уж быть до конца откровенной, то я прекрасно справлялась с этим трюком еще в школе.

Он откашлялся.

— Ты не будешь возражать, если я тебя обниму?

Я была изумлена. «Возражать? Да нет, я пришла сюда, чтобы ты меня трахнул. Ты платишь двести долларов в час за то, чтобы это сделать, и я не вижу смысла возражать против того, чтобы ты меня обнял». Я воззрилась на него в молчаливом изумлении, не зная, что ему ответить. Он действительно спрашивал у меня разрешения прикоснуться ко мне. Я почти влюбилась в него.

В Лондоне я представляла себе всевозможные ситуации. Я фантазировала и после возвращения оттуда, сидя в гидромассажной ванне в фитнесс-центре и размышляя о том, чем мне предстоит заниматься. Честно сказать, я могла представить себе даже то, что редко приходит на ум простому человеку. Но вежливая неловкость мужчины, спрашивающего разрешения обнять меня, оказалась полной неожиданностью.

— Это было бы очень мило, — нашлась я, и спустя мгновение он меня поцеловал.

Это был определенно поцелуй первого свидания.

Я с энтузиазмом ему ответила, положив руки ему на плечи, стараясь привлечь его ближе к себе. Я приоткрыла рот и нежно провела языком по его зубам. В тот самый момент я поняла, что все будет в порядке. Эта встреча не станет новым, странным или опасным событием в моей жизни. Я уже делала это раньше, причем хорошо с этим справлялась, и, самое главное, — мне это нравилось.

Его рука скользнула мне под футболку. Он снял бюстгальтер и начал ласкать мою грудь, играя с сосками, которые твердели от его ласк. Все это время он не отрывал от меня своих губ. Я застонала и прижалась к нему, чувствуя, как ускоряется его сердцебиение и дыхание становится все более отрывистым. Мы слегка отстранились друг от друга, подчинившись взаимному внутреннему порыву. Он посмотрел мне в глаза.

— Ты красивая, — сказал он.

— Спасибо, — прошептала я, обводя пальцем его губы.

Он снова откашлялся.

— Ты не будешь возражать... Давай пойдем в спальню?

Я прекрасно знала, что мне делать дальше. Все было достаточно просто. Я могла бы заниматься этим даже во сне или на автопилоте. Все получалось совершенно естественно.

— Да, конечно, — ответила я, позволив возбуждению слегка проявиться в голосе.

Дорога в спальню оказалась короткой: мы же находились на паруснике.

По дороге сюда я предусмотрительно купила презервативы и теперь чуть замешкалась, якобы допивая вино, чтобы незаметно сунуть один из них в карман джинсов. «Молодец, сама скромность! Да ладно! В конце концов, я — новичок в этом деле!»

Ощущение первого свидания не исчезало.

Комната была освещена только тем светом, который просачивался сквозь приоткрытую дверь.

Оттуда, где я стояла, была видна кровать. Мне не нужно было осматриваться: кроме нее нам ничего не потребуется. Я выскользнула из пиджака и жилетки, стянула с себя футболку и бюстгальтер. Я старалась делать это как можно медленнее и соблазнительнее, расстегивая крючки и позволяя белью падать на пол. Брюс наблюдал за моими действиями.

— Ты красивая, — снова выдохнул он, и я улыбнулась ему и протянула руку, внезапно уверившись в своей привлекательности.

— Иди сюда, — произнесла я самым низким и хриплым голосом, на который была способна.

Марлен Дитрих была посрамлена.

Мы оказались на кровати, сидя рядом и страстно целуясь. Позже я узнала, что некоторые девушки не целовали клиентов, решив сделать губы единственной частью тела, которую они оставляли в неприкосновенности. Даже сейчас я не понимаю этого. По-моему, имитация любовных отношений лучше, чем их полное отсутствие. Может быть, я просто люблю целоваться.

Брюс мягко опустил меня на кровать, наклонился к моей груди и взял губами сосок. Я откинула голову и закрыла глаза.

Я представляла себе, что это будет ужасно. Меня смущало, что происходящее было приятным! Я не могла справиться с собственным дыханием, когда воевала с пуговицами на его фланелевой рубашке. Когда полы рубашки наконец распахнулись, я пробежала руками по его груди, шее, притягивая его к себе, чтобы он снова меня поцеловал, и отвечая более требовательно, чем прежде, и шепча что-то в промежутках между поцелуями.

У нас возникла заминка с джинсами, его и моими, и, освободившись от них, мы лежали обнаженными, ощупывая и гладя друг друга. Почувствовав его твердый член возле своего бедра, я вздохнула и осторожно прикоснулась к нему пальцами. Я ощущала, как он пульсировал возбуждением, которое передавалось и мне.

Брюс целовал мою шею, щекоча языком ключицу и лаская рукой мне грудь. Я мягко поглаживала его член, ощущая, как все его тело отзывается на мою ласку. Застонав, я стала кончиками пальцев поглаживать внутреннюю сторону его бедра, вьющиеся волосы, член и мошонку. Я ощутила влагу внутри, и мне захотелось прижаться к нему тазом. К моему удивлению, именно он, оторвавшись от меня, спросил:

— У тебя нет с собой средств защиты?

Вот это да! Либо передо мной был лучший мужчина во всем Бостоне, либо Персик провела с ним серьезную подготовительную работу.

— В кармане, — ответила я, показывая на одежду, валявшуюся на полу.

— Ты не будешь возражать? — Он поднял мои джинсы и передал их мне, сразу же возвращаясь к моей шее. Когда я нашла презерватив, он тут же забрал его. Тогда я села и наклонилась вперед, чтобы коснуться его члена губами. Да, да, я знаю: нельзя ничего делать, пока не надет презерватив, но Брюс был еще далек от того, чтобы кончить, и мне просто хотелось показать ему, что он мне нравился. Уже тогда я воспринимала происходящее как то, что мне предстоит делать в дальнейшем. Я поняла — правда, пока только на интуитивном уровне — жизненное кредо каждой девочки по вызову. Постоянные клиенты — это основа всего бизнеса, и именно из-за них мы продолжаем заниматься тем, чем занимаемся. Если девушка нашла такого мужчину, как Брюс, она просто обязана сделать все, чтобы он звал ее снова и снова.

Тогда я не задумывалась о том, как Персику удалось так легко получить его в качестве моего первого клиента. Позже я узнала, что у нее с Брюсом была договоренность, в результате которой она направляла к нему всех новеньких девочек. Она сама звонила ему, и все были довольны: Брюс получал возможность инициировать новенькую девушку, а она — приятного клиента. В то время я просто думала, что мне сказочно повезло и эта работа может оказаться не такой уж ужасной и неприятной.

Все вопросы, вроде: «Нормально ли любить свою работу в моем случае?» или «Должна ли я ненавидеть то, чем занимаюсь в службе эскорта?» — возникли позже. В тот момент я просто была рада, что могу и умею это делать и что это мне не противно.

Пока Брюс открывал упаковку презерватива, я облизала его член сверху донизу. Он время от времени замирал, подбирая мои волосы, чтобы понаблюдать за мной, за тем, как его член скользит между моими губами. Затем он вздохнул:

— Боже, как ты хороша!

Я отодвинулась, чтобы он мог надеть презерватив. Он ухитрился сделать это, не прерывая поцелуя. Наши языки соприкасались, и он по-прежнему вздыхал от удовольствия. Затем я откинулась на спину. Брюс оказался сверху, его напряженный пенис вошел в меня, а я ощущала его бороду на своей щеке. В какой-то момент мне показалось, что он позвал меня: «Тиа!» Я не могла поклясться в том, что услышала, но ответила: «Брюс!» Ему это было приятно. Он снова застонал и задвигался еще быстрее. Мы оба вспотели, хотя на дворе был только март и дни стояли еще холодные. Иллюминаторы были открыты, но нас охватил жар не от недостатка воздуха. Я гладила его грудь, а он продолжал двигаться во мне. Я обняла его крепче, но мои руки почти скользили от пота на его коже.

Он кончил внезапно, когда я притягивала его лицо к себе, чтобы поцеловать. Он зарычал, все его тело содрогнулось. Я прижала его к себе и обняла, шепча:

— Я здесь, с тобой, дорогой. Я здесь.

Знаете что? Этот секс был лучше того, что у нас когда-либо получалось с уродом Питером. Несравнимо лучше. Кроме того, мне за него еще заплатили.

После секса все стало еще легче. У нас не возникло никакой посткоитальной неловкости, которая обычно возникает с одноразовыми дружками. Брюс перекатился так, что я оказалась на нем, прижавшись головой к его груди, слушая, как бешено колотится его сердце. Я продолжала ласкать его, перебирая волосы на груди. Я легонько подула на потную кожу, и он содрогнулся и сильнее прижал меня к себе. Все получилось лучше, чем на настоящем свидании.

Брюс исчез в ванной первым, но когда я выбралась из спальни, приготовил бокал вина и передал мне его с поцелуем. Зазвонил телефон. Он ответил:

— Да, Тиа рядом со мной. Одну минуту. — Затем передал трубку мне со словами: — Это тебя.

Я была озадачена.

— Алло?

Звонила Персик.

— Все нормально?

— Да. — Я понятия не имела, что она имела в виду.

— Так, хорошо. Позвони, когда уйдешь оттуда. — Она, должно быть, почувствовала, что я не понимаю, о чем идет речь, и вздохнула. — Я всегда звоню, когда заканчивается час. Некоторые клиенты пытаются тянуть время. Мужчина платит за твой час, а я слежу за тем, чтобы он получил оплаченные услуги и не задерживал тебя. Так что уходи прямо сейчас и позвони мне из автомата.

— Хорошо. — Я передала трубку Брюсу. Он явно знал правила игры, поскольку держал деньги наготове. Пора прощаться, милочка.

— Мне было очень приятно с тобой познакомиться, Тиа.

Я улыбнулась, положив деньги в карман пиджака.

— Мне тоже было приятно, Брюс. Надеюсь, мы еще увидимся.

— Я бы очень этого хотел! — В его голосе звучала удивительная искренность.

Он проводил меня до причала и поцеловал в щеку, коротко обняв.

— Доброй ночи.

— И тебе доброй ночи, Брюс. — Я пошла к своей машине. Мне хотелось петь, прыгать или сделать еще что-нибудь сумасшедшее и радостное. У меня выдался замечательный вечер. Я отсчитала шестьдесят долларов — долю Персика — и получила сто сорок долларов чистой прибыли. Это за один час!

Кто из вас зарабатывает такие деньги?

Я позвонила Персику из первого же автомата, который попался на моем пути. Она вежливо спросила, как все прошло, и пожелала мне спокойной ночи. Повесив трубку, я поймала себя на непостижимой мысли. Я вспомнила, как сидела в джакузи в фитнесс-центре, испытывая чувство благодарности судьбе за то, что у меня есть пожизненное членство, которое, как бы иронично это ни звучало, подарила мне мать. Я думала, что, когда начну работать, мне очень пригодится возможность прийти сюда в любое время и отмыться от всей грязи и неприятных ощущений, с которыми я столкнусь. Я считала, что мне потребуются время и усилия, чтобы снова почувствовать себя чистой.

Садясь за руль, чтобы ехать домой, я широко улыбалась. Мне было не от чего себя отмывать. О каких неприятных ощущениях шла речь?

В ту ночь я прекрасно спала. Меня не преследовали кошмары, я не просыпалась в поту от приступов паники, и позывы к рвоте не сжимали желудок. Я даже выписала чек в уплату электроэнергии.

Такая работа могла мне подойти, и я совсем не удивилась, когда поняла, что не испытываю угрызений совести.

Глава вторая

Пришел следующий день, как это бывает всегда. Неотвратимо и неизменно. Приехав домой, я приняла душ, а перед выходом на работу сделала это снова по привычке. Я одевалась так, как по моему представлению следовало одеваться преподавателю колледжа: достаточно профессионально, чтобы тебя не путали с учащимися, и не слишком формально, чтобы люди не решили, что ты воспринимаешь себя слишком серьезно. В мире академического образования общественные колледжи определенно не воспринимались всерьез. Это несправедливо, но, помнится, Ленин как-то сказал, что восприятие и есть реальность. Действительно, именно в таких учебных заведениях многие начинают и многие же заканчивают свое образование.

Мне не хотелось об этом думать.

Мне повезло с лекциями на тему «Смерть: процесс и результат». Мне предложили их в рамках программы сотрудничества колледжа и местной больницы. Основными слушателями были профессиональные медсестры, которые учились для того, чтобы получить повышение, так что у моих студентов хватало и мотивации, и опыта. На занятиях я говорила о смерти, с которой мои ученики сталкивались ежедневно. Эта тема воспитывает в слушателе немалую долю смирения.

В самое первое утро после работы на Персика, признаться, я не ощущала в себе смирения. Наоборот, я была в приподнятом настроении и чувствовала себя превосходно.

В тот день мы говорили о смерти и войне. Мне эта тема нравилась больше всего, потому что по ней существует больше всего материала, которым можно заинтересовать студентов. Я не хотела говорить о том, что такое война и хорошо это или плохо. Мне нужно было лишь разбередить чувства слушателей, обострить и очистить их восприятие, чтобы они могли прийти к самостоятельным выводам. Или же чтобы они могли сами себя запутать, потому что и это было возможно.

Я прочитала вслух два стихотворения: «Осознанные возражения» Эдны Сент-Винсент Миллэй и «Потери» Рэндалла Джаррела. Написанные на пике эмоций, они были удивительно красивы и не могли оставить слушателя равнодушным. Как обычно, я прочитала их почти по памяти, наблюдая за реакцией студентов, чтобы направить в нужное русло дискуссию, которую запланировала на этот урок. И вдруг, внезапно, на какую-то долю секунды, я снова оказалась на паруснике, попивая вино и чувствуя купюры в своем кармане.

И мне это понравилось. Я будто бы покинула свое тело, смотрела на себя со стороны и радовалась тому, что вижу. Мне нравилась моя профессиональная компетентность и то, что я занимаюсь полезным делом. Так же понравилось мне и тайное знание о том, что незадолго до этого мне заплатили за сексуальность, красоту и умение вызвать желание. Мне очень понравились обе стороны моей жизни.

Я быстро вернулась к действительности, пока заключительные слова стихотворения Рэндалла Джаррела эхом отзывались в аудитории:

В ту ночь, что я умер,
Мне снилось, что я мертв,
И города спросили у меня: «Зачем ты умираешь?»
«Мы успокоились, если спокоен ты.
Зачем тогда ты смерть выбираешь?»

Я ждала. Молчание — мой верный помощник. Оно заставляет людей почувствовать себя неловко, и они начинают говорить только ради того, чтобы положить ему конец, проговариваясь в том, что никогда не стали бы обсуждать при иных обстоятельствах. Слова Эдны Миллэй тоже потонули в молчании:

Я умру, но на этом
Иссякнут мои одолжения смерти.
Она мне не хозяйка.

Я пока не дошла до тяжелой артиллерии: «Смерть артиллериста» Джаррела могла в миг опустошить аудиторию. Я как-то прочитала это стихотворение в первый год работы, и, по-моему, трети студентов стало плохо. Во всяком случае, выглядели они не лучшим образом.

Я ждала, и, воспользовавшись молчанием, погрузилась в собственные мысли.

Эти люди, студенты, слушали поэзию, которая, по их искреннему убеждению, не имела к ним никакого отношения. Они делали это только потому, что я попросила их об этом. За недели и месяцы, которые мы провели вместе, я научила их доверять мне. Теперь я могу попросить их послушать странную речь незнакомых им людей и постараться найти скрытую в ней истину. Они доверяли мне, потому что я обладала авторитетом в их глазах.

Половина студентов даже называли меня доктором, что только подчеркивало их уважение. Это даже немного пугало меня. Что, если, задавленная собственным авторитетом, я не смогу позволить себе быть сексуальной? Что, если я больше не смогу работать на Персика? Что, если я поеду на вызов, а клиент меня не захочет? Что, если Брюс был исключением? Может быть, я все-таки слишком стара для этого? Может ли получиться так, что я всю жизнь буду с горечью вспоминать эту ночь как нечто желанное и недоступное? Если так, то, выходит, мне не стоило и начинать?

Позвонив Персику, я снова, только более настойчиво, попросила ее о встрече. Ей это не понравилось, она всячески сопротивлялась. Как я узнала позже, она никогда не встречалась с девушками в начале их работы. Иногда она не встречалась с ними вовсе. Она дожидалась того момента, когда у нее складывалось собственное мнение о новом человеке по телефонным разговорам и отзывам клиентов. Я так и не смогла понять, почему это происходило именно так. Может быть, личные встречи делали девушек слишком реальными для нее. Может, ей было легче держать дистанцию, когда все персонажи оставались обезличенными голосами на другом конце телефонной линии.

Реальность ее работы заключалась в том, что она осознанно отправляла своих девушек в разные места, которые могли оказаться отвратительными и опасными. Она должна была это делать. Как-то Персик проговорилась:

— Понимаешь, Джен, если я действительно стану об этом думать, то уже никого никуда не смогу послать.

Мне кажется, что ей проще работать, если она не знает, как выглядят ее девочки, и не знакома с ними лично. На том конце телефонной линии девушка может быть кем угодно: статистикой, вымышленным персонажем, постоянно меняющим свои размеры, возраст, цвет глаз и волос. Персику остается лишь добавить к предложенной легенде небольшое предисловие: «Она милашка, только что приехала сюда из Канзаса, чтобы поступить в колледж». Эти истории постоянно изменялись, чтобы удовлетворить вкусам и потребностям клиентов, причем сами клиенты пребывали в непреходящем изумлении от того, что Персику удавалось им угодить.

Я позволю себе краткое отступление: мне показался интересным тот факт, что мужчины не способны угадать возраст женщины. Возможно, в мужской ДНК заложена какая-то программа, не позволяющая активизировать клетки головного мозга, которые отвечают за способность при взгляде на женщину сделать логичные хронометрические выводы. Может быть, это происходит в результате постоянного полового возбуждения, когда, сами понимаете, у мужчин работает только одна голова. В общем, они не способны догадаться о возрасте женщины, особенно если вы уже предложили им какую-то цифру.

Я начала работать в службе эскорта незадолго до того, как мне исполнилось тридцать четыре. Элли, помощница Персика, тут же внесла в этот факт свои коррективы.

На следующий день после моего первого вызова я позвонила Персику, чтобы подтвердить свое желание работать и в этот вечер. Как оказалось, сама Персик сегодня работать не планировала.

— У меня выходной, так что меня не будет, — сказала она. — Не волнуйся, я уже рассказала о тебе своей помощнице Элли, и она скоро с тобой свяжется.

Я занервничала, но мне удалось успокоить себя мыслями о том, что мой банковский счет еще не позволяет мне брать выходной. Кроме того, если я сейчас дам задний ход, мне будет уже сложно вернуться. Меня приняли, и я должна этим воспользоваться.

Элли позвонила около семи, чтобы обсудить кое-какие детали. Ей нужно было уточнить мое описание, чтобы знать, что предлагать клиентам. На сообщение о возрасте она отреагировала прямо и непосредственно:

— Не пойдет. Никто не захочет встречаться с «девушкой» за тридцать, — сказала она. Я попыталась объяснить ей, что мой возраст не определяет того, как я выгляжу, и что на работе меня чаще принимают за аспирантку, чем за преподавателя. Мне действительно тридцать три, но выгляжу я гораздо моложе.

Элли, судя по всему, придерживалась иного мнения.

— Мужики понятия не имеют о том, как может выглядеть женщина за тридцать. Они ущербные козлы, и их примитивный мозг способен только на одно направление мыслей.

Как я поняла, Элли довольно цинично относилась к своей клиентуре и к жизни в целом.

— Для них уже двадцать восемь или двадцать девять — это «перестарок». Я не смогу заинтересовать клиента, если скажу, что тебе тридцать три.

— Хорошо. — Дальнейшие споры не имели смысла. Элли явно знала свое дело лучше меня. Новая игра — новые правила, и я готова была их принять. Чуть позже я узнала, что самой Элли только что исполнилось двадцать.

Она продолжала:

— Мы скажем, что тебе двадцать четыре. Так ты можешь быть аспиранткой. Некоторых мужиков заводят умные девицы. Ты пойдешь на ура с умниками: они всегда просят кого-нибудь с образованием.

Это меня устраивало. В тот вечер Элли нашла мне клиента: тихого инженера из Нью-Дели. После этого Персик стала заявлять мой возраст где-то между двадцатью двумя и двадцатью девятью, в зависимости от того, кто был клиент и чего он хотел. Я думала, что двадцать два — это чересчур, но никто из мужчин, с которыми я встречалась, не подвергал сомнению верность ее слов.

Должна признаться, что, несмотря на уверенность в своем внешнем виде, я все же чувствовала себя неуютно в том, что касалось возраста. Подумайте сами: распространенное мнение представляет проституток молодыми, даже иногда юными девочками, почти школьницами. Если речь заходила о типе *femme fatale*, то предпочтение отдавалось Лолите, а никак не зрелой женщине. Я же смотрела «Красотку»! Там девушка была достаточно юна, чтобы по-прежнему оставаться идеалисткой, на что нам настойчиво намекал этот фильм. В «Улице Полумесяца» возраст и интеллектуальный уровень Сигурни Уивер были скорее исключением, чем правилом, но даже ее клиенты не всегда соглашались с тем, что она может дать им то, чего они хотели. Самым распространенным образом проститутки стала героиня Джулии Робертс: молодая, длинноногая, болтушка и милашка. Шлюха с сердцем из чистого золота.

Я не была ни молодой, ни длинноногой, ни болтушкой или милашкой. Я также не имела никаких иллюзий относительно своего сердца. Выходит, я не могла соответствовать образцу? Эта мысль не давала мне покоя. После урода Питера я была не готова пережить еще один отказ.

Удивительно, но во всех моих размышлениях, доводах и выводах, планах и предположениях, которыми я занимала себя, начиная работать, не было и тени сомнения, что я справлюсь с этой работой. Сидя в общежитии и просматривая свои конспекты к утренней лекции, я волновалась о том, как пройдет занятие, какие вопросы будут задавать слушатели и так далее. Нервно репетируя ход лекции, я в то же время прикидывала, становиться ли мне проституткой. Меня удивляло это совмещение несовместимых, казалось бы, занятий, но тем не менее я ни минуты не сомневалась в том, что *смогу* это делать. Я просто была уверена в том, что у меня получится.

Я знала, что хорошо выгляжу, но моя уверенность основывалась не на этом знании. Она, скорее, имела отношение к осознанию собственных способностей, сильных сторон моей сущности. У меня было достаточно любовников и, если быть честной, любовниц тоже, которые утверждали, что я лучшая из тех, с кем они встречались. Хорошо, я допускаю, что вы тоже слышали подобные заявления и что люди в таких ситуациях вообще склонны говорить именно то, что от них хотят услышать. Я согласна признать такую возможность, но уверяю вас, что все они не могли следовать одинаковым мотивам.

Человек всегда *знает*, в чем заключаются его сильные стороны. Он просто чувствует это на клеточном уровне. Может быть, такое знание иррационально, но от этого не менее достоверно. Я знала, что хороша в сексе, в игре соблазнения. У меня это получалось само по себе, без усилий и размышлений. Когда я флиртовала с мужчиной, это получалось на автопилоте. Я просто вела себя определенным образом, не раздумывая о том, как, зачем и что происходит. Причем я всегда добивалась того, к чему стремилась. Я получала любого мужчину, которого хотела.

Моя ошибка заключалась лишь в том, что однажды я захотела урода Питера.

Итак, оставив рассуждения, я уверилась в своих способностях. Я точно знала, что, оказавшись с мужчиной наедине и без одежды, сумею его удовлетворить. Я смогу довести его до сумасшествия, привести в восторг, заставить его желать меня снова и снова. Я знала, что образование и опыт дают определенную долю сексуальности и у меня есть то, чего не могут предложить двадцатилетние девочки.

Именно поэтому я обратила внимание на объявление Персика. Я была потрясена количеством и разнообразием фотографий блондинок с неестественно большими грудями и с надутыми губками, заявляющих: «Моя горячая щель ждет тебя!» Среди объявлений выделялись два, которые давала Персик. Одно из них предназначалось для клиентов и выглядело достаточно просто: надпись «Аванти» в кружевном обрамлении, и комментарий — «Для тех, кто устал от банальности».

С одной стороны, это могло значить все, что угодно. С другой — там не было никаких признаков силикона, и это меня обнадежило. Второе объявление, помещенное на другой странице, было выполнено в том же стиле: «Предлагаем работу на неполный рабочий день. Приятное дополнение к повседневной жизни». Далее там было сказано: «Требуется образование выше среднего». Эта фраза разрешила мои сомнения. Никто, кроме этого агентства, не упоминал об образовании. У него должны быть клиенты, предположительно желающие вести интеллектуальные беседы с девушками, в которых их должно интересовать нечто большее, чем грудь и отсутствие мыслей.

Именно с такими клиентами я хотела работать: мне всегда нравились мужчины, видевшие в образовании приятное дополнение к моей сексуальности, а не недостаток. Это мне подходило.

Я выбрала только это объявление. Иногда я задумываюсь о том, что стала бы делать, если бы у меня не сложились отношения с Персиком. Вернулась бы на ту же страницу, к тем же объявлениям, чтобы выбрать еще одно, наименее оскорбительное? Я не могу ответить на этот вопрос.

Газета поехала со мной в Лондон, и слово «Аванти» не оставляло мои мысли все четыре дня, пока я общалась со студентами.

Приехав домой и не успев распаковаться, я позвонила Персику. В тот же вечер она отправила меня на встречу с Брюсом.

Так я узнала, что существуют люди, желающие со мной встретиться: Брюс, индийский инженер, представитель судебной власти... Но мне по-прежнему не хватало уверенности в том, что я нахожусь на своем месте в профессии, которая принадлежит молодым. Я снова попыталась добиться встречи с Персиком. Мне было необходимо убедиться в том, что «профессору» есть место в ее мире и что Брюс и другие не были приятным исключением из общих правил.

Наверное, именно тогда Персик решила, что я стою того, чтобы потратить на меня ее драгоценное время. Спустя пару дней после того как я навестила представителя судебной власти, она согласилась встретиться со мной.

— Хорошо. Давай пообедаем в четверг, в час дня в морском ресторане «Лигл» на Коупли. — Быстрые решения и молниеносное планирование были очень свойственны Персику.

У меня тут же вспотели руки.

— Хорошо, договорились! Я приду.

Я пришла. Она — нет. Персик избегала меня в течение недели. Она не пришла в ресторан и, когда я позвонила ей в два часа, сослалась на вывихнутую лодыжку. Я перестаралась в выборе одежды: на мне был деловой костюм с короткой юбкой и туфли на высоком каблуке, в которых я чувствовала себя очень неудобно. Все это время я нервно всматривалась в лицо каждой женщины, входившей в дверь, надеясь увидеть Персика. Я была вымотана до предела.

Персик отменила еще две наши встречи, но теперь уже делала это заранее. В конце концов, оплатив другому преподавателю замену на одну из моих лекций, я поняла, что не могу продолжать в том же духе. Я не должна позволять потенциальной работе помешать своей карьере. Персик все время выбирала неудобные места для встречи: от моей квартиры в Олстоне до центра города, где она обычно предлагала встретиться, было далеко и неудобно ехать. Там всегда трудно найти место для парковки, а поиски ресторана и попытки угадать, которая из его посетительниц может оказаться Персиком, не доставляли мне никакого удовольствия.

Я уже начала думать, что она никогда не встретится со мной. Мне казалось, что никакого Брюса с парусником не было, они лишь плод моего воображения, настолько мимолетный и незначительный, что о нем не стоило и вспоминать. Индийский инженер, к которому меня послала Элли, не считался: я пробыла у него самое большее двадцать минут, в течение которых он едва ли взглянул мне в лицо. Правительственный сановник был так увлечен дерзновенностью своих действий, что абсолютно не интересовался тем, с кем он это делает. Выходит, у меня не было опыта, чтобы оценить свое соответствие профессии.

В то же время меня медленно затягивала одержимость самой концепцией проституции. Короткое знакомство с ней вызвало во мне бесконечное любопытство. Может быть, так во мне проявился исследователь? Я начала читать о проституции и постоянно размышляла о ней.

При всем этом я не могла даже встретиться со своей собственной «мадам».

Мне было снова предложено приехать в «Лигл», на этот раз в тот, который находился в крупном торговом центре. Я отправилась туда, приготовившись к очередному разочарованию. Я даже не дала себе труда переодеться, поскольку не видела в этом смысла. На мне были домашние джинсы, трикотажная рубашка и беговые кроссовки «Райк».

В тот день у меня был примерно такой план действий: я собиралась посидеть в ресторане в ожидании Персика, позвонить ей, чтобы услышать очередные оправдания, затем отправиться в Бостонскую библиотеку. Я была одета для похода в библиотеку колледжа, а не для встречи с работодателем. У меня была с собой кое-какая работа, поскольку я не собиралась больше впустую терять свое драгоценное время. Все это мне уже порядком надоело. Я была совершенно уверена в том, что Персик не придет. Но она пришла.

Я ожидала увидеть кого угодно, только не ее. Я представляла себе миниатюрную, похожую на куколку женщину. Таких женщин в Бостоне много, и они олицетворяют собой результаты усилий и долгих часов, проведенных в салонах красоты и магазинах на Ньюбери-стрит. Я думала, что Персик будет одной из них, женщин, носящих свою одежду как оружие.

Мы с Ирен, моей подругой, как-то сидели и хихикали над ними, ощущая собственное предположительное превосходство. Мы тогда разделили их на две категории. Первые — жены богатых мужей из пригорода, приехавшие в город за еженедельной дозой коллагена, стрижкой и свежей сплетней и пытающиеся убедить себя в том, что их жизнь в Андовере, Актоне или Нью-Гэмпшире полна красоты и лоска. Вторые — работающие женщины, управленцы среднего звена, служащие банков или центральных представительств крупных компаний. Эти женщины выглядели совершенно потому, что у них не было другого выбора. Идеальный внешний вид был негласно включен в их должностные обязанности. Хотя красивая внешность могла также быть должностной обязанностью жены богатого человека, и в этом они не отличались друг от друга. У работающих женщин только было меньше свободного времени, и они пулей носились по торговым центрам, чтобы купить кому-то подарок на день рождения или выбрать себе украшение для многообещающего свидания.

Мы с Ирен хорошо тогда повеселились. Однако наши выводы не были лишены доли истины. Так выглядели женщины, определяющие жизнь центра Бостона. «Мадам» была бы одной из ключевых фигур этой жизни.

Я изо всех сил старалась представить себе, как может выглядеть Персик. Ее голос был легок, но решителен. Она быстро принимала решения и обычно придерживалась их, за исключением тех случаев, когда кто-нибудь вроде меня не заставлял ее изменить мнение. Она начала свое собственное дело восемь лет назад и с успехом им управляла, поэтому деловой костюм был бы тут не так уж и неуместен. Однако ее сфера деятельности касалась обольщения и удовольствия, поэтому она вполне могла бы носить мягкие ткани Северного Андовера и Манчестера. Как же она выглядит на самом деле?

У меня за плечом раздался голос:

— Джен? Вы Джен?

Я не видела, как она подошла. Передо мной стояла женщина примерно моего возраста, плюс — минус пару лет. Если она управляла своим делом столько времени и успела получить высшее образование, то ей не могло быть меньше тридцати. Я сделала вывод о ее образовании потому, что в противном случае она едва ли стала бы требовать его от своих сотрудниц. У нее были длинные, густые рыжие волосы, бледная кожа и поразительные зеленые глаза. Она выглядела так, будто только что сошла с картин Берн-Джонса, сменив привычную для его времени одежду на брюки цвета хаки и кожаную куртку. Если я не ошибаюсь, прерафаэлиты предпочитали белые одеяния.

Я протянула ей руку, и она, поколебавшись, пожала ее.

— Здравствуйте. Да, я Джен. А вы, должно быть, Персик? — Как еще мог поприветствовать вас профессор?

— Давайте выйдем на улицу, — предложила Персик. Вот и весь обед.

Мы сидели на цементной ограде, нас согревали солнечные лучи и обдувал ветер. Персик решила идти напрямик.

— Вы офицер полиции?

Я уставилась на нее во все глаза.

— Да нет... Понимаете, я вам позвонила потому...

Она была совершенно спокойна.

— Я должна быть совершенно уверена. Так вы не офицер полиции?

— Нет. Я что, похожа на полицейского?

— Тогда все в порядке, — сказала она, и мы начали разговор.

Хотела бы я, чтобы в жизни все было так же просто.

* * *

Итак, вот что я узнала: Евангелие от Персика. Не могу сказать, правда ли это, или я просто услышала одну из популярных городских легенд о незаконной деятельности. Во всяком случае, принято считать, что если вы спросите человека, не полицейский ли он, и он, являясь таковым, ответит отрицательно, то последующий за этой беседой арест не будет правомочным. Мне все это показалось странным, но Персик знала свое дело, поэтому я решила, что это предположение основано на реальных фактах.

Она не умела вести короткие беседы, вот и теперь она подготовила небольшую речь.

— Если у тебя когда-либо возникнет нехорошее предчувствие относительно клиента, — не соглашайся на вызов. Ты можешь по-разному отказаться от него. Если подозреваешь, что попала в ловушку, — спроси клиента, не является ли он офицером полиции. Если тебя одолевают серьезные подозрения, — скажи, что оставила ключи в машине, пообещай вернуться через минутку и сразу уходи оттуда. Если ситуация еще терпимая, позвони мне и спроси, не звонила ли твоя сестра.

— Моя сестра не будет тебе звонить, — озадаченно ответила я.

— Какая разница, — нетерпеливо перебила она. — Это условный знак. Когда положишь трубку, скажи клиенту, что мне позвонила твоя сестра, и что ее муж совсем плох, и ты должна бежать к нему в больницу. Извинись, попроси его перезвонить мне и скажи, что я обо всем позабочусь. Потом уходи. Когда выйдешь — позвони мне, чтобы я знала, что происходит и что мне с ним дальше делать. Никогда не обслуживай клиента, если тебя в нем что-то настораживает. Доверься своим инстинктам.

Думайте что хотите, но эта теория была вполне жизнеспособна. Ни одну девушку из агентства Персика не арестовали за все время, пока я там работала.

Итак, мы встретились, и она убедила меня в том, что я достаточно привлекательна и молода (во всяком случае, внешне), чтобы работать в ее сфере. Я уехала со смешанным чувством удивления, смущения и необычной уверенностью в себе. Несколько месяцев спустя Персик рассказала, что при нашей первой встрече почувствовала во мне угрозу: она увидела умную, непростую и образованную женщину. Это ее напугало. Разумеется, тогда я об этом не подозревала. Мне было известно лишь, что, к моему великому удовольствию, смотрины прошли удачно.

Нравится вам это или нет, но все мы подвержены влиянию Голливуда и диктату моды. Как бы нам ни хотелось отпереться от этого печального факта, — он по-прежнему остается неизменным. Если вы начнете утверждать, что вам нет никакого дела до постеров или двадцати с лишним телевизионных каналов, что вы никогда не сравнивали себя с людьми, которых там видели, и ни разу в глубине души не задавались вопросом, кто выигрывает в этом сравнении, — уверяю вас, вы просто лжете. «Ньюсуик» говорит о молодежной культуре как о каком-то отстраненном феномене, заслуживающем разве что интереса антропологов, но я готова поспорить, что журналисты, готовящие подобные материалы, стараются изо всех сил быть вхожими в группу, о которой пишут.

Взять хотя бы меня. Я заработала две степени магистра и нелегкую докторскую. У меня была независимая и относительно счастливая жизнь и карьера, к которой я всегда стремилась. Однако в тот день я ощутила невыразимое удовольствие от того, что достаточно молода, стройна, миловидна и соблазнительна, чтобы работать в службе эскорта и конкурировать с двадцатилетними девочками.

Может, я не настолько умна, как мне казалось.

* * *

Вечером после встречи с Персиком я решила не работать. Вместо этого я позволила себе исследовать новый образ, который предлагала мне эта профессия, дополнить его и примерить на себя.

Я провела три часа в фитнесс-центре, до изнеможения занимаясь на тренажерах, и потом вознаградила себя двадцатью минутами в джакузи. На соседнем со мной тренажере занималась женщина, с которой мы были знакомы. Она работала в одной из фирм, разрабатывающих программное обеспечение. Мы виделись с ней в основном в тренажерном зале, но иногда встречались и в других местах. Все наши беседы происходили в промежутках между подходами и измерениями пульса. Мы рассказывали друг другу о своей личной жизни — или об отсутствии таковой, в зависимости от того, что с нами происходило.

— Поехали завтра на пикник? — предложила Сюзанна, не отрывая глаз от светящихся красных точек на экране.

Подумав, я ответила, что не смогу.

Это ее заинтересовало.

— Не может быть, Джен! Это же так здорово! Ты с кем-то *встречаешься?* Видишь, я же тебе говорила! Я знала, что ты забудешь про своего козла Питера!

— Да нет, все совсем не так. — Я сделала паузу, отпив воду из бутылки. Мне не давала покоя мысль о том, как бы она отреагировала на мои слова: «Нет, Сюзанна, это не совсем свидание. Ты не очень удивишься, если я скажу, чем буду занята на самом деле? Понимаешь, человек, с которым я встречусь, в конце свидания заплатит мне двести долларов». Я с трудом подавила смех.

Что она могла подумать, даже *если бы* поверила мне? Сюзанна вполне могла не поверить.

— Я занимаюсь репетиторством. Мне нужны деньги.

— Здорово. — Ее глаза снова вернулись к показаниям монитора. — Мне бы тоже надо заняться чем-то вроде этого.

Я улыбнулась улыбкой человека, скрывающего тайну, и спросила, с трудом переводя дыхание:

— Зачем? Мне казалось, что вы, создатели высоких технологий, зарабатываете кучу денег.

— Да, конечно. Но на частных уроках ты можешь общаться с теми, чья жизнь не ограничивается четырьмя стенами и монитором. Мне бы хотелось время от времени поговорить с человеком, который имеет представление о том, как вести беседу.

«Да, — подумала я, — среди тех, с кем я встречаюсь, не все — любители замкнутого пространства. Правда, я не вполне уверена в их умении вести беседу».

Я приняла душ, выпила сока в баре центра и отправилась в магазин, чтобы разнообразить свой гардероб. Я не собиралась серьезно тратиться, да и моя кредитная карта не позволила бы мне никаких безумств. Новая работа — новая одежда, как всегда говорила мама. Я прекрасно помню, как она выглядела в первый день работы ассистентом вице-президента банка: идеальная шляпка, перчатки точно в тон туфлям... Другие времена, другая мода.

Сначала я пошла в «Касик» и купила пару комплектов нижнего белья. Поскольку я не знала, что меня ждет в дальнейшем, я добавила к белью несколько свободных трикотажных кофт и кружевную маечку, которая могла сойти как за предмет верхней одежды, так и за белье. Разумеется, мне пришлось купить этот ужасный пояс с чулками, хотя я надеялась, что не буду надевать его слишком часто. «Почему?» — спросите вы. Уважаемые господа и вы, досточтимая публика, если женщина когда-нибудь скажет вам, что ей удобно в этом облачении, знайте — она лжет. Возможно, она старается доставить вам удовольствие, потому что знает, как вас заводит этот наряд, но тем не менее она лжет. Так что цените эти усилия и будьте за них благодарны.

С другой стороны, мне платили за неудобства, что делало их более переносимыми.

Я прошлась по другим отделам, покупая одежду чуть более откровенную, чем та, которую я обычно носила: чуть короче юбки, чуть более открытые блузы, и тому подобное. Одежду, которую можно надевать слоями, — ее легко снимать и легко надевать, этому я научилась в тесной каюте парусника Брюса. Еще я купила маленькую черную сумочку, обшитую бисером. Потом я пошла в салон красоты, подровняла волосы, сделала укладку, дала слишком большие чаевые парикмахеру и отправилась домой. Было десять часов вечера. На следующий день в два часа я читала лекцию и после этого готова была приступить к своей новой работе.

«Сказка о двойной жизни», — усмехнулась я про себя. Замечательно.

Глава третья

Дело в том, что я занималась проституцией. Что бы я ни думала, оценивать ситуацию, в которой я зарабатывала на жизнь проституцией как «замечательную», было по меньшей мере наивно. Или неразумно.

Со дня встречи с Персиком прошло полторы недели замечательно обычной жизни. Обыкновенные занятия, обыкновенные вызовы от «Аванти» и восхитительно обычный секс. Не знаю, чего я ожидала: цепей и наручников? Или шлепков доброй няни? Вместо всего этого мне достался ничем не запоминающийся секс, который так характерен для первых свиданий. Некоторая неловкость, неуклюжесть, за которой следует мысль, что вам не так уж и нравится ваш партнер.

В жизни это случается довольно часто. С той разницей, что мое положение имело свои преимущества: через час я была совершенно свободна. В настоящей жизни на восстановление утраченной свободы уходит значительно больше времени.

Довольно часто клиенты говорили мне, что делать, и это мешало. Я довольно творчески отношусь к сексу, и мне проще подобрать свой ритм, чем следовать чужому. Мне не нравилось, когда мне указывали, что и как следовало делать. Правда, в контексте обслуживания клиентов это не имело значения, поскольку они за это платили. «Сядь здесь, сделай это, сними то, сделай так еще раз, сильнее, еще, встань, поцелуй меня тут, повернись, наклонись вперед».

Кто знает, может, их никто не слушал в реальной жизни, и со мной они получали единственную возможность кем-то управлять.

Время от времени я встречалась с привлекательным афро-американцем средних лет, который жил в Северном Андовере. После относительно успешных сорока пяти минут он выписывал мне чек (по отдельной договоренности с Персиком, потому что в этом деле обычно принимались только наличные). Как-то, подмигнув мне, в графе «предмет покупки» он указал: «произведение искусства». Наверное, я того стоила.

Был еще юнец из Южного Бостона, который предложил мне пива, но так и не дал возможности его выпить.

Потом я впервые обслужила клиента в отеле. Он был из постоянных и приезжал в Бостон раз в месяц по делам. Он сразу сказал мне, что очень занят, указав на раскрытый ноутбук на кофейном столике, засыпанном бумагами. Мужчина громко подбадривал меня, пока я делала ему энергичный минет, и в конце дал десять долларов чаевых сверх того, что у него запросило агентство. На весь визит у меня ушло меньше двадцати минут. В половине девятого я, хорошо одетая и привлекательная, шла по коридору отеля со ста пятьюдесятью долларами в кармане, которые заработала за меньшее время, чем мне понадобилось, чтобы одеться и привести себя в порядок.

Когда Персик позвонила мне с предложением поехать в гостиницу, я разговаривала с ней достаточно жестко. Мне представлялись мужчины, оказавшиеся в Бостоне проездом и от скуки просматривающие объявления служб эскорта. Я считала, что они не будут склонны проявлять осторожность или деликатность. К тому же я понимала, что если меня арестуют, то на моей жизни будет поставлен большой и окончательный крест. Я была готова заниматься сексом, чтобы заработать на жизнь, но не собиралась ради этого рушить свою карьеру.

— Я хочу работать только с постоянными клиентами, — говорила я ей, — только с теми людьми, которых ты знаешь.

— Все нормально, Мэт — наш постоянный клиент. Мы его знаем уже больше года.

— Хорошо, — все еще раздумывала я. — Только, Персик, на всякий случай хочу предупредить, чтобы меня никогда не отправляли к новым клиентам. Никогда. Я просто не могу рисковать.

Район залива в Бостоне состоит из каменных домов, заселенных старыми семьями со старыми устоями. Там все очень похоже на квартиры в Париже и Будапеште: обитаемые, не продающиеся и никогда не сдающиеся в аренду.

Улица носила гордое название Коммонвелс-авеню, была чисто выметена и украшена высаженными строго по одной линии деревьями. Я жила неподалеку от этого места, в Олстоне, где воздух был наполнен скрипом и шумом проходящих поездов, гомоном испанского рынка и русских аптек. Эта же улица была создана, чтобы имитировать бульвар Османи в Париже, и почти убеждала легковерного прохожего, что он находился именно там.

Рядом неторопливо текла Бикон-стрит, с причудливо изогнутыми коваными оградами, лестничными пролетами и балконами, и Мальборо-стрит с вычурными окладами тяжелых дубовых дверей. Отсюда были видны отблески газового освещения и слышен шорох колес, долетающий со Стороудрайв.

Проходя по таким улицам, всегда задумываешься о тех, кто живет за этими окнами, завешенными тяжелыми бархатными драпировками. Мне почему-то казалось, что там должны жить культурные и образованные люди, которые зимними вечерами за глотком бренди обсуждают Рембо и Верлена или Хофтстадтера и Мински.

Мои предположения подтверждались опытом, который я получила, работая над докторской сте-

— Дорогая, — сказала она, — я все прекрасно понимаю.

Был еще клиент в Бруклин-Виладж, который заплатил еще за один час, чтобы отвести меня в китайский ресторан после того, как мы занимались с ним сексом. Очень мило с его стороны. Я получила в два раза больше обычного и хорошо пообедала с мужчиной, с которым не стала бы встречаться при других обстоятельствах. Хотя его нельзя было бы назвать совершенно неприятным человеком.

Во всяком случае, не настолько неприятным, как мой последний любовник.

Ни один из этих мужчин не обладал искрометным темпераментом. Если честно, большинство из них уже исчезли из моей памяти. Кто-то был груб и бесцеремонен. Кто-то не мог удержаться от высказываний типа: «Да ты вообще ничего не понимаешь. С кем я тут разговариваю? С Эйнштейном?» Я была новичком в своем деле и, не сдержавшись, позволила себе отреагировать на это замечание: «Действительно». Это произошло, когда он третий раз повторил свою тираду. «В отличие от меня, у Эйнштейна не было докторской степени по антропологии». После моего заявления он вел себя довольно тихо.

Дело в том, что все они, в общем, были неплохими людьми. Обыкновенные, не особенно привлекательные, с сомнительными навыками общения, скучные и предсказуемые, с комплексами и неуверенностью в себе, которую компенсировали со мной, они не были для меня чуждыми, страшными или отвратительными. В прошлом я встречалась с такими же мужчинами, причем безо всякой компенсации.

В четверг, примерно через месяц моей работы с Персиком, на которую у меня уходило примерно три или четыре вечера в неделю, я подошла к окончанию курса «Смерть: процесс и результат». Мне больше всего нравится этот момент, когда я вижу, что успела сделать, какие мысли сумела пробудить. С начала семестра студенты знали, что их оценка частично будет зависеть от курсовой работы, которая могла быть выполнена индивидуально или в группе. Они должны были представить другим студентам то, что их увлекло, удивило или потрясло. На презентации этих работ я видела поразительные вещи.

В тот четверг я тоже не была разочарована.

Карен, одна из немногих студентов, которые не были медицинскими работниками, представляла свой собственный проект. Она пошла в хоспис и записала интервью с людьми, умирающими от СПИДа. Разговаривая с ними, Карен, профессиональная художница, рисовала их портреты (которые потом отдала самим больным). Ее душевная щедрость достойна отдельной истории.

По-моему, происходящее в аудитории не оставило равнодушным ни одного человека. Сильные

и испуганные, мирные и злобные, голоса с пле наполнили зал. Мы слушали истории этих люд и смотрели на болезненно красивые лица, умн глаза и ввалившиеся щеки. Я наблюдала за студе тами, замечая их слезы, напряженное вниман и сострадание, и мое собственное сердце перепол нялось чувствами.

Потом случилось то, чему я не могу найти объ яснения. В этот прекрасный, священный момен мои мысли сделали скачок во времени, я оказалась в апартаментах на Честнат-хилл, обставленных шикарной скандинавской мебелью, и снова увидела клиента, который говорил:

— Ты ведешь занятия о *смерти*? Вот это да! Смерть — лучшее возбуждающее средство!

Я тут же прогнала эту мысль, шокированная ее вторжением. Слушая рассказ о том, как человек теряет друзей и как его мать боится прикоснуться к нему, я чувствовала, как горели мои щеки. В самый важный, кульминационный момент, ради которого я родилась, я отлучилась. Мой уход был равноценен физическому выходу из аудитории. Я предала работу Карен и саму себя.

Я не знала, как мне быть с этим знанием. Я не хотела о нем думать. Я пыталась о нем забыть.

* * *

Если вы верите в неминуемое наказание за проступки, вы будете удовлетворены. Я получила свое наказание. Я поехала на вызов в Бэк-Бэй.

3 Зак. № 723

пенью и одновременно помогая одному профессору, жившему на Бикон-стрит. Я часто привозила ему домой проверенные работы студентов. На стенах его большой и темной квартиры везде, где хватало взгляда, висели огромные мрачные картины в мощных золоченых рамах. Они почти касались друг друга, так что невозможно было рассмотреть узор на обоях между ними. На полу лежали восточные ковры ручной работы, а тяжелая мебель красного дерева и книги в кожаном переплете лишь дополняли атмосферу. Иногда профессор угощал меня чаем. Я никак не могла определить, что это был за сорт, и кроме как у него дома, я нигде больше не встречала такого тонкого изумительного вкуса напитка.

Поэтому, получив предложение поехать на Бикон-стрит, я только обрадовалась. Когда мы договаривались, клиент мне не понравился, но к тому времени я уже выстроила свою собственную теорию: я считала, что клиенты, которые неприятны по телефону, на поверку оказываются совсем неплохими людьми, и наоборот.

Что ж, и в этом я тоже оказалась не права.

В тот момент, когда я разговаривала с ним, я еще об этом не знала, и поэтому старалась отнестись ко всему с юмором.

— Ну, что тебе нравится?

За то короткое время, что я занималась новой работой, у меня развилось стойкое отвращение к этому вопросу. Клиентов редко интересовало, что нравится мне. И даже задавая подобный вопрос, клиент делал это чаще всего для того, чтобы поспорить со мной или к чему-нибудь придраться.

Я откашлялась.

— Мне нравятся разные вещи. Я даже уверена, что мне понравитесь вы. Почему бы мне не приехать, чтобы узнать, понравится ли нам вместе?

Квартира была на четвертом этаже и выходила окнами прямо на Чарльз-ривер. Когда я приехала, то первым делом подошла к окну с радостным восклицанием. Мужчинам нравится, когда хвалят их жилище, а это место было на самом деле великолепным.

Везде, куда падал взгляд, вокруг меня и подо мной темнота была пронизана крошечными мигающими огоньками, окна разливали теплый желтый свет, красные всполохи озаряли крыши домов, а от реки исходило таинственное мерцание.

Клиент — его звали Барри — явно не намеревался платить мне за рассматривание вида из его квартиры. Он заявил об этом, схватив меня за руку и рванув к себе в сторону от окна. Это была первая отметина на коже, которая осталась у меня на память о том вечере.

Первый поцелуй чуть не поранил мне рот. Барри придавил меня к кирпичной стене с такой силой, что все ее неровности врезались в мою спину. Его руки толкали, давили, сжимали мне грудь. Это было очень больно. Я вскрикнула и отпрянула в сторону. Когда я попросила его остановиться, он засмеялся.

— Ты не смеешь указывать мне. Ты просто шлюха. Поняла? Это *ты* будешь делать то, что *я* тебе скажу.

Мне надо было уйти в тот же момент, поскольку у меня был выбор. Персик, конечно, не была бы от этого в восторге, но она бы меня поддержала. Однако в то время я все еще пыталась найти свое место в новой для меня профессии, в глубине души сомневаясь, что способна на это. Я все еще хотела себе что-то доказать.

«Хорошо, — подумала я, — я справлюсь с этим. Один час я вполне могу вытерпеть».

Он толкнул меня через арку в крохотную спальню, где стояла разобранная кровать, а в воздухе витал неприятный запах. Освещенная дорожка, которая вела к кровати, делала все происходящее особенно нереальным.

Все это время мужчина не отнимал от меня рук — мял, щипал и выкручивал. Срывая с меня одежду, он оторвал две пуговицы у горла блузки. Когда я попыталась сказать ему, что сниму одежду сама, он схватил меня за волосы и, приблизив свое лицо вплотную к моему, заорал:

— Заткнись, шлюха!

Как ни странно, но при всем беспорядке, который царил в его квартире, он позволил себе отвлечься от происходящего и застелить кровать полотенцами. В таком контексте дело принимало угрожающий оборот.

Вы можете мне не верить, но я не помню, что было дальше. Все происходило так быстро, что слилось в один бесформенный комок боли и страха. Мне очень трудно выразить словами то, что я тогда пережила. Во всяком случае, связного рассказа у меня не получится.

Я помню, как оказалась спиной на постели, с заломленными над головой руками. Барри навалился на меня всем телом, и мне было трудно дышать. Я помню, как звучал его голос, повторявший снова и снова:

— Ты ведь шлюха, да? Маленькая грязная дрянь. Скажи это! Скажи, что ты шлюха! Скажи, что тебе это нравится!

Помню, как мне было страшно из-за того, что я не могу управлять происходящим, и если он решит не использовать презерватив, я не смогу ему помешать. Помню чувство недолгого облегчения, когда он все же надел его, и последовавший затем ужас, потому что мужчина стал связывать мне руки наволочкой. Тогда я закричала в полный голос. Я понимала, что, связанная, уже ничем не смогу управлять. Я дралась и сопротивлялась до тех пор, пока он не сдался. После этого он вылил на меня ушат грязной брани.

Я помню, как он трахал меня, жестко и грубо, вонзаясь в меня с силой, которая была свидетельством скорее злости, чем желания. Он буквально вбивал в меня член с таким ожесточением, что я боялась каждого последующего толчка. Он отбил мне матку, надорвав все прилегающие ткани. Боль была невыносимой. Я помню, как он вышел из меня и перевернул меня вниз животом. Я помню, как оцепенела от ужаса, когда поняла, что он пытается войти мне в анус.

Я не ханжа, причем далеко не ханжа. Я не раз занималась анальным сексом, и мне это нравилось. Я играла в различные ролевые игры, которые требовали доминирования и подчинения, и при обоюдно приемлемых правилах чувствую себя достаточно свободно в исследовании своей сексуальности.

Сейчас происходившее со мной не имело ничего общего с безопасностью и оговоренными условиями, на которые я была согласна, и я стала сопротивляться изо всех сил.

Барри был явно недоволен.

— Все проститутки трахаются в задницу, — рявкнул он.

— А я не буду.

Большинство людей на этом месте оставили бы свои попытки. Даже тот, кто обладал минимальными социальными навыками, понял бы, что у него ничего не получится, и попытался бы по возможности сгладить возникшую конфронтацию. Некоторые в подобной ситуации даже извинялись. Позже я узнала, что многие женщины, работавшие в то время на Персика, так же как я, боялись заниматься анальным сексом с человеком, который способен причинить им боль. Следовательно Барри, который был одним из постоянных клиентов Персика, должен был знать, что я откажусь от этого. Он мог бы заранее спросить об этом, когда мы разговаривали по телефону. Теперь мне стало ясно, почему он этого не сделал. Если ты не спрашиваешь, — никто не может тебе отказать. А вдруг ему удастся вынудить меня сделать то, что он хочет?..

Итак, как я уже сказала, большинство клиентов на этом месте прекратили бы всякие попытки.

Судя по всему, Барри к большинству не относился.

Если бы я не была так раздражена и напугана, то наверняка смогла бы оценить комичность происходящего: взрослый, обнаженный волосатый мужчина ныл, как обиженный пятилетка, которому не дали мороженого.

— Да ладно тебе! Давай, хоть один разок!

— Не буду. — Согласна, это тоже нельзя было назвать ответом взрослого человека.

— Ну, давай! — не унимался он, будто все дело было в том, что он проявил недостаточную настойчивость. — На одну минуточку! Обещаю, я остановлюсь сразу, как ты мне скажешь. Тебе понравится. Ты увидишь, как тебе понравится! Я буду слушать тебя, все сделаю, как ты хочешь!

«Да, конечно», — подумала я.

— Нет, давай лучше...

— Не хочу я ничего другого! — взорвался он, напугав меня еще больше. — Сука! Ты пришла сюда, чтобы сделать это, и ты это сделаешь!

Я отодвинулась от него к изголовью кровати. Кажется, меня трясло, хотя сложно было определить, от страха или от злости.

— Барри, я уже сказала, что этого не будет. Ты должен был объяснить Персику, что хочешь анального секса. Я не занимаюсь этим и не стану делать этого сейчас.

«Особенно с тобой», — пронеслось у меня в голове.

Мужчина сидел на краю кровати, обдумывая, что делать дальше. Судя по всему, он решил перейти к плану «Б», поскольку протянул руку и мягко потрепал меня по плечу.

— Ну ладно, хорошо. Иди сюда. Я не стану заставлять тебя делать то, чего ты не хочешь.

Подумав о том, что час, должно быть, уже на исходе, я приблизилась к нему. Внезапный уход от агрессии и оскорблений сбил меня с толку. В чем дело? Я что, должна теперь проявлять нежность? Внутренний голос ответил, что должна, поскольку именно за это мне и платят.

Впрочем, мне не пришлось изображать нежность. Как только я оказалась в пределах досягаемости, Барри схватил меня и снова швырнул на кровать. Навалившись на меня сверху, он так вжал мое лицо в подушку, что я чуть не задохнулась. Я умирала. Мир потерял свои краски и очертания. Я видела только пульсирующую красную волну, ритмично ударявшую в мои веки. Я билась изо всех сил только ради того, чтобы сделать еще один вдох.

В то время Барри мало занимала моя голова: он пытался загнать член мне в анус. Несмотря на все мое сопротивление, он был очень близок к успеху. Когда мне удалось оторвать голову от подушки, я услышала, как он приговаривал:

— Грязная тварь, шлюха драная, получи! Нука, давай, сука, получай!..

Никакие деньги не стоили того, чтобы это терпеть. Я набрала в легкие побольше воздуха и закричала.

Барри стал со мной бороться, пытаясь заставить меня замолчать. Когда он зажал мне рот рукой, я укусила его изо всех сил. Он ругнулся и отдернул руку. Воспользовавшись его замешательством, я выбралась из-под него, скатилась с кровати и выбежала под роскошную арку межкомнатного проема. Стоя там, я пыталась прикрыть рукой грудь. Самое время для скромности. Моя мать могла бы гордиться тем, как она меня воспитала.

Барри был в ярости. Его трясло, а на губах пузырилась слюна.

— Ты, блядь! — заорал он. — Никто не смеет так со мной обращаться!

Я боялась отвести от него глаза.

— Если ты что-нибудь мне сделаешь, Персик никогда больше никого к тебе не отправит! — выпалила я, не вполне уверенная в том, что все так и будет. Я радовалась тому, что заранее получила с него деньги, потому что собиралась сейчас же бежать оттуда, прихватив с собой одежду. Слова Персика о том, что у этого клиента я должна взять деньги вперед, уже должны были меня насторожить. Обычно постоянные клиенты расплачиваются в конце встречи.

— Я ухожу.

На удивление, моя пустая угроза подействовала. Позже я узнала, как Персик дрессирует своих постоянных клиентов. Если они плохо ведут себя с ее девочками, она заставляет их каяться и извиняться. Барри сел на кровать, постепенно теряя пыл.

— Черт, — сказал он.

Исчерпывающий комментарий. Я быстро наклонилась и подхватила свою одежду, второпях натягивая ее на себя. Я не стала искать оторванные пуговицы, запихала белье в сумочку, отчаянно стараясь сократить пребывание в этой квартире до неизбежного минимума.

Барри прошел мимо меня, когда я обувалась.

— Не хлопай входной дверью, — бросил он мне на пути в ванную. — Я хочу принять душ. Я чувствую себя грязным из-за тебя, шлюшка драная.

Он почувствовал себя грязным *из-за меня*.

Я позвонила Персику, как только вырвалась на улицу и села в свою машину. На днях я купила сотовый телефон, радуясь анонимности и тем удобствам, которые он предоставлял.

— Это было ужасно, — сказала я с гневом, смешанным со слезами.

— Знаю, дорогая, — ответила Персик, и в ее голосе было столько понимания, сострадания и заботы, что я быстро успокоилась. — Если хочешь, я никогда не буду посылать тебя к нему. — Я почувствовала прилив невероятной благодарности к ней.

Лишь несколько месяцев спустя, вспомнив этот разговор, я поняла, что Персик прекрасно знала, куда меня посылает, и не предупредила меня об этом. Если бы она это сделала, я бы туда не пошла. Я не должна забывать, что мы обе стали заниматься этим делом ради заработка. Но все же она должна была меня предупредить... Все это сострадание и понимание тоже учитывалось и имело свою цену. К тому моменту я уже это поняла.

В том же году я познакомилась с женщиной, которая тоже работала в этой службе. Ее звали Марго. Сидя в баре, мы обменивались впечатлениями о клиентах. Как оказалось, она регулярно посещала Барри. Узнав об этом, я с изумлением посмотрела на нее.

— Как ты можешь это переносить?

— Понимаешь, у меня есть своя теория на этот счет, — произнесла Марго после большого глотка «манхэттена». Обычно я придерживалась привычного выбора напитков, но она подвигла меня к разнообразию. — Понимаешь, такие люди, как Барри, очень ожесточены против женщин.

— Это точно, — пробормотала я. — К категории женоненавистников относится почти восемьдесят процентов мужчин. — Я вспомнила свой курс лекций по безумию и подумала о том, как фиксированные страхи и фобии заставляют мужчин избегать женщин.

— Согласна, только в случае Барри это более очевидно.

— Не буду спорить, — отозвалась я, размышляя о том, куда может повернуть эта тема.

— Так вот, он сидит в своей маленькой квартирке и на чем свет стоит поносит всех женщин, которых поголовно считает шлюхами. Может, он даже наблюдает за ними из окна. Смотрит, как они загорают в парке или катаются на роликах, и копит всю свою неуверенность и ненависть до тех пор, пока они не запросятся наружу. — Марго снова отпила коктейль, не торопясь делать вывод. — Ты, наверное, поняла, что я сейчас описала классического насильника из учебника по криминальной психологии.

Это действительно было похоже на насилие. Я содрогнулась при воспоминании о том, как задыхалась в подушке, как он давил меня своим весом и раздирал мне ягодицы...

Марго не заметила того, что со мной происходило.

— В такие моменты он становится опасен. Если напряжение стравить, то появляется шанс, что он не сорвется. Может быть, имея возможность время от времени реализовывать свои мерзкие фантазии с одной из нас, он не пойдет однажды за какой-нибудь ни о чем не подозревающей женщиной, чтобы напасть на нее где-то возле ее дома. Возможно, тогда он никого не тронет.

Она пристально смотрела на мелькающие огоньки за окнами, будто они помогали ей думать, и не сразу взглянула на меня.

— Понимаешь, Джен, я управляю ситуацией, даже когда он считает, что я беспомощна. Я управляю им самим и всегда могу позвонить Персику. Не знаю почему, но Барри пользуется только ее агентством, и если она прекратит с ним работать, он останется ни с чем. Он прекрасно это понимает, и мне кажется, он также понимает, насколько это для него важно.

— Получается, играя в его игры, ты защищаешь других женщин от насилия? — мне по-прежнему трудно было представить все в таком ракурсе.

— Да. Почему бы нет? — Марго пожала плечами. — Кроме того, Джен, посмотри на это с другой стороны: у меня нет конкурентов, которые интересовались бы им как клиентом. Так что ты можешь называть это и альтруизмом, и обоснованной заинтересованностью. И то и другое — правда.

Мне очень понравилась теория Марго. Я много думала о ней. Все, что я до этого читала о проституции и обмене секса на деньги, объединялось основной мыслью о влиянии этого явления на порабощение женщины и попустительстве мужским фантазиям о доминировании и власти. Сидящая же передо мной красивая, умная женщина, спокойно потягивающая «манхэттен», только что объяснила мне, что, занимаясь своим делом, оберегает других женщин от насилия.

Мне нравилось думать о незнакомке, идущей вечером по Бикон-стрит. Свет уличных фонарей искрится от тонкой мороси, эхо ее шагов отражается от мостовой. Эта женщина могла не бояться за свою безопасность, потому что четырьмя этажами выше Марго приняла ярость врага на себя.

Глава четвертая

После происшествия на Бикон-стрит мне срочно требовался фитнесс-центр. Я пошла туда и занималась больше обычного, а потом долго стояла под душем, оттирая себя с таким рвением, что чуть не содрала кожу. После этого я час просидела в джакузи, вставая каждые десять минут, чтобы переустановить таймер. Если бы центр не закрывался, я бы провела там всю ночь.

Мне не помогало то, что к этому ощущению грязи и поруганности я готовилась заранее, еще только размышляя о том, стоит ли мне заниматься проституцией. До сих пор мне удивительно везло. Можно сказать, я была баловнем судьбы. Персик как-то сказала об этом случае:

— Неудачный вызов.

Конечно. Нельзя же все время вытягивать выигрышную карту.

Чувства прошли. У меня было достаточно нейтрального и положительного опыта, чтобы уравновесить ощущение от встречи с Барри. К тому же никто не обязывал меня встречаться с ним снова. Постепенно, как это часто случается, я спрятала воспоминания о нем в дальние уголки сознания и сконцентрировалась на том, что было для меня самым важным. На деньгах.

Деньги были для меня очень важны, потому что, проработав в агентстве Персика всего несколько недель, я поняла, что передо мной забрезжил свет избавления из долговой ямы, в которой я оказалась. Разумеется, до полного спасения было еще далеко, даже в самых смелых предположениях, но теперь я понимала, что смогу выжить.

Я смогла вовремя оплатить аренду квартиры, что само по себе было немалым достижением. Я боролась с желанием написать уроду Питеру в Калифорнию, чтобы рассказать ему, что у меня все в порядке. Правда, хорошенько подумав, я отказалась от этой мысли.

В воскресенье, после первой недели работы на агентство, я сидела рядом со Скуззи, удовлетворенно мурлычущим у меня под боком, и выписывала чеки по счетам, которые уже не надеялась оплатить. К тому времени я уже успела потратить некоторую сумму денег на то, что сочла издержками новой профессии: универсальные костюмчики от «Нэкст» и «Экспресс» и кружевное белье от «Касик». Даже с этими незапланированными тратами я смогла начать оплату счетов. Скоро я смогу снова отвечать на телефонные звонки, не боясь нарваться на одного из кредиторов, и буду без паники подходить к почтовому ящику, не думая, от чего меня могут отключить на этот раз.

Сказать, что в этот день мне было хорошо, — значит совершенно недооценить мое состояние!

Финансовое благополучие стало отражаться на моем внешнем виде. Я стала увереннее и спокойнее. Эти изменения в мироощущении могли произойти как благодаря моей новой работе, так и потому, что я перестала прятаться от людей, избегая встреч со сборщиками платежей. Что бы то ни было, люди обратили внимание на перемены.

Декан факультета социологии, на котором я читала «Смерть: процесс и результат», была первым, кто решился это прокомментировать:

— Итак, у нас появился новый воздыхатель?

Я чуть не пролила кофе.

— Нет, Хана. Почему ты спрашиваешь?

Она выглядела удивленной.

— Ты великолепно выглядишь последнее время. Ты явно счастлива. Я даже слышала, как ты напевала в туалете. Вот я и подумала, что у тебя кто-то появился.

«Нет, Хана. Ты не угадала. У меня не просто „кто-то“ появился, — у меня каждую ночь свидание с новым „кем-то“. Это я говорю на тот случай, если тебе действительно интересно». Я живо подавила эти мысли и хитрую улыбку, которую они вызвали, заменив их истинно профессорским выражением лица.

— Я просто стала чаще посещать фитнесс-центр. Может, в этом все дело?

В этом семестре я еще читала факультативный курс под названием «Жизнь в психиатрической клинике», который исследовал постоянно меняющиеся способы обращения медицинских и психиатрических учреждений с больными людьми. Чем бы ни руководствовались изначально создатели этих лечебниц, за всю историю их существования заключенные там люди были обречены на непреходящую жестокость и произвол. В ходе занятий мы рассматривали историю так называемых «дворцов бедняков» — огромных, величественных государственных лечебниц, построенных в девятнадцатом веке для достижения благой цели, какой бы она ни была в то время.

На следующий день, после похода в магазин и салон красоты, я читала лекцию по «сумасшедшему дому», как называли этот курс сами студенты. Меня одолевали смешанные чувства, и мне было необходимо разобраться с ними как можно скорее. Мы как раз проходили тему, которая всегда казалась для меня одной из самых сложных: использование клиник для умалишенных в качестве свалки для женщин, ставших ненужными обществу.

Мне ни разу не удавалось пройти эту тему с надлежащей отстраненностью и бесстрастностью, потому что она всегда вызывала у меня сильнейшее негодование. Никому не нужная старая дева, излишне говорливая жена, стареющая мать, — все они могли оказаться в тюрьме только потому, что какой-нибудь мужчина мог пожелать от них избавиться и найти сговорчивого доктора, согласного подписать бумагу, подтверждающую их безумие. Причем в дальнейшем жертва могла выйти на волю не по утверждению врача о ее умственном здоровье, а только с разрешения родственника мужчины, который инициировал ее «лечение».

Я нахожу это возмутительным. Каждый раз, говоря или думая об этом, я чувствую, как кровь закипает у меня в жилах.

Студенты должны были на этой неделе прочитать книгу Геллера и Харрис «Женщины в психиатрической клинике». Они могли уже комментировать конкретные случаи, описанные в книге, истории живших в те времена женщин, которые провели годы и даже десятки лет в лечебницах для умалишенных, хотя были не более безумны, чем мужчины, обрекшие их на такую жизнь.

Дело было не в умственном здоровье, а в беспомощности, из-за которой мог произойти подобный произвол.

Занимаясь собственным независимым исследованием (или подчиняясь новой навязчивой идее, как вам больше нравится), я начала читать о том, как проституцию использовали в качестве доказательства сумасшествия женщины. Мой гнев был еще сильнее обычного. Возможно, мою точку зрения нельзя было назвать исключительно научной.

В аудитории нашлись женщины, обуреваемые еще большими страстями, чем я сама. Так бывало часто, и я считала эти моменты наивысшим, чистым и значительным достижением образования в целом и конкретного преподавателя. Мне нравилось предоставлять людям информацию, которой у них не было раньше, и наблюдать за тем, как оживает страсть в их сердцах. Открой человеку истину, и она изменит его жизнь. Может быть, придет день, и весь мир изменится благодаря истине.

В аудитории шла жаркая дискуссия. Я ожидала чего-то подобного. Невозможно воспринимать емкие, образные слова, содержащие в себе столько боли, и не реагировать на них эмоционально. Я не стала мешать дискуссии и только ходила по залу, время от времени комментируя и задавая вопросы.

Постепенно мы отклонились от темы, но я не стала сразу возвращать студентов назад. Мне было важно, куда заведут их собственные рассуждения.

— Ну какая теперь разница, скажите мне? Это уже история, больше таких вещей не бывает.

— Ты что? Все бывает, только выглядит по-другому. Может, все происходит не так явно, но только суть от этого не меняется.

— Какая суть не меняется? — тихо задала я свой невинный вопрос.

— Что не меняется? Вы мне лучше скажите, что изменилось! Люди по-прежнему считают, что, если женщина почему-то не захотела делать то, что от нее требуют, она ненормальна и поступает вопреки собственному естеству.

— Да ерунда все это! Женщины сейчас становятся президентами компаний!

— А что требуют от женщины? — снова спросила я.

В ответ хлынула волна ярости.

— Да все! От них требуют, чтобы они все делали и при этом были милыми, заботливыми и незлобивыми ко всем окружающим! Да, и еще они должны быть сексуальными. Этакими женщинами чьей-то мечты, и в то же время готовить так, как их свекрови! Они должны рожать детей, а если они не хотят этого делать и предпочитают заняться собственной карьерой, их тут же начинают считать эгоистичными, эгоцентричными и ненормальными в целом. Если бы я жила в прошлом веке, меня бы точно отправили в сумасшедший дом!

Другой женский голос подхватил:

— И с сексуальностью тоже все несправедливо. Мужчин раньше сажали в тюрьму за преступления, а женщин — за то, что они были слишком сексуальны. Если ты надеваешь короткую юбку и блузу с откровенным вырезом или пользуешься косметикой и украшениями не так, как этого хотели бы окружающие, — тебя наказывают и прикрепляют к тебе ярлыки.

Я посмотрела на нее.

— Какие ярлыки?

Она пожала плечами:

— Ну, знаете, там, шлюха, сука, дрянь. Так что у девушки есть выбор: либо соответствовать чужому представлению о тебе, либо быть наказанной за неповиновение.

— Все равно ничего не получится! Мужчинам нравится, когда женщина изображает суку, хотя они не склонны стесняться выражениях и обязательно будут оскорблять ее за это!

Другая студентка сказала:

— В том-то все и дело! Нас только оскорбляют за то, что мы не соответствуем чужим представлениям, а тогда женщин за это отправляли в сумасшедшие дома.

Голоса продолжали звучать, а я задумалась. Я уже знала то, о чем они говорят, но эта истина почему-то стала откровением для меня. Возможно, это произошло потому, что теперь она имела ко мне непосредственное отношение. Если женщину называли проституткой, даже в современном мире это было оскорблением. Раз об этом говорят даже студенты, значит, так оно и есть.

Я дала им письменное задание, предложив выразить на бумаге свои чувства возмущения и сострадания, потому что мне были интересны страстные и гневные речи женщин и не менее страстные оборонительно-оправдательные слова мужчин. Я сидела за столом и хмурилась, глядя в блокнот. На мне была одежда для занятий: юбка, шелковая трикотажная блуза и туфли на низком каблуке. Для вечерней работы я планировала переодеть только нижнее белье. Итак, я могла считать себя в относительной безопасности: я не выглядела как шлюха, что оставляло мне шанс считать себя хорошей женщиной.

Позже, познакомившись с другими женщинами, которые работали в агентстве, я была поражена. Глядя на них, никто бы не принял их за сотрудниц службы эскорта. Они совершенно не были похожи на шлюх.

Что значит «быть похожей на шлюху»? Я больше ни в чем не была уверена.

* * *

Персик позвонила мне в семь тридцать.

— До которого часа ты сегодня хотела работать?

Я об этом как-то не думала.

— Не знаю. А что? — Мне было особенно нечем заняться. С исчезновением из моей жизни известного урода все вечера стали похожи один на другой.

— У меня тут наклевывается для тебя один клиент. Тебе он понравится, только он не может встретиться с тобой раньше десяти. Ты как?

— Хорошо. — Мне было чем заняться до этого времени: я собиралась поискать кое-что в Интернете. Поскольку утренние дискуссии повернули в неожиданное для меня направление, мне было необходимо найти дополнительный материал, которого раньше не было в этом курсе.

Тогда, в самом начале, я думала, что смогу просто встать из-за стола, за которым проверяла студенческие работы, и поехать на встречу с клиентом. Я еще не понимала, что для перехода от одного состояния к другому требуется время.

— Прекрасно. Можешь ему не звонить. — У меня от удивления полезли вверх брови. Это было приятным сюрпризом, потому что работа торгового агента мне не слишком нравилась. — Он будет тебя ждать в «Белла Донна» на Ганновер-стрит, в северной части города.

— Персик, — медленно произнесла я, — это же ресторан.

— Да, я знаю. А он — его владелец. Ты просто зайди в бар и скажи, что пришла к Стефано. Будь там в десять, как приедешь на место — позвони.

— Хорошо, — согласилась я. Мне уже доводилось бывать в этом ресторане с предшественником урода Питера. Место было незабываемым. Несравненная кухня Северной Италии, соусы, способные заставить вас навсегда отказаться от любой другой пищи! Шеф-повар такое проделывал с грибами, что ему мог позавидовать сам Творец. Меню предлагало суп из пяти видов грибов, которым я могла бы питаться всю оставшуюся жизнь. Вызов обещал быть интересным.

Самым трудным в моем задании оказалось найти место для парковки. Конечно, я могла поехать на общественном транспорте, но в таком случае мне понадобился бы час с лишним только для того, чтобы добраться туда из Олстона. С другой стороны, северная часть города славилась отсутствием мест для парковки в любое время суток. Итак, я выехала заранее и долго кружила по улочкам, честно стараясь найти свободный пятачок, перед тем как поехать на немыслимо дорогую стоянку и оттуда отправиться пешком до ресторана.

Бар ресторана «Белла Донна» посещали в основном местные жители, мужчины определенного возраста, а также друзья и родственники хозяина. Я вошла в бар и немного замешкалась, — этакая добропорядочная барышня, которая не понимает, как оказалась в таком месте. Ко мне с улыбкой подошел бармен.

— Я пришла к Стефано, — сказала я, ругая себя за то, что не потрудилась спросить у Персика его фамилию. Мне казалось, что полное имя звучит не так неловко.

Если я старалась соблюсти таинственность ради приличий, Стефано, очевидно, преследовал совсем иные цели. Как только я спросила о нем, отовсюду раздались смешки и посетители стали обмениваться кивками и подмигиванием. Все прекрасно знали, зачем я сюда приехала.

Мужчину, который в это время появился из задней комнаты, никак нельзя было назвать незаметным или непривлекательным. Он обладал копной темных волос, животиком, угрожающе нависшим над ремнем, прекрасных белых зубов и волосатых пальцев. Что ж, нет в жизни совершенства!

Он поцеловал мне руку, что было очень мило с его стороны, учитывая все обстоятельства, и предложил коктейль. Мы потягивали вино и вели вежливую беседу о погоде, в то время как его приятели жадно прислушивались к каждому слову, будто боясь пропустить что-то важное. Люди иногда с таким же вниманием слушают шутку, чтобы не прозевать место, где можно смеяться. Я сказала, что была в Италии, а он ответил по-итальянски, вызвав настоящую истерику у посетителей.

Мы еще немного посидели, потом Стефано произнес какую-то длинную фразу, извиняясь перед друзьями, и помог мне сойти со стула. Он проводил меня вниз по лестнице, где рядом с винным погребом была комната, как бы это сказать... приспособленная для удовлетворения его нужд.

Там он объяснил мне всю ситуацию, чтобы у нас не возникло никакого недопонимания. Иногда его нужды касались женщин, а иногда ему просто хотелось сыграть пару партий в карты. Иногда он принимал здесь гостей, иногда жил сам, когда его жена Джаннетта теряла терпение и выдворяла его из семейной обители. Казалось, это событие происходило достаточно часто.

Во всяком случае, здесь был стол, стулья, диван, два или три кресла и маленькая кровать в углу. Он тщательно закрыл за нами дверь, и несколько минут мы сидели на кровати, обмениваясь ласками. Это было интересно. Застоявшийся воздух и его настойчивые руки напомнили мне далекие года юности и летние лагеря. У меня остались от них смутные воспоминания о старом сарае для лодок, наполненном старым детритом с пляжей, полуистлевшими костюмами для плавания, заброшенными ракетками для бадминтона, и о двух страстных подростках, нашедших там временное убежище от жары летнего вечера. У Стефано были шершавые губы, и я снова вспомнила о том, как целовала мальчика подростка, еще не понимающего, чего он хочет, не уверенного в своей силе и в том, чего от него ждут.

Потом Стефано отстранился и жестом попросил меня встать.

— Сними одежду, — потребовал он. Пока я снимала пиджак и шелковую блузу, он расстегнул ремень и молнию и вытащил свой член.

К тому моменту как я освободилась от верхней одежды, он уже успел кончить. Так сказать, концерт окончен. Цель достигнута, оргазм получен.

О том, что в этом и заключалась суть половой жизни Стефано, я узнала только гораздо позже, и в тот момент была совершенно обескуражена. Не забывайте, я пришла сюда на работу. Я не то что не трудилась, я даже не успела раздеться!

После той первой встречи я не раз еще приезжала к Стефано, но сценарий никогда не менялся. Между нами как будто происходило негласное соревнование: кто первый, или успею ли я раздеться до того, как Стефано кончит. У нас ни разу не было физического контакта, да этого и не требовалось.

У него была определенная репутация, которую он должен был поддерживать. Все его друзья в баре знали, что он спустился с свою комнату с дамой, поэтому, пока он мылся в маленькой раковине, я одевалась, а потом раздавался стук в дверь и один из мойщиков посуды (ни разу на его месте не оказывался официант) приносил нам поднос с напитками и едой.

Мы сидели за столом, пили «Кьянти» или охлажденное «Валполичелло» и ели телячий скалоппини или что-нибудь из даров моря. Иногда я заказывала свой любимый суп из пяти видов грибов. Иногда мы разговаривали, но чаще обходилось без бесед.

В первый раз по прошествии положенного времени, меньше часа, он встал, поцеловал мне одну руку, вложил деньги в другую и отправился со мной наверх. В баре меня ждал пакет, наполненный всяческими коробочками с деликатесами. Он зрелищно преподнес мне этот дар, весь бар разразился аплодисментами, и на этом мой визит был окончен.

Позже я услышала, что если девушка приезжала к Стефано с водителем, он обязательно узнавал, где тот припарковался, и либо приглашал его на ужин за счет заведения, либо присылал в машину дополнительную порцию своих умопомрачительных кушаний. Он был щедр, открыт и добр.

В тот вечер после визита к Стефано я позвонила Персику.

— Он с кем-нибудь занимается сексом?

— По-моему, он на это не способен, — радостно ответила она. — Что было на ужин?

Я невольно рассмеялась.

— Телятина. Это было потрясающе!

— Я была уверена, что он тебе понравится. Будешь еще сегодня работать?

Часы уже показывали половину двенадцатого, а на следующее утро в одиннадцать часов у меня была лекция по курсу «Смерть: процесс и результат».

— Сегодня уже нет, Персик. Но завтра вечером я буду в твоем распоряжении.

— Договорились, дорогая. Спокойной ночи.

Я действительно спала хорошо. У меня было достаточно еды на два дня вперед, шестьдесят долларов чаевых, и ради этого мне даже не пришлось полностью раздеться! «Как все просто! — думала я, забираясь под одеяло рядом с устроившимся на подушке Скуззи. — В этом нет ничего особенного. Странно, что так мало женщин этим занимаются. Мне совсем не трудно будет работать в этой сфере».

Что ж, всем свойственно ошибаться.

Глава пятая

На самом деле после этого вызова я взяла несколько выходных. Вечер со Стефано оказался приятным, большинство моих клиентов — терпимыми, но то, что я пережила на Бэк-Бэй, задело меня больше, чем я готова была признать.

Вместо того чтобы работать, я сидела в квартире, потягивала красное вино и размышляла о том, правильно ли поступаю. Может быть, мир проституции и в самом деле так ужасен, как его представляют в кино и книгах. Кто знает, вдруг я действительно перестану себя уважать. Мне просто надо было решить, стоят ли все стефано шанса снова попасть к кому-нибудь из барри.

Я сделала вывод, что мне следует на время уйти от этой работы и посмотреть на все со стороны. Мне была нужна доза «настоящей жизни», в чем бы она ни заключалась, чтобы снова почувствовать себя самой собой.

У меня ушло много времени на то, чтобы углубить и разнообразить мои занятия. Я организовала экскурсию в похоронное бюро и рассмотрела несколько предложений о преподавательской работе. Потом я разыскала людей, с которыми обещала встретиться и пообщаться, но не могла этого сделать из-за недостатка времени. Когда-то я думала, что не нуждаюсь в общественной жизни. Похоже, это предположение оказалось ошибочным.

Я потеряла связь с друзьями и не стала предпринимать никаких шагов к тому, чтобы это исправить. Так часто случается, когда вы расстаетесь с любовником: люди, привыкшие воспринимать вас как пару, не знают, как вести себя с отдельной личностью. Итак, я попыталась наверстать упущенное.

Мы встретились с Ирен, моей сотрудницей по институту. Мы обедали в ресторанчике «У Джея» на Тремонт-стрит и за суши и тайскими блюдами болтали о непредсказуемости рынка труда и полном отсутствии личной жизни. Расставаясь, мы пообещали друг другу чаще встречаться.

Я ходила на показ мод в Олстоне со своим другом Роджером, голубым, который, судя по его словам, своей насыщенной ночной жизнью компенсировал отсутствие любовных приключений у меня и Ирен. Мы пили коктейли, а Роджер живо комментировал появление каждого мужчины в баре. В конце мы тоже решили чаще встречаться.

Я даже пригласила свою соседку в гости на индийский ужин (который мне доставили по заказу) и фильм «Окно». Было весело, но на этот раз мы не обещали чаще встречаться. Она рано просыпалась, чтобы на общественном транспорте успеть добраться до деловой части города. Соседка занималась государственными бумагами. Мое приглашение она использовала для того, чтобы несколько раз упомянуть о нежелательности громкой музыки после десяти вечера.

Персик явно хотела прервать затянувшийся перерыв.

— У меня есть для тебя кое-что особенное! — радостно известила она меня в следующую среду.

— Что же это? — я тоже была готова сделать паузу в попытках убедить себя в том, что у меня есть личная жизнь.

— Не «что», дорогуша, а «кто».

«Кем» оказался клиент по имени Джерри Фалчер, и он хотел съездить поиграть в «Фоксвудз». Джерри приглашал меня с собой. Три дня, две ночи, шоу «Земля, Ветер и Огонь», массажи и ванные с ароматическими маслами по желанию. «Представь, что я пригласил тебя на свидание», — сказал он.

Персик уже обсудила с ним общий тариф, потому что в этом случае нельзя требовать, чтобы человек оплачивал каждый час уикенда. Идея казалась очень привлекательной: провести три дня за городом, в одном из самых крупных казино в курортной зоне, и получить за это тысячу долларов. Я не стала долго раздумывать. Мне не помешает небольшой отпуск.

Итак, на выходных мы отправились в «Фоксвудз».

Согласившись поехать вместе с Джерри, я допустила ошибку. Но кто же мог знать? Этот мир был нов для меня.

Дорога в «Фоксвудз» сначала проходила по безликим шоссе, потом петляла по проселочным дорогам, а когда вам начинало казаться, что вы уже окончательно заблудились, она неожиданно выводила вас на место. Автостоянки окружали это место подобно средневековому рву. Большие автобусы, окрашенные в пастельные тона, без конца привозили и увозили постояльцев. За стоянками на холме возвышался пункт назначения.

Он выглядел как замок Спящей Красавицы, причем я подозреваю, что это сходство было умышленным. Единственное, что отличало его от Диснейленда, это ощущение, что здесь Великий Сказочник подсел на стероиды. Все было как-то чересчур: башни и балкончики, флюгеры и тысячи метров стекла, отражающего зелень. Наверное, это

4 Зак. № 723

должно было усилить аналогию со Спящей Красавицей. Везде чисто, все счастливы. Служащие веселы и доброжелательны как один, будто выведенные в специальном инкубаторе.

Мне не стоило забывать, что я тоже приехала сюда на работу и должна быть бодрой и сексуальной, как того пожелает клиент.

В комнате нас ждал свежий букет и карточка с именем «Тиа», что показалось мне изящным жестом. К сожалению, сам Джерри не переставал обращать мое внимание на это. Что может быть приятнее общества мужчины, который не устает напоминать вам о своем утонченном вкусе!

Я собиралась принять душ и прогуляться, чтобы размять уставшие с дороги ноги. Сначала, правда, нам пришлось опробовать кровать, что заняло несколько больше времени, чем я ожидала. Джерри что-то отвлекало, а в постели это не приносит хороших результатов. Спустя довольно длительный промежуток времени и с помощью моих значительных усилий, Джерри все-таки кончил. Сразу же после этого он сел и стал объяснять суть дела.

— Я тут подумал: по-моему, они не дали мне все скидки, которые положены по карте, — сказал он, торопливо натягивая одежду и показывая, что мне следует сделать то же самое. — Я должен с этим разобраться.

Я простояла рядом с ним десять минут, пока он спорил с Мушкетером, который, к слову сказать, за все это время не утратил своей доброжелательности. Разница в расчетах, привлекшая такое пристальное внимание Джерри, составила целых двадцать долларов, на которые, по его ошибочному убеждению, его обсчитали. Мушкетер решил уступить требованиям клиента, просто чтобы Джерри оставил его в покое. Мне было стыдно, хотя свидетелями этого действа оказались только двое престарелых игроков.

Однако это были еще цветочки.

После этого уикенда я стала понимать девушек, которые принципиально отказывались встречаться с клиентами в публичных местах. Никаких ресторанов, концертов или поездок. Они совершенно правы: многих из этих мужчин необходимо обучить базовым навыкам общения, перед тем как выпускать на люди.

Мы ужинали в Кедровом ресторане, где подавали мясные блюда. Он находился в секции казино, которая выглядела, как Бедфорд-Фолз, и была так же красива и удобна.

— Можешь заказать себе все, что захочешь из этого меню, — щедро предложил мне Джерри. — Даже самое дорогое. А самое дорогое здесь, кажется... Да, это лобстер. Давай, заказывай лобстера! Мне это не будет стоить ни цента, — у меня есть карта!

И я заказала лобстера, не став обсуждать вопрос о том, дает ли обладание картой, полученной за многие часы, проведенные за игральным столом, право на бесплатный ужин. Меня беспокоила совсем другая проблема.

Я ошиблась в выборе одежды.

Смейтесь на здоровье. Согласна, я была наивна. Можете использовать и другие слова: невинна, доверчива, романтична, — любое из них подойдет.

Дело в том, что я никогда раньше не была в казино. Все мои представления о нем основывались на шпионских и приключенческих фильмах шестидесятых годов. Джеймс Бонд, Стив Мак-Куин в «Афере Томаса Крауна», Дин Мартин в роли Мэта Хелма и Френк Синатра в роли Тони Роума, — осколки давно минувших дней, дошедшие до меня благодаря современным технологиям. Я любила эти фильмы. Мне нравились пиджаки и смокинги, мартини и «манхэттены», элегантные женщины с накладными ресницами и естественной грудью. Прекрасное было время.

Эти фильмы стали для меня единственным источником информации о казино и азартных играх.

Джерри с самого начала объяснил, чего он от меня хочет: он должен выглядеть красиво. Он хотел, чтобы я стояла рядом, когда он играет за карточным столом, массировала ему плечи в сложные минуты, заказывала напитки и целовала его, передавая их ему. Эта комбинация лишь дополнила мое общее представление: здесь главное — шик. Я должна стать той самой элегантной женщиной, касающейся плеча героя в смокинге, которая пристальным взглядом следит за приближением последнего, победного движения рукой, когда на столе появляется главный козырь. Да, да, я уже признала, что была слишком романтична.

Проблема в том, что все остальные посетители, очевидно, смотрели другие фильмы. В то время как я не могла расстаться с «Касабланкой», они давно перешли на кабельное телевидение.

На Джерри были красно-коричневые спортивные брюки и футболка с надписью: «Я люблю Нью-Йорк». Практически все окружающие были одеты в том же стиле. Клянусь, я видела престарелую пару в футболках, надписи на которых гласили: «Старый пердун» и «Жена старого пердуна». Самые элегантные игроки были в джинсах.

Я же нарядилась в маленькое, ничего не скрывающее черное платье от «Лорд энд Тейлор», чулки со стрелками и черные туфли на шпильке, «радость фетишиста».

Вот незадача!

Принесенная еда оправдала мои надежды и ничем не отличалась от того, чтоб было бы логично ожидать от ресторана в казино. Я была рада, что приняла предложение Джерри и заказала лобстера. Мы еще взяли бутылку местного белого «Зинфандель». Когда официантка открывала ее, он отпустил шутку о том, что могут делать с разными предметами умелые женские руки. Я сделала вид, что ничего не слышала.

Он пожирал глазами уходящую официантку:

— А у нее классная задница.

Я с готовностью согласилась, хотя этот предмет меня совершенно не интересовал. Меня по-прежнему беспокоило мое платье.

Джерри поджал губы.

— Держу пари, она трахается с бабами. Я в этом разбираюсь! Она так смотрела на твои титьки!

Не удивительно, учитывая, что моя грудь — единственная в этом месте, выставленная напоказ. Девушка, скорее всего, прикидывала, сколько может стоить мое платье.

— Ты так думаешь? — нерешительно спросила я.

Он живо закивал в ответ.

— Слушай, может, она захочет присоединиться к нам после работы? Отвечаю, она круто заведется от одной мысли, что вы будете лизать друг друга, а я на вас смотреть!

Минуточку! Тут я вынуждена сделать некоторое отступление. Мои слова могут кому-то не понравиться, но я это переживу. Вы, наверное, слышали достаточно урбанистических баек. Например о том, что в канализации живут крокодилы, или о том, как ребятишки засунули в микроволновку кота, и он взорвался? Легенды бывают разные. У католиков есть миф о том, что Мария Магдалина была проституткой (я, кстати, этим заинтересовалась, поскольку решила, что мне пригодится покровительствующая святая). Так вот: она не была проституткой, но нам настолько нравится в это верить, что такие малозначимые мелочи, как факты и свидетельства, нас не интересуют.

В сфере интимных услуг тоже есть свои легенды. Причем у мужчин свои, а у женщин – свои. Мужчины! Я собираюсь вас разочаровать: мы не заводимся от того, что вы наблюдаете за тем, как мы занимаемся сексом. В интимные моменты нашей близости мы обычно не запихиваем в себя огромные фаллоимитаторы и не призываем своих партнерш сделать минет пластиковой игрушке. Я знаю, что вам хочется на это посмотреть. Но если вы когда-либо станете свидетелем того, как две женщины занимаются любовью именно таким образом, знайте: они делают это исключительно для вас, и вам стоит задаться вопросом, зачем им это нужно. Вам придется заплатить за это шоу, так или иначе.

Когда это представление показывают девочки по вызову, вы по крайней мере точно знаете, сколько должны им за это.

Поэтому я посмотрела на Джерри и с сомнением ответила:

– Да...

– Здорово, – сказал он, обращаясь к своей тарелке. – Надо будет у нее спросить.

«Боже, пожалуйста! – молча взмолилась я. – Только бы он не заставил меня идти к ней с этим вопросом!»

Позже выяснилось, что на время после ужина у Джерри были свои планы. Может быть, Бог все же есть.

— Пора выиграть кучу денег! — проинформировал меня Джерри, проходя в помещение казино.

На всякий случай я поблагодарила Марию Магдалину за отсрочку.

* * *

Об игре «блэк джек» я знаю почти столько же, сколько средний пятилетний ребенок. В общем, в нее играют с помощью карт. Именно в «блэк джек» играли шикарные мужчины с пристальным взглядом на экране моего телевизора.

Вскоре стало ясно, что от меня, к великому облегчению, не требовалось понимания сути игры. Я находилась здесь исключительно в качестве декорации. Я ошиблась в выборе одежды, но оказалась права в предположениях о том, как на меня отреагируют окружающие. Было очевидно, что я не осталась незамеченной: все мужчины меня хотели, а женщины изо всех сил ненавидели.

Так держать!

Итак, я наблюдала за тем, как Джерри уселся за карточным столом и кивнул крупье. Игра началась, и я старалась выглядеть элегантной, а не скучающей. Должна сказать, у Джерри дела пошли неплохо. Настолько неплохо, что он вскоре повернулся ко мне и протянул фишку на сто долларов.

— Держи, — сказал он. — Пойди, развлекись.

Я не стала отказываться. Зачем же делать глупости? Но делать ставки я не торопилась. Джерри с нетерпением взглянул на меня.

— Иди, сыграй в рулетку! — потребовал он. — Тебе понравится. Вернешься, когда закончишь.

— Если ты этого хочешь, дорогой, — произнесла я на ходу. Прошло всего три часа в его обществе, а мне уже отчаянно требовался отдых.

Играть в рулетку я не стала. Вместо этого я обналичила фишку и положила деньги в сумочку (маленькую сексуальную штучку, которая тоже оказалась здесь неуместной, поскольку все остальные женщины ходили по залу с огромными полиэтиленовыми пакетами, куда они ссыпали свой выигрыш из автоматов). Я решила побродить по казино и удовлетворить свое искреннее любопытство.

Моя знакомая Ирен много рассказывала мне о «Фоксвудз», когда я проговорилась, что еду туда с другом. «Мы всего лишь друзья, ничего серьезного!»

— Боже мой, Джен, ты хоть знаешь, что это за место?

Я решила быть предельно откровенной.

— Нет, — ответила я.

— В общем, оно принадлежит одному индейскому племени. Они получили эту землю и ссуду в банке в качестве компенсации за то, что у них отобрали белые люди.

Это я уже слышала.

— Ну и что? По-моему, это справедливо.

— Возможно, — согласилась Ирен, постепенно приходя в возбуждение. — Только человек, который все это устроил, оказался мошенником. Племени пекуотов не существует, они все погибли много лет назад. А этот парень, как его там звали, и его семья провозгласили себя потомками этого племени, не предъявив доказательства, которые должны были предъявлять другие племена. Представляешь? — негодовала Ирен. — Я тоже думаю, что идея была хорошей, только ко всему надо было подойти с большей ответственностью. В выигрыше должны быть хорошие люди, а не подонки, гоняющиеся за легкими деньгами.

Гуляя по казино, я вспомнила о нашем разговоре. Здесь действительно было много псевдо-индейцев. Коктейли разносили официантки, наряженные в замшевые платьица с бахромой и головные повязки, украшенные пером. Не буду ручаться за натуральность перьев, но мне кажется, что настоящих индейцев в первую очередь озадачила бы длина платьев: они едва прикрывали девицам зад. Хотя чулочки в сеточку и туфли на каблуках в качестве дополнения образа тоже были интересны. Получился этакий гибрид апачей и «Мулен Руж».

Я побродила по другим залам, где сидели такие же люди, напряженно следящие за картами или костями, и снова вернулась к Джерри. На обратном пути я заблудилась только один раз, что стало для меня приятным сюрпризом. Джерри не двигался с места, хотя состав игроков успел уже частично смениться.

Он заметил меня боковым зрением.

— Вот ты где. Принеси мне выпить, дорогая. — Затем, спохватившись: — Как твои успехи?

Я изобразила сожаление:

— Я все проиграла, милый. Поставила на свой день рождения и проиграла.

Так вполне могло случиться, если бы я имела глупость действительно сделать ставку.

— Не переживай, — он обнял меня за талию и оглянулся, желая удостовериться в том, что все это видят. — Я хочу, чтобы тебе было весело. Принесешь мне выпить?

Я подозвала одну из псевдо-индианок. Она, как оказалось, обучалась не по той программе, которую прошли Мушкетеры. Или, может быть, просто ненавидела меня в принципе за то, что я была лучше ее одета.

— Да? Что такое?

— Пожалуйста, «Чивас» со льдом. — По дороге сюда Джерри дал мне длинный список того, что ему нравится, в сексе и остальном. — А я буду джин с тоником.

«Почему бы мне тоже не получить удовольствие?» — подумала я. По опыту я знала, что легкий хмель помогает пережить неприятные ситуации.

Джерри начинал дергаться. Я подождала, пока официантка принесет напитки, и взяла со стола пару фишек из стопки, которую Джерри приготовил для меня. Это тоже обсуждалось по дороге из Бостона.

— Эти цыпочки из кожи вон лезут, чтобы заработать. Я всегда даю им на чай. — Он говорил об этом как об акте невиданного великодушия. Кто знает, может, для Джерри это так и было.

Я дала чаевые официантке, что ничуть ее не смягчило. «Ну что ж, — подумала я, — хорошо. Я попыталась быть милой с тобой. Не нравится — свободна!» Аккуратно поставив бокал Джерри на деревянный бортик, окружающий карточный стол, я стала потягивать джин и наблюдать за игрой.

Оказалось, что Джерри начал дергаться потому, что проигрывал. Чтобы понять это, мне не пришлось вникать в правила игры: стопка фишек, лежавших перед ним, основательно уменьшилась. Хуже было другое: все остальные за столом были в явном выигрыше.

Теперь-то я знаю, что игроки в «блэк джек» играют не друг против друга. Они просто сидят за одним столом, но игра идет против казино, против крупье, который по очереди играет с каждым. Маленькие драмы разыгрывались одна за другой почти в полном молчании. Все ждут своей очереди, и совершенно не важно, кто и как играет за столом.

Однако Джерри придерживался иного мнения. Он то и дело поглядывал на фишки других игроков и с каждой проигранной партией нервничал все больше.

Допив свой «Чивас», он стал нетерпеливо оглядываться и разозлился на меня, когда я не смогла достаточно быстро привлечь внимание лже-Покахонтас. Он стал демонстративно тяжело вздыхать, дожидаясь, пока наступит его очередь играть. Он совершенно не умел проигрывать и жутко раздражал окружающих.

— Мои дела шли бы гораздо лучше, если бы *некоторые* тут умели играть, — сказал он, обращаясь будто бы ко мне, но достаточно громко, чтобы за столом его было хорошо слышно. Я стала массировать его спину и шею, мурлыча ему на ухо успокаивающие слова: «Все в порядке, милый. Ты просто супер. Следующая партия будет твоей». Но он стряхнул мои руки и злобно огрызнулся:

— Какого черта? Что ты в этом понимаешь? Какая-то сучка гребаная вздумала меня учить играть!

Я замерла, все остальные игроки за столом тоже. Только крупье, который, наверное, уже привык к подобным сценам, продолжал сдавать карты. В тот момент меня больше всего занимала мысль, что я ни разу не слышала, чтобы Джеймс Бонд говорил что-то подобное своим элегантным спутницам.

Джерри перевел гневный взгляд на игроков:

— Было бы лучше, если бы здесь было больше американцев, черт бы их побрал, — прорычал он, будто в продолжение своей прерванной мысли.

В воздухе повисла долгая пауза. Я посмотрела на игроков: трое были явными азиатами. Дело принимало некрасивый оборот.

Получилось так, что я единственная поняла иронию этого выпада в сторону «американцев» в контексте казино, брошенного индейцам, как кость псу. Причем даже эта компенсация попала не по адресу.

Пришло время брать инициативу в свои руки.

— Пойдем, милый, — позвала я Джерри, вложив в голос всю соблазнительность, на которую была способна, легко касаясь его кончиками пальцев. — Давай сделаем перерыв. Я соскучилась по тебе... Пойдем, всего на несколько минут!

Мне все равно, была ли Мария Магдалина проституткой, — я в любом случае зажгу ей свечку! Джерри встал из-за стола и пошел со мной!

Мы нашли полутемный бар, что оказалось не трудно, поскольку их было вокруг великое множество. Я играла с его членом под столом, занимая Джерри разговорами, пока он проглотил еще два «Чиваса». Это показалось мне нехорошим признаком. Джерри был убежден, что в его проигрыше виноваты другие игроки. Конечно, как же иначе? «Чего еще можно ожидать от этих придурочных китаез? Это место просто кишит ими».

Я больше не могла это слушать, даже за тысячу долларов. Я прильнула к Джерри и провела языком по его шее, продолжая поигрывать с его членом, который под штанами становился тверже. Дело было не в том, что я хотела заняться с ним сексом: я просто не могла сказать расисту, женоненавистнику и самовлюбленному уроду, что я о нем думаю.

— Пришло мое время, — мурлыкала я где-то возле его уха. — Ты мне нужен... Пожалуйста...

Он поверил. Слава богу, у меня сохранилось мое обаяние. Джерри ворчал, что мы всегда делаем то, что я хочу, и что я настоящая нимфоманка и никак не могу насытиться. Мне еще повезло, что он настоящий жеребец, не похожий на большинство слабаков, с которыми я встречалась. Я согласилась с ним и потащила за собой в лифт. Я была готова на любые жертвы.

Таким был наш первый вечер.

К тому времени, как мы собрались домой, я с трудом разговаривала с ним литературным языком. Он опозорил меня перед барменами, официантами, крупье, горничными и охранниками. Он позволял себе громкие грубые комментарии в залах для больших ставок, лапал официанток, разносящих напитки. Он трижды отсылал еду на кухню, потребовал от пары афро-американцев, сидевших с нами за одним столиком на шоу «Земля, Ветер и Огонь», чтобы они перестали танцевать, и громко возмущался тем, как недалеко «некоторые люди» ушли от обезьяны.

Хорошо, что, занимаясь сексом с партнером, не обязательно разговаривать. Иначе я бы не сдержалась и сказала Джерри кое-что, о чем позже могла пожалеть.

Я позволила себе отлучиться на обещанные ароматные ванны, расплатившись потом с Джерри длительными играми в постели.

— Скажи, что у меня самый большой член из тех, что ты видела! Давай, сука, скажи это еще раз! Громче!

Он заставлял меня доводить его до пика и останавливаться, не допуская оргазма, и повторять это снова и снова до тех пор, пока у меня не начинала кружиться голова. Как только я останавливалась, он спрашивал:

— В чем дело? Давай, поцелуй меня здесь, только в этот раз поработай языком.

— Мне надо передохнуть! — запротестовала я.

Он схватил меня за волосы и так резко дернул к своей промежности, что от боли у меня навернулись слезы.

— Ты приехала сюда не отдыхать, сучка! Ты должна делать, что я тебе скажу. Так что давай, соси!

Дело кончилось долгими сессиями жесткого, порой жестокого секса, молчаливыми, натянутыми завтраками и обедами и долгими часами за игровым столом в казино, где мне постоянно было стыдно за его поведение.

В субботу вечером я ретировалась на полчаса, сославшись на классическую головную боль, и оказалась единственным посетителем в одном из темных маленьких баров.

— Что будем пить? — спросил бармен, который, слава богу, не был одет индейцем.

— «Грэнд Марнье», — сказала я, предвкушая удовольствие целых десяти минут с роскошью элегантного, шарообразного бокала с теплым ликером и с мыслями о том, что жизнь не заканчивается в «Фоксвудз».

— Легко, — ответил мне бармен и протянул мне заказанный напиток. Это был «Грэнд Марнье», только в пластиковом стаканчике. Я потеряла дар речи.

— Что такое? Ты хотела его со льдом? — спросил он.

* * *

К обеду воскресенья Джерри был безутешен. Короткая полоса везения закончилась, и теперь он постоянно проигрывал. Проигрыш добавил множество льгот на его карту.

Мы планировали уехать в три, но часы уже показывали начало пятого. Вещи были упакованы, а Джерри все не мог оторваться от карточного стола.

— Все нормально, Тиа, — сказал он мне раздраженно. — Сейчас, сыграю еще одну партию, и поедем.

Я понизила голос и сказала:

— Джерри, уже пятнадцать минут пятого, мы давно должны были уехать.

Я понимала, что он был важным клиентом для Персика, иначе я уехала бы уже в субботу. Она не хотела терять его, а я не хотела терять работу в агентстве. Однако искушение было велико.

— Господи Иисусе! — его рык прервал мои мысли и перепугал наших соседей по игровому столу. Управляющий игровой зоной заинтересованно посмотрел в нашу сторону и стал пробираться к нам. Джерри заметил всеобщее внимание и тоном, подразумевающим, что все разделяют его негодование, произнес:

— Как вам это понравится? Я и так плачу ей больше, чем она того стоит, а теперь она еще вздумала мелочиться из-за времени!

Я вышла из зала, подождала его в фойе. Там время от времени происходил показ звукового и светового шоу о наследии племени пекуотов. Я думала о словах Ирен, рассматривала стоявшую здесь статую и ее головной убор, сделанный из перьев, но выглядевший скорее данью моде, чем исторически достоверным предметом одежды, и ждала Джерри.

Я думала о том, что сделали бы на моем месте роскошные женщины в элегантных черных платьях, появлявшиеся с Джеймсом Бондом и другими персонажами. Я потратила на эти размышления целых десять минут.

Потом я просто сделала это. Я села в машину и поехала домой одна.

Глава шестая

Весна незаметно перешла в лето. Она была похожа на те весны, частые в Новой Англии, когда с природой за неделю происходят такие радикальные перемены, что, если вы не были достаточно внимательны несколько дней, это время года просто проходит мимо вас. Еще неделю назад на улице было сыро и прохладно, и вы кутались в шерстяную куртку, а теперь вдруг просыпаетесь на скомканных и влажных от пота простынях, щурясь от яркого солнца, прогревшего воздух уже до двадцати градусов.

Я выставила все оценки к концу мая, и в июне начала занятия в летней школе. У меня было три курса, что позволяло мне вздохнуть с облегчением. Это еще не значило, что я могу обойтись без Персика, но позволяло концентрировать свои усилия там, где мне этого хотелось: в аудитории, а не в спальне.

Для еще не утвержденных профессоров лето — прекрасное время года. Если даже не учитывать приятной погоды, удовольствие доставляет одно облегчение содержания курса. Летом студенты предпочитают воздерживаться от предметов основного курса и занимаются факультативами, пользуясь возможностью узнать что-то интересное в облегченном ритме. Да и большинство учебных учреждений летом более открыты к предложениям в предметах, которые не являются частью основного учебного плана.

У меня остались те же курсы, что были весной: «Жизнь в психиатрической клинике» и «Смерть: процесс и результат». В четверг в Бостонском центре образования для взрослых у меня были лекции по практическим советам женщинам о том, как путешествовать в одиночку. Когда я училась в аспирантуре, мы с подругой, так же помешанной на путешествиях, написали книгу о женщинах, самостоятельно путешествующих по миру. С той поры я сама ездила мало, но мои знания по-прежнему были полезны.

Персик, правда, не разделяла моей радости по поводу занятых четвергов.

— Что, если ты мне понадобишься? — спросила она. — По четвергам у нас бывает много работы.

Я пожала плечами.

— Это всего лишь один вечер в неделю, Персик. Я же не работаю каждый день.

Ее это не смутило.

— Если позвонит кто-нибудь из твоих постоянных клиентов, — мрачно предупредила она, — мне придется передать его кому-нибудь другому.

К тому времени у меня уже были собственные постоянные клиенты. Должна сказать, что такие клиенты — явление очень приятное. Вероятность потерять кого-то из них заставляла задуматься. Задуматься, но не передумать, поскольку постоянство клиентов — фактор ненадежный. Как бы ни была крепка уверенность в стабильном доходе, он становится реальностью только после того, как вы выходите из дверей с деньгами в кармане. Если вся моя жизнь только намекала об этом, то работа на Персика крепко отпечатала это знание в моем разуме.

Дело не в том, что я обожала своих постоянных клиентов: некоторые из них были даже неприятны. Просто они были знакомы и предсказуемы, в то время как все остальные таили в себе опасность. Как бы это объяснить? Одной из досадных или пугающих сторон работы в службе эскорта является тот факт, что вы каждый раз встречаетесь с совершенно не знакомым вам человеком. Вы никогда не знаете, кто или что ждет вас по другую сторону двери. Эта непредсказуемость может быть очень неприятной.

Хорошо, она всегда очень неприятна. К тому же вам ни на минуту нельзя забывать о своей роли. Готовясь к этой работе, стоит закончить курсы актерского мастерства, поскольку, как только открывается дверь и вы видите клиента, каждый ваш жест и слово служит вам для достижения двух основных целей. Первая: выйти оттуда с двумястами долларов в кармане, и вторая: сделать так, чтобы этот человек просил встречи с вами снова и снова. Чтобы этого добиться, необходимо приложить немало усилий. Любыми способами вы должны стать для клиента той, кого он хочет видеть. Мы — хамелеоны.

Постоянные клиенты позволяют нам избежать чувства непредсказуемости, которое так близко к страху (но еще не страх), необходимости постоянно помнить о том, что мы все время находимся под пристальным оценивающим взглядом, стараемся убедить, соблазнить, продать, угодить. При этом мы не должны забывать о своем внутреннем голосе и безопасности. Постоянные клиенты позволяют нам немного расслабиться. Вы знаете, что от них ожидать, что им нравится или не нравится и как могут развиваться события.

Предсказуемость удобна.

В общем, можно сказать, что каждый раз, встречаясь с мужчиной, мы стараемся превратить его в постоянного клиента. За исключением тех случаев, когда он оказывается законченным уродом, но это можно определить в первые пять минут общения. Все остальные сто́ят того, чтобы потратить на них время и силы.

Встречи с некоторыми из клиентов превратились для меня в некоторое подобие постоянных отношений, единственное отличие которых от обычных заключалось в том, что в конце свидания я получала деньги. Не все эти люди появились у меня через агентство Персика. Она предпочитала мужчин, которым нравилось разнообразие, потому что они позволяли ей больше заработать. С кем-то из них я познакомилась сама, кому-то меня рекомендовали. Кого-то из них я обожала, с кем-то дружила, к кому-то испытывала нежность. На самом деле между нами складывались реальные отношения, не выходящие за рамки предварительно оговоренных границ.

Был Фил, который любил хвастаться мной своим друзьям. Мы потягивали коктейли в стильных ресторанах на Коломбос-авеню, болтая с его знакомыми, которые «случайно» там оказались, а потом ехали к нему домой, чтобы заняться сексом.

Роберт приглашал меня на дегустацию вин в Корникопия-он-Уорф, где ужин подстраивался под презентацию образцов вин со всего района. Мы сидели за большими круглыми столами и слушали, как дистрибьюторы обсуждали достоинства вин, а Роберт наблюдал за тем, как другие мужчины рассматривали мою грудь. Ему нравилось, когда я надевала платья с низким вырезом и броские ожерелья. Я обычно удовлетворяла эти маленькие прихоти.

Для Рауля, моего самого любимого клиента, я одевалась в маленькое черное платье для коктейлей, и мы слушали симфонии и концерты Общества Генделя и Гайдна, иногда даже выбирались в оперу. Сначала мы всегда ужинали, где-нибудь недалеко от концертного зала. Мои встречи с Раулем удивительно напоминали дружеские отношения, и секс казался чем-то дополнительным, о чем всегда вспоминали в последнюю очередь. Обычно ему уделялись какие-то пятнадцать минут где-то в конце вечера, потому что каждый из нас чувствовал, что обязан сделать это. Довольно часто он с извинениями спрашивал меня, нельзя ли нам опустить эту последнюю часть визита. Ему было за шестьдесят, и он просто уставал по совершенно понятным причинам. В таких случаях мне всегда удавалось изобразить сожаление.

Но для моего душевного здоровья были важны и те постоянные клиенты, с которыми я познакомилась через Персика, даже если они были готовы встретиться с любой другой девушкой, когда я была занята. Ее угроза отправить моих клиентов кому-то другому была вполне выполнима. Персик старалась быть честной, и я понимала, что в интересах бизнеса она легко могла свести моего клиента с кем-нибудь из девушек.

В общем, несмотря на ее предостережения, я не отказалась от уроков по четвергам. Не поймите меня неправильно: дневные занятия я тоже любила, но те уроки по вечерам доставляли мне невероятное удовольствие. Живые, дерзкие, они были предназначены исключительно для женщин, причем только для любительниц приключений, готовых в одиночку поехать в Таиланд, Аргентину или на Украину. Они могли быть кем угодно: путешественницами, фотографами, писательницами. У нас всегда звучал смех, шутки, остроты, и мы практически сразу сформировали своего рода единство незамужних женщин, желающих посмотреть мир.

Мы разговаривали о мусульманских странах и о компромиссах в этом контексте. У нас была одна молодая женщина, которая упрямо ставила свой стул в первый ряд, пока мне не удалось убедить ее в том, что мне больше нравится, когда ученики сидят полукругом. Она сама выбрала для себя роль Гневного Оппонента и часто носила футболки с надписями вроде: «Женщина без мужчины – как рыба без велосипеда», грубые ботинки и непривычные стрижки. Она всегда была готова наброситься на мир, будто он чем-то ее оскорблял. Может быть, так оно и было.

– Так нельзя, – заявила она звенящим голосом. – Никто не имеет права заставить женщину спрятать себя под одеждой. Можно подумать, это мы виноваты в том, что мужики не могут не распускать свои руки! Что за шовинистическая ерунда?!

Я спокойно сказала:

– Это их страна.

Она просто взлетела с места, услышав мои слова.

— Ага! Значит, если вы путешествуете по стране, где не существует справедливого суда и людей казнят без доказательств вины, то вы просто пожимаете плечами и говорите, что они имеют право это делать, потому что это их страна?

Кто-то в другом конце аудитории произнес вполголоса:

— Ну да, например, такая страна, как Техас.

Гневного Оппонента это не смутило.

— Ну так как? Где проходит граница между справедливостью и уважением к чужим правилам?

Я снова ответила как можно спокойнее:

— Вы можете просто не ездить в те страны, обычаи и законы которых кажутся вам оскорбительными или неприемлемыми. Я всегда считала, что, решив посетить какую-либо страну, вы тем самым соглашаетесь принять ее обычаи и традиции или хотя бы признать их и не нарушать. Вы совершенно не обязаны их одобрять или любить. Более того, вы не обязаны туда ездить.

Мне вдруг вспомнился предпоследний год моей учебы во Франции. Тогда, сидя в любимом кафе, я морщилась, услышав, как американцы с их неизменно громкими голосами и растянутыми гласными требовали гамбургеры. Им обязательно нужны были гамбургеры и непременно с кетчупом. Помнится, я еще тогда недоумевала, зачем им вообще было давать себе труд покидать насиженный Цинциннати или Денвер.

Откашлявшись, я продолжила развивать тему.

— Я прожила два года в Тунисе, — обратилась я к аудитории. — Я покрывала голову, выходя на улицу, и носила обручальное кольцо на левом пальце. Мне удалось проехать всю страну, и у меня нигде не возникало проблем или неприятных инцидентов. — Я подняла вверх руку, чтобы остановить Гневного Оппонента, которая по-прежнему пребывала в негодовании и собиралась произнести очередную тираду. — Нет, я не нахожу приятным тот факт, что для того, чтобы чувствовать себя в безопасности, я должна делать вид, будто принадлежу мужчине. Поэтому я там не живу. Но если бы я отправилась туда со своими собственными принципами и представлениями о жизни, то не смогла бы так много узнать и получить такое удовольствие от поездки. Если вы собираетесь путешествовать, считая, что люди должны угадывать ваши убеждения и предпочтения и подстраиваться под них, то я вообще не вижу смысла в путешествиях. — Я посмотрела на гневную девушку. — Вы можете с тем же успехом оставаться в Кембридже, одеваться как вам угодно и судиться с мужчинами из-за сексуальных домогательств.

Согласна, это была достаточно жесткая отповедь. Но если мы все так гордимся своей открытостью и уважением к иностранным веяниям вроде фэн-шуй, едим суши и насекомых, то, проводя жесткую линию между своими и чужими убеждениями, мы становимся лицемерами. Я вижу в этом полную аналогию с американцами и их гамбургерами. К чему тогда все эти рассуждения?

Это относилось и ко мне тоже. Я поняла это на следующий вечер, стоя в коридоре гостиницы перед дверью номер 148 и ожидая приглашения войти. Я хотела, чтобы все клиенты соответствовали моему представлению о том, как должен вести себя мужчина. Это было простым проявлением моих собственных нужд, системы ценностей и предположений. Я — путешественница на чужой территории, заехавшая туда на один час. Каковы будут традиции? Каковы запреты? Как я могу узнать о хозяине, чтобы доставить ему удовольствие своим визитом?

Следующий вечер я решила сделать выходным. Утром у меня были занятия по «Смерти», на которых я должна была раздать студентам их проверенные работы, первые на этом курсе. Предполагалось, что работа расшевелит их и вызовет на разговор о нелегкой теме детей и смерти. Я предложила студентам написать короткую историю, объясняющую ребенку смерть. Это задание всегда вызывало у меня слезы. Целый день я читала и оценивала работы, что совершенно выбило меня из колеи. Мне оставалось лишь забраться в пижаму, включить телевизор, заказать ужин в индийском ресторане на углу и уделить время Скуззи.

Разумеется, Персик вмешалась в мои планы. Она была предельна кратка:

— Джен, сегодня никого нет. Я добавлю небольшую сумму к твоему заработку. Мне очень не хочется, чтобы этот парень обратился в другую службу.

Я вздохнула и спросила:

— И какова будет небольшая сумма? — К тому времени я почти полностью оплатила свои задолженности, но денег мне по-прежнему не хватало. Персик об этом знала. На том конце провода были произведены быстрые подсчеты.

— Хорошо, еще пятьдесят долларов.

Это, разумеется, значило, что она потребует их с клиента. За все время моего знакомства с Персиком она никогда, ни при каких обстоятельствах не уменьшала своего процента. Ей не приходилось вздыхать, что я ее обираю.

В общем, дополнительные пятьдесят долларов меня заинтересовали. Я потянулась за бумагой и ручкой.

— Хорошо, я согласна. Как его зовут?

— Дэвид Харкурт. Он из постоянных, живет в Нидеме. Тебе понадобится красивое нижнее белье. У тебя что-нибудь есть?

— Конечно. — И я рассталась с надеждами на свободный стиль и джинсы.

— Замечательно. Он сам тебе расскажет, чего хочет. Позвони мне.

Дэвид удивил меня: он оказался единственным клиентом, который не потребовал в первую же минуту разговора описания моей внешности. Его гораздо больше интересовала моя одежда, точнее, нижнее белье.

— Что ты принесешь?

Слово *«принесешь»* показалось мне несколько странным, но я уже привыкла к тому, что клиенты тоже могут нервничать.

— А что тебе нравится? — спросила я. — У меня есть...

— Черные чулки и пояс, — перебил он меня. — И парочку разных лифчиков. И корсет. Да, и какой у тебя размер туфель?

— Девятый, — механически ответила я. Похоже, он хотел устроить показ мод, а не заняться сексом. Я поморщилась. Похоже, час будет очень напряженным.

— Пойдет. Принеси несколько пар. Черных, на каблуке.

— Чудесно, — сказала я. — На мне будет платье для коктейлей, которое...

Мои усилия оказались ни к чему.

— Мне все равно, как ты будешь одета, — снова перебил меня Дэйв. — Во сколько ты приедешь?

Персик подтвердила мои подозрения.

— Сложи вещи в пакет, — посоветовала она. — Дэвид не будет просить тебя надеть их. Он будет не спорю — я просто искала себе оправданий. Разве не все мы так поступаем?

Второе: я решила рассказать обо всем другу.

Глава седьмая

Я подумала, что должна с кем-нибудь поговорить о том, чем занимаюсь. Теперь я понимаю, почему убийц так тянет признаться в своих преступлениях. На определенном уровне любой человеческий поступок нуждается в свидетелях. Мы не можем существовать в окружении пустоты и должны воспринимать себя в единстве с контекстом.

Итак, я вела двойную жизнь, читая лекции днем и работая в службе эскорта вечером. Мне казалось, что, если я расскажу об этом кому-то, кто хорошо знает меня как умного и уважаемого человека и не осудит за работу в службе эскорта, мне станет легче.

Я сразу же подумала о Сэте. Мы с ним поддерживали отношения дольше, чем с кем-либо другим из моих друзей. Мы познакомились в режиме «онлайн», потому что это было тогда модно, рассказывали друг другу в электронных письмах о своих краткосрочных браках и любовных связях, удачах и катастрофах. Я была уверена в том, что Сэт не станет меня осуждать. Я была ему небезразлична.

надевать их сам. И будь аккуратна, он живет в многонаселенном районе.

Он весьма посредственно разбирался в винах, еще хуже — в дизайне интерьера. Он с трудом дождался возможности посмотреть, что же я принесла. Проблема была в том, что Дэвид оказался значительно крупнее меня. Нам пришлось повозиться.

Ему пришлось отказаться от желания втиснуться в корсет. Он с трудом натянул лифчик на свою дряблую грудь, а я стояла сзади и пыталась застегнуть на нем подвязки, ощущая себя кем-то вроде средневековой матрены, пытающейся создать осиную талию своей несдержанной в еде воспитаннице.

В результате мы с «воспитанницей» справились со своей задачей, и вскоре Дэвид, натянув на себя чулки и туфли, стал принимать различные позы перед зеркалом, занимавшим почти всю стену гостиной. Он явно возбуждался от того, что видел, и от меня требовал лишь рассказывать ему, как он неповторимо красив в своем наряде. В конце мы все-таки занялись сексом, что было несколько странно, потому что на Дэйве по-прежнему было мое нижнее белье. С его точки зрения, все прошло благополучно, и он с большой неохотой вернулся в свою одежду и отдал мне мою.

Это белье я больше так и не надела. Нет, дело не в ассоциациях: просто вещи были непоправимо растянуты.

После этого вечера Дэйв стал спрашивать именно меня. Я даже купила специальный «костюм Дэйва», состоявший из женского белья его размеров, что позволило нашим отношениям продержаться больше года.

В концепции проституции меня все больше увлекал образ путешественницы. Такой подход удовлетворял обе стороны: клиент получал возможность насладиться экзотикой или чем-то необычным, дорогим и красивым и, возможно, недоступным для его знакомых. Подобно путешественнику, он отправляется в неведомую страну всякий раз, когда новая девушка приходит к его двери. Девушка тоже путешествует, но делает это налегке. Она не знает, чего ожидать, и готова ко всему. Мне этот образ показался очень удачным.

На выходных я вернулась к чтению литературы, которая заинтересовала меня перед тем, как я устроилась работать на Персика. Это были книги о проституции, хозяйках борделей и публичных домах. На сей раз меня больше интересовали научные исследования и названия вроде «Реакция прогрессивной эры на проституцию» или «Чертовы чертоги: мифы и реальность района красных фонарей».

Мне пришло на ум, что между двумя моими профессиями лежит огромная пропасть. Она была столь глубока, что мне иногда казалось, будто я веду двойную жизнь. Я ловила себя на том, что во

время выполнения одной работы думала о другой. И хотя это забавляло меня и создавало некое ощущение таинственности, в целом ситуация была неприятна. Однажды, когда я в субботнее утро, непричесанная, без косметики и украшений, в мятых спортивных штанах, забежала на почту, у меня появилось дикое желание сказать стоящему рядом со мной мужчине: «Знаешь ли ты, что сегодня за вечер я заработаю двести долларов, и найдутся люди, готовые с радостью платить за час в моем обществе?» Это было даже смешно: я совершенно не походила не девушку по вызову.

Или во время встречи с клиентом, пока он мнет мою грудь, я, закинув наверх голову и закрыв глаза, вполне могу размышлять о том, какое задание дам на следующей неделе слушателям, посещающим мои занятия «Жизнь в психиатрической клинике». Почему бы мне не использовать время по своему усмотрению? Было бы гораздо легче, если бы я просто могла сделать вид, что меня там нет.

Со временем я придумала два способа соединить эти стороны моей жизни. Первым стало мое решение предложить руководству факультета провести курс занятий по истории и социологии проституции. Я подумала, что в любом случае наберу минимально необходимое количество слушателей, движимых чистым любопытством. Этот курс мог дать мне возможность примирить то, что я делаю, с моей внутренней сущностью. Хорошо,

5 Зак. № 723

Однажды, в перерыве между двумя вызовами, сидя в машине, я набрала его номер. Сэт жил в Манхаттане, поэтому звонок был междугородным: теперь я могла себе это позволить.

— Это ненадолго, пока я не верну кредит за мое обучение.

Его голос звучал озабоченно:

— Да, но, послушай, это безопасно?

Я засмеялась.

— Безопаснее, чем обычно, радость моя. Я всегда пользуюсь средствами защиты! Без них — никуда!

— Я не об этом. Ты же знаешь, что я хотел сказать.

— Да... Я знаю, что ты хотел сказать, и думаю, что все не так уж страшно. Персик проверяет своих клиентов, и я пока встречаюсь только с постоянными, которые уже обращались в ее агентство. Я на этом настояла, потому что не могу позволить себе попасть под арест. Да нет, все нормально.

— Я просто волнуюсь за тебя.

— Я знаю. — Меня окатила волна нежности. Он был так мил! — И мне это очень приятно. Кроме того, как ни странно, это пошло мне на пользу.

— Каким же образом?

— Подумай сам. Вспомни урода Питера и всех остальных козлов, с которыми я встречалась. Они же старались убедить меня в том, что я ничтожество и ничего собой не представляю. Так вот тебе новость: в этом городе полно мужчин, которые готовы заплатить двести долларов за один час со мной! Они считают, что я стою этих денег, и я сама начинаю им верить. Должна сказать, это очень благотворно влияет на самооценку.

— Может быть, но ты подумай, кто они такие?

Я почувствовала злость и притормозила на обочине. Я не умею вести машину и ругаться одновременно.

— Хочешь поговорить о том, кто они такие? Ну что ж, давай. Вчера, например, был один виолончелист из Бостонского симфонического оркестра, а после него — владелец квартиры на Бикон-хилл, у которого в гостиной висит подлинник Ренуара. Сейчас я еду к профессору Массачусетского технологического института. Сплошные неудачники, Сэт, ты прав. Мне надо было остаться с наркоторговцем Питером. Так было бы гораздо лучше! Пусть лучше он трахает меня! — Мой голос дрожал, и я с трудом переводила дыхание.

— Хорошо, хорошо! Успокойся, дорогая. Я не это хотел сказать.

Нет, так легко он не отделается.

— Как же, не это.

Молчание. Затем:

— Ладно, это я и хотел сказать. Может быть, я ошибался насчет мужиков, пользующихся услугами шлюхи.

Я почувствовала, как мое давление снова резко подскочило.

— Шлюхи? Ты так ничего и не понял. Ты что, думаешь, я курсирую по Ниланд-стрит в шортах и ботинках, подходя к машинам и предлагая расслабиться на заднем сиденье? Боже мой, Сэт, ты что, меня не слушал? Я думала, ты меня поймешь!

— Ладно, дорогая, хорошо. Ты нашла себе прекрасное занятие, я ничего не имею против. Я только не хочу, чтобы ты из-за него пострадала. — Да, самое время проявлять заботу обо мне. Я подумала, не повесить ли мне трубку, и почти сделала это, меня удержало лишь то, что мы с Сэтом давно дружим.

— Я думала, что ты — единственный мужчина, который не... — Я замолчала, пытаясь подобрать нужное слово. Я не очень хорошо соображаю, когда злюсь. — ...не прячется за стереотипами. Я думала, ты сможешь понять, что порядочность зависит не от работы, а от человека. Я не стала бы этим заниматься, если бы после перестала себя уважать. Мы так часто говорили с тобой обо всем, особенно после Питера, помнишь? Я клялась тебе, что сделаю все, чтобы спокойно спать по ночам и относиться к себе так, как я этого заслуживаю.

— Хорошо, хорошо. Ты права. Я был не прав. — Я не могла понять, почему он не стал со мной спорить, но дареному коню зубы не смотрят. — Ты права, договорились? Меня смутили стереотипы, а не реальность. Я – продукт культуры, которая плодит стереотипы, и отреагировал как любой мужчина на моем месте. Ты мне как сестра, ты же знаешь.

– Я не шлюха, – это слово резало мне слух, и вся фраза прозвучала так, будто я пыталась оправдаться. Хорошо, что мы говорили по телефону и я могла списать изменение в голосе на искаженный сигнал.

– Нет, конечно. Ты называешь себя девочкой по вызову? Хорошо, я тоже буду тебя так называть. Это более благозвучно. Слушай, Джен, я совсем не хотел тебя обидеть.

Я позволила ему еще немного поизвиняться, но мне уже пора было созваниваться с Персиком по поводу очередного клиента. Я отпустила Сэта, сочтя, что он достаточно помучился. Может быть, он действительно все понял.

Однако я никак не могла избавиться от воспоминаний об этой беседе и снова и снова возвращалась в мыслях к тому вечеру, лежа, вытянувшись, на столе профессора и наблюдая за рыбкой в аквариуме, пока он овладевал мной сзади. Шикарная фантазия: представьте, как оживит завтрашнюю скучную встречу со студентами мысль о том, что происходило накануне на этом самом столе. Как оказалось, многие мужчины придерживаются того же мнения, потому что некоторые клиенты предпочитали трахать меня в таких местах, которые позже служили бы для них источником тайного сексуального знания: на столе в прихожей, на столе перед аудиторией, на смотровом столе в приемном покое и так далее. Мне было интересно, слышат ли они на следующий день мои отраженные эхом стоны.

Слова Сэта мешали мне получать удовольствие от того, что я доставляю радость профессору. Знаете, некоторые люди так искренне радуются вам и тому, что вы для них делаете, что трудно не разделить их счастье. Этот мужчина был похож на ребенка под Рождество: радостно восклицал, увидев мою грудь, лучился удовольствием, когда я его ласкала, и хитро смеялся, освобождая для меня место на столе. Его оргазмы были выражением чистейшего удовлетворения и удовольствия, которое я когда-либо видела. Какая разница, кто подарил его этому человеку? Радость настолько редкая гостья в этом мире, что ее надо спешить поймать, прочувствовать и полюбить. Женщина принесла ему счастье, и важно то, что он его почувствовал, а не то, что она была проституткой.

Сэт не выходил у меня из головы весь вечер. Проблема заключалась в том, что я никогда не воспринимала его как мужчину, он же отреагировал на мою новость именно по-мужски. Ну что ж, у него было на это право. Он – мужчина. Только вот для меня он никогда не обладал половыми признаками: он был просто Сэтом. Сексу в наших отношениях не было места. Когда я проходила через стадию своего мнимого гомосексуализма, мы обращали внимание на одних и тех же женщин, но это была всего лишь игра. Я не хотела, чтобы он был похож на остальных. Мне он был нужен таким Сэтом, к которому я привыкла: надежным и не похожим на всех, кого я знала. Я не хотела играть с ним в те же игры, что мне ежедневно навязывал окружающий мир.

После того разговора мы продолжили общаться по электронной почте и иногда созванивались. Всякий раз, когда он спрашивал меня, не бросила ли я свою новую работу, я отвечала отрицательно, и он напоминал:

— Будь осторожна, дорогая. Береги себя.

Мне это нравилось. Мне нравилось, что он обо всем знал, принимал это и по-прежнему оставался ко мне не безразличен. Сразу после Рождества он прислал сообщение: «Моя компания командирует меня в Бостон! Ура! Как ты отнесешься к приглашению выпить в „Ритц“ и отужинать в „Мортоне“ за их счет?»

Я ответила: «А ты как думаешь? С нетерпением жду встречи! Твоя компания не поскупилась? В прошлом году тебя поселили во „Временах Года“, а какой отель самый модный в этом году?»

Мой почтовый ящик запищал спустя минуту: «Какая разница? Главное — чтобы у них по-прежнему убирали в номерах и приносили еду по заказу. Кофе и яичница с беконом по утрам — вот мои скромные пожелания. Кроме того, в этот раз мой номер состоит из нескольких комнат. Встречаемся в следующий четверг в семь. Я остужу шампанское к твоему приходу!»

Я ничего не могла с собой поделать. «Какое шампанское?»

В тот вечер электронная почта работала как никогда оперативно. Пип! «Выбирай. Я закажу, что ты захочешь. Когда это я довольствовался второсортным продуктом?»

Я быстро напечатала ответ: «Ну, взять, например, твою жену...»

Пип! «Тебе было обязательно об этом напоминать? До встречи в следующий четверг. Будь осторожна!»

Прошла неделя. В четверг я отпросилась с работы. До трех я пыталась работать над новыми лекциями, потом сдалась и пошла на прогулку к реке, на обратном пути заглянув в магазин. Было ужасно холодно. Я искренне надеялась, что Сэт не пожалеет денег на такси, чтобы доехать до ресторана. Вот уже пять лет, как он приезжает в Бостон и я встречаюсь с ним, чтобы выпить коктейль в гостинице, где он остановился, и поужинать в традиционном «Мортоне». «Знаешь, в Бостоне есть еще парочка-другая ресторанов...»

«А по-моему, нет».

Последний робкий протест: «А что, если я стану вегетарианкой?»

В «Мортоне» к столу приносят мясную вырезку, и вы выбираете не по меню, а по внешнему виду. Я имею в виду сырое мясо. Настоящее испытание для вегетарианца! Сэт был непреклонен: «Тогда будешь смотреть, как я ем».

Вечером я надеваю свое универсальное черное маленькое платье и нитку жемчуга, единственную драгоценность, которую мне удалось сохранить после расставания с уродом Питером. Быстро накладываю макияж, что с недавних пор вошло у меня в привычку, надеваю самое теплое зимнее пальто и еду в «Ритц-Карлтон». Судя по всему, компания преуспевает. Номера в этом отеле стоят от трехсот девяноста пяти долларов за ночь.

Я припарковалась на подземной стоянке, не доезжая до отеля, потому что не хотела, чтобы Сэту пришлось платить за стоянку машины своей гостьи. Выходя, я взяла с собой книгу, которую купила ему в подарок на авеню Виктора Гюго — первое издание Суинбурна, и направилась в номер.

Когда я вошла, он помахал мне рукой, не отрываясь от телефона: «Договорились, Дин, мы разберемся с этим завтра утром. Да. Да, хорошо. Нет, я собираюсь на ужин. Да, я об этом уже позаботился. Да, тогда и переговорим. До свидания».

Я приподняла брови.

— Я всегда поражалась насыщенности и богатству речи сильных мира сего. Я слышала, что

Билл Гейтс при желании даже способен составлять полные предложения!

— Сомневаюсь, — сказал Сэт. — На это способны лишь те, кто занимается английским профессионально. Дорогая, ты — вымирающая порода. — Он обнял меня, затем отстранился, чтобы хорошенько рассмотреть. — Как поживаешь? Ты чертовски хорошо выглядишь!

— Я замерзла. И я не занимаюсь английским языком профессионально. Просто так случилось, что я умею им правильно пользоваться. Если человеку потребуется специальное образование для того, чтобы правильно выражать свои мысли, случится катастрофа. — Я демонстративно откашлялась. — И похоже, что я единственный человек, который должен тебе сказать, что твой галстук никуда не годится. Кому вообще пришло в голову его купить?

Он скорчил рожицу.

— Катерине. — Так звали его новую подружку, полупретендента на недавно освободившееся место Третьей Жены.

— Все ясно. — Я подняла руки в шутливом жесте признания поражения. — Самой мне было бы не догадаться. — Я сняла пальто и села. Мне было хорошо, легко и комфортно, несмотря на то, что мы жили далеко друг от друга и виделись последний раз год назад. — Должна заметить, что при всех ее талантах она ничего не смыслит в одежде.

— Ну, — возразил Сэт, усаживаясь на диван напротив меня, — она первая женщина из тех, с кем я встречался, кто имеет хоть малейшее представление о том, что это значит. Так что у меня есть прогресс!

Я рассмеялась.

— Я так рада тебя видеть!

— И я тебя, Тиа Мария. — Старое прозвище, так легко прозвучавшее в этот момент, насторожило меня и выдернуло из состояния расслабленности. — В чем дело?

Я сняла несуществующую пылинку с дивана.

— Нет, ничего. Меня так никто уже не называет. — Это имя напомнило мне хмельные студенческие годы, когда изо всей отравы я предпочитала болеть именно от коктейля под названием «Тиа Мария». Тогда Сэт слал мне смешные сообщения, подшучивая над моей неспособностью пить. Этим именем он называл меня, когда хотел подколоть или утешить. Именно поэтому я выбрала его в качестве рабочего псевдонима, когда Персик спросила, как я хочу назваться. — Понимаешь, когда я подбирала себе имя для работы, мне захотелось найти что-то, что было бы как-то связано со мной лично. Я выбрала имя Тиа. Поэтому мне так странно слышать его здесь, в такой обстановке. — Моя речь показалась мне детским лепетом. Я же не должна оправдываться! Во всяком случае, перед Сэтом.

Он встал и мастерски открыл шампанское: пробка осталась у него в руке. Я заметила, что мои клиенты, которые заказывали в номер шампанское, больше всего любили в нем хлопки и брызги. Это было похоже на подростковые забавы. Да, о чем это я? Так в основном развлекаются люди, недавно достигшие финансового благополучия, о Сэте же этого никак нельзя было сказать. Его полное имя, которое, кстати, сохранили за собой его жены Номер Один и Номер Два, звучало следующим образом: Сэт Найвен Брэдфорд Третий.

— Не желает ли дама шампанского?

Я приняла бокал. Шампанское было слегка охлаждено, как подобает.

— Благодарю.

Он налил себе бокал и снова сел. Тосты были бы сейчас неуместны, и он не стал ничего говорить.

— Раз об этом зашла речь, у тебя все в порядке? Я беспокоюсь о тебе. В газетах иногда такое пишут...

Я сделала глоток шампанского и улыбнулась ему.

— Это же ваши, местные, газеты. В Нью-Йорке полно уродов и еще больше таблоидов. Я же говорила тебе, что у меня все в порядке. Давай не будем больше о работе, хорошо?

Он сменил тему. Даже самый флегматичный и безразличный к окружающему мужчина впадал в необъяснимую одержимость этой темой, если она всплывала в разговоре, а Сэт мог вот так просто ее закрыть.

Вообще, это очень интересное явление, я бы даже сказала, феноменальное. Попробуйте, я рекомендую. Когда встретитесь со своими друзьями мужского пола, упомяните в их присутствии, что знаете кого-то из службы эскорта. Не важно, девушку или хозяйку. Вас всю обслюнявят, гарантирую! Только будьте готовы: после своего заявления вы не сможете отойти от этой темы, вам просто не позволят. Этот эксперимент имеет смысл проводить в том случае, если вам не жалко убить на него весь вечер.

На одном из постных коктейлей для преподавателей я имела дерзость и неосторожность сказать, что у меня есть знакомая, держащая свою службу эскорта. Это было смелое заявление, но я была в Гарварде, мое положение ассистента преподавателя не оставляло мне надежд на постоянную должность, к тому же я скучала и успела выпить три стакана плохого портвейна. Произнеся эти слова, я немедленно попала в осаду. Я поймала себя на мысли, что была бы просто счастлива, прояви они хоть половину этого интереса к моим диссертационным исследованиям. Явное похотливое любопытство было облачено во внешне приличные, отстраненные и почти академические вопросы.

Дело принимало некрасивый оборот. Я не хотела сжигать за собой все мосты и все же надеялась хотя бы на временную работу в этом учебном заведении. Готова поспорить, что у мужиков возникла эрекция от одной только мысли о проституции. Эта тема непостижимым образом завораживает мужчин.

«Скажите, а правда, что большинство женщин, занятых в этой индустрии, являются нимфоманками и просто удовлетворяют свои собственные потребности?» — блеет козлиная бородка над стаканом выдохшегося шерри. Только в твоих фантазиях, недоумок!

Эта тема одинаково интригует либералов, желающих легализовать проституцию, и фундаменталистов, готовых обрызгать слюной всякого, кто это одобряет.

Но для меня все это больше не имело значения. У меня был свой спасательный круг, счастливый островок в океане предсказуемого и оскорбительного мужского любопытства. Все козлы мира могли истечь слюной до полного обезвоживания, но меня это не волновало: у меня был Сэт.

Он не хотел знать, кто, где и сколько раз. Он не спрашивал об оргазмах, ценах и о том, действительно ли девушки, участвующие в любви втроем, — лесбиянки. Его интересовала лишь моя безопасность.

В этот момент я его обожала. Мы пили прекрасное шампанское и воздерживались от разговоров о моей работе. На самом деле эту тему нельзя было назвать интересной, поскольку в общественных учебных заведениях явно наблюдался спад интереса к расширению образования. Мы не говорили и о работе Сэта. Он занимал высокий пост в фирме, которая, повинуясь законам развития империй, должна была вскоре занять место «Майкрософт». Большая часть его деятельности могла попасть под гриф особой секретности: «После разглашения — убить!»

Мы просто болтали. О нашем общем друге, который был признан третьим лучшим актером недавнего художественного фильма. Обсудив детали, мы, не без злорадства и зависти, определили его успех в категорию «веяний сезона».

— Это не надолго, — сказал Сэт, а я многозначительно кивнула, делая глоток из второго за этот вечер бокала шампанского.

Мы беседовали о докторской степени Катерины, и я мрачно и жестко порекомендовала ей обратить внимание на технические науки:

— Ну и чего я добилась со всеми степенями?

Цинизм в разумных пределах даже полезен. Я чувствовала свое превосходство над ней и странную уверенность: она только начинала свой путь к Святому Граалю, а я уже давно была его обладательницей. Мы обсуждали просьбу Катерины, чтобы Сэт был более искренним и общительным с ней и больше ей доверял, и его глупый ответ.

— А что я должен был сказать? Например, она спрашивает меня, о чем я сейчас думаю. А я считаю, сколько времени осталось до начала игры!

Мы коротко коснулись недостатка у меня интереса к любви и близким отношениям.

— Это непросто совместить с работой на Персика. Сам подумай, — я редко бываю дома по вечерам. Как я объясню мужчине свои отлучки?

— Скажешь ему правду.

— Ну да. Ты у нас такой терпимый, такой свободомыслящий. Скажи, что бы ты чувствовал, если бы Катерина дважды в неделю ездила куда-то заниматься сексом не с тобой?

Он взглянул на меня поверх бокала.

— У нас с ней свободные отношения. Она может заниматься сексом с кем пожелает.

— Да, — кивнула я, — а теперь представь, что наблюдаешь за тем, как она собирается, готовится к выходу. В этом нет ничего личного — только работа. Ты видишь, как она надевает эротичное белье. То самое, которое не надевает для тебя, ссылаясь на свою усталость...

Мой голос сорвался. Я сама училась в аспирантуре и прекрасно понимала, как должна чувствовать себя Катерина большую часть времени: уставшей до изнеможения. Открытые отношения? Готова поспорить, ей едва хватает сил переспать с Сэтом раз в неделю, какие там связи на стороне! Она готовилась к экзаменам, наверное, занималась по десять часов в день, не считая подготовки к занятиям, которые она должна была вести в качестве ассистента преподавателя. В такое время секс теряет свою привлекательность.

Я отдышалась и продолжила:

— Представил? А теперь представь, как она приходит домой и рассказывает тебе о некоторых своих клиентах. Ну, знаешь, мы все разговариваем о работе, чтобы выпустить пар. Вот она тебе говорит, что сегодняшний клиент старался ее унизить, называл потаскушкой, блядью... Потом она спрашивает, не хочешь ли ты лечь в кровать, и прикасается к тебе, а ты не можешь перестать думать об этом парне, который делал с ней это, трогал ее грудь... Тебя это может даже завести, или ты почувствуешь отвращение, но в любом случае не сможешь остаться безучастным.

Сэт покраснел.

— Хорошо, возможно, ты и права. Но это я и Катерина. Да, нам в таком случае было бы трудно. Но это не значит, что любящий человек не сможет тебя понять.

— Принять подобное положение вещей в контексте так называемых любовных отношений могут только сутенеры и наркоманы.

Такова жестокая реальность. Мне никак было этого не понять. За все время, проведенное мной в этой отрасли, я ни разу не видела «нормальных», здоровых отношений между девочкой по вызову и мужчиной, если он знал о том, чем она занимается. С другой стороны, я знаю многих наркоманов, живущих таким образом.

Это все довольно странно. Если хорошенько над этим подумать, то может показаться, что такие отношения могут быть жизнеспособными. В своем сознании я отнесла то, что делаю у Персика, в разряд работы. Это был не секс. Для кого-то из моих клиентов он вполне мог казаться сексом, то есть, я надеюсь, что они его так и воспринимали. Но для меня этот вид деятельности сексом не был. Я играла свою роль в ситуации, имеющей прямое отношение к сексу, затем по истечении часа я уходила, пила где-нибудь чашечку кофе и возвращалась домой, к своей обычной жизни.

Одна из девочек, работавших на Персика, както рассказывала, что однажды предложила своему любовнику оценить такие отношения в качестве теоретической концепции. Он подумал и назвал их изменой. Это очень рассмешило нас обеих, потому что происходящее не имело никакого отношения к измене. Представьте, что вы целуете своего ребенка, затем свекровь, а потом — любовника. Одно и то же действие имеет совершенно разный смысл в зависимости от ситуации.

Опять же, мы не должны забывать, что вся секс-индустрия существует потому, что мужчины слишком серьезно относятся к сексу.

Любая стройная теория на практике выявляет свои недостатки. Я — учитель. Я очень хороший учитель. Мои ученики — взрослые люди, которые воспринимают меня не как ролевую модель, а как источник информации или оценок. То, чем я занимаюсь в свободное от работы время, никак не отражается на моих преподавательских способностях, умении разбудить, вдохновить и воодушевить разум студентов.

Тем не менее, если кто-либо узнает о том, что я работаю девочкой по вызову, моей преподавательской карьере придет конец. Меня не возьмут на работу даже общественные образовательные учреждения. Все будут пребывать в уверенности, что эти две сферы деятельности несовместимы, но никто не сможет объяснить почему. «Я не смогу сказать вам, что такое порнография, но когда увижу ее, — узнаю с первого взгляда», — таково широко распространенное мнение. Ну что ж, едва ли стоит ожидать от общества чего-либо другого.

Давайте, ради чистоты спора, представим себе еще одну конкретную ситуацию: Бет, одна из девочек, работавших у Персика, по будням вела уроки в школе у седьмых и восьмых классов. Итак, мы прекрасно понимаем, что она остается тем же школьным учителем, которым была еще до того, как мы узнали, что по выходным она подрабатывает в службе эскорта. Правильно? И ни у кого не возникает подозрений, что она провоцирует проявления подростковой сексуальности или распространяет порнографию среди учеников. Кстати, в этом возрасте подростки не нуждаются в стимуляции сексуального развития. Скажите, кроме этических вопросов, о которых, как оказалось, девочки Персика пекутся куда больше, чем простые обыватели, в чем именно здесь может заключаться проблема? Ученикам услуги службы Персика не по карману... Следовательно, у Бет не должно возникать никаких помех в совмещении обоих видов деятельности. Теоретически.

У теорий есть неприятная особенность — неизбежный конфликт с реальностью.

Давайте попробуем предельно упростить ситуацию. Допустим, вы — либерал и легко соглашаетесь с тем, что Бет имеет право давать уроки в школе по будням и подрабатывать в службе эскорта по выходным. Свобода предпринимательства, так? А теперь скажите, захотите ли вы, чтобы вашу одиннадцатилетнюю дочь обучала английскому языку женщина, которая кроме преподавательства еще занимается проституцией? Будьте честны с собой. Ну что? Попались? А у меня появилась отсрочка перед вынесением приговора.

Девочки по вызову обсуждают вопросы морали чаще, чем представители любой другой известной мне профессиональной группы. Их эта тема волнует больше, чем священнослужителей, которые понятия морали заменяют постулатами религии. Я помню столько разных разговоров: в машине, в ожидании клиента, в баре за коктейлем или в кафе за чашкой кофе. Беспокойство о женах и о том, как могли на них отразиться развлечения мужей; разговоры о том, как Персик вместо ожидаемых ста двадцати долларов от одной девушки получила сто восемьдесят, о том, как больно лгать другу или любовнику и можно ли на исповеди сказать священнику, чем ты на самом деле занимаешься. Я помню даже рассуждения о том, этично ли узнавать о слабостях мужчины, чтобы потом использовать эти знания в своих целях. Вопросы этики мы обсуждали чаще, чем любые другие, и, по-моему, ни одна из нас так и не смогла прийти к более или менее удовлетворительным ответам на них. Для нас это все было очень живо и важно. Именно поэтому я не могу спокойно относиться к тому, как люди высмеивают проституток за отсутствие моральных стандартов. Мы, в отличие от многих из вас, держим эту планку на достойной высоте.

Возможно, это происходит потому, что у нас нет возможности замаскироваться, как это делают большинство людей. Интрижки на стороне и супружескую неверность можно оправдать и скрыть. Мошенничество можно объяснить или возвести в ранг искусства. Нам же некуда спрятаться. Попробуйте, занимаясь любовью в гостиной мужчины, не замечать фотографию предположительно счастливого семейства, улыбающегося вам со стола хозяина. Она не сможет помешать вам выполнить свою работу, но и не позволит остаться в блаженном неведении. Как бы вы ни пытались оправдать или объяснить то, что происходит, или заглушить боль от столкновения с реальностью мартини или коктейлями, вам ничто не поможет. Мне не помогло. Никому из нас не помогало. Возможно, именно поэтому алкоголь и наркотики стали такими частыми спутниками нашей жизни. Реальность бывает так жестока, что иногда человеку хочется просто заглушить свои чувства, чтобы ничего не ощущать.

Вернемся к Сэту. Мы выпили почти две трети бутылки шампанского, пока он не сверился со своим ролексом.

— Ну что ж, мы замечательно проводим время, но нам уже пора собираться.

Неужели кто-то будет претендовать на наш зарезервированный столик у «Мортона» в четверг, в половине девятого? Бостон не настолько плотно заселен, чтобы об этом беспокоиться, и я по-прежнему чувствовала себя спокойно и расслабленно.

— Брось, Сэт. Давай сначала допьем шампанское.

Он встал, вынул из заднего кармана бумажник и выудил оттуда несколько купюр. Подойдя ко мне, он положил их рядом с моим бокалом шампанского. Все еще размышляя, он теребил свой несчастный галстук.

— Нет, я хочу быть уверенным в том, что нам хватит времени перед тем, как мы поедем на ужин.

Интересно, я перестала соображать из-за шампанского или меня подвела моя наивность? Я посмотрела на Сэта. Должно быть, я выглядела очень глупо.

— На что у нас должно хватить времени? — Я *по-прежнему* не понимала, о чем идет речь. Вы, милостивый читатель, должно быть, обо всем уже догадались. Но, циничная в оценке мировой политики, мудрая в толковании исторических событий и вдохновленная своим участием в секс-индустрии, я по-прежнему оставалась самой доверчивой и наивной женщиной на земле. Мой муж как-то спросил меня: «Слушай, а ты знаешь, что слова „легковерный" нет в „Новом Оксфордском словаре"?» Охваченная возмущением, я почти добежала до книжного шкафа, когда вдруг заметила веселую искорку в его глазах.

Меня давно надо было посадить под замок ради моего собственного блага.

Сэт остановился рядом с моим креслом, поставил бокал на столик рядом с сотенными купюрами, которые только что туда положил, и без всяких дальнейших объяснений стал расстегивать свой пояс.

— Я хочу, чтобы тебе хватило времени мне отсосать, — сказал он.

Знаете, как при автомобильной аварии в последние несколько секунд перед столкновением время будто бы замедляет свой ход? Все видится четко и ясно, и ничто не отделяет вас от неминуемо надвигающейся катастрофы. Вы почти теряете интерес к событиям, словно они не имеют к вам отношения, и просто наблюдаете со стороны. Все происходит спустя секунду после того, как вы говорите: «О, черт! О, боже, только не это! Твою мать!» В это время вторая часть вашего мозга вовсю трудится над отрицанием происходящего, утверждая, что этого не может быть. Вот уж что проливает целительный бальзам на сердце, так это старое доброе отрицание! Плевать я хотела на все ваши умные книжки, — в самые сложные моменты я всегда буду прибегать к проверенному средству!

Конечно, эта часть мозга обычно отказывает, не справляясь с восприятием действительности. При всей своей убедительности, отрицание не способно обеспечить творческий подход к восприятию груды искореженного металла, медленно надвигающемуся осознанию произошедшего и ощущению цвета и вкуса крови.

Иногда люди утверждают, что в такие моменты перед их глазами проносится вся жизнь, но я этому не верю. Мне кажется, время, наоборот, замедляется, чтобы показать, насколько вы беспомощны перед жизнью. Готова поспорить, что особенно медленно эти мгновения протекают для тех, кто привык считать себя хозяином своей судьбы.

В общем, именно такие мгновения я пережила в четверг вечером, в отеле «Ритц-Карлтон». Часть моего мозга спокойно и логично убеждала меня в том, что этого не может быть и все происходящее — не более чем сон. Это просто недоразумение. Нет. Нет. Если я буду сидеть тихо, не двигаясь, даже не дыша, то кошмар скоро рассеется. В то же время другая часть моего мозга с ужасающей ясностью осознавала, что происходит, и принимала всю величину моей утраты. Я наблюдала, как все рушилось на моих глазах: годы нашей дружбы с Сэтом, теплые чувства, которые я к нему испытывала, доверие, которым я прониклась к нему за это время, то, каким я его воспринимала, и как я воспринимала *саму себя*. На моих глазах рушилось не прошлое. Это гибло наше будущее. Я была Алисой в Зазеркалье, сбитой с толку внезапным осознанием того, что мир вокруг живет по своим собственным, непонятным мне законам. То, что я раньше считала действительностью, на самом деле не имело к ней никакого отношения. Если возможно *такое*, то со мной может случиться все что угодно. Я могу быть Белым Кроликом, а он — Болванщиком. Наше общее прошлое не имело никакого значения. Общего будущего для нас не существовало. А я не могла себе даже представить будущее без Сэта.

Наконец я сумела взять себя в руки. Конечно, мне не пришлось разбираться с грудой искореженного металла, но от этого масштаб катастрофы не уменьшился. Ремень был расстегнут, а молния спустилась почти донизу, и если я не помешаю Сэту сию же секунду, то через мгновение увижу его пенис. Этого я уже не перенесу.

Если я это увижу, у меня внутри что-то надломится.

У меня пересохло во рту. Я посмотрела на стоящего передо мной мужчину, но не смогла ничего сказать. Единственным, что мне удалось из себя выдавить, был вопрос:

— Почему?

Он замер, так и не убрав руку с молнии. В его голосе было различимо легкое любопытство.

— Ты же теперь проститутка, правильно?

* * *

Я не знаю, что в этой истории хуже. То, что мнение Сэта обо мне зависело от моей работы? Что, несмотря на все мои попытки объяснить ему свою жизнь, он не смог избавиться от предрассудков относительно проституции? Что он многое значил для меня, в то время как я была для него пустым звуком?

Или просто то, что я потеряла друга?

Одна из героинь Барбры Стрейзанд как-то сказала: «То, что я — проститутка, не значит, что я легко доступна». Девушки по вызову воспринимают секс в организованной рабочей ситуации и секс с сознательно выбранным партнером в дополнение любовных отношений как два совершенно разных явления. Наша мораль не зависит от нашей работы. То, что я занимаюсь сексом за деньги, не означает, что я отношусь к сексу легкомысленно и являюсь легко доступной. Наоборот, я была куда более распущенна до того, как начала работать у Персика. Я помню, и мне стыдно в этом признаваться, как однажды переспала с парнем просто потому, что мне было *проще* согласиться, чем отказать и выгнать его из моей квартиры. Я слишком устала и выбрала самый легкий и быстрый выход из неприятной ситуации.

Вот что такое унижение. Немыслимо издеваться над собой, обращаясь со своим разумом и телом как с дерьмом и совокупляясь с теми, чье имя забываешь еще до окончания полового акта; уступать идиотским, бессвязным уговорам и вызывающему поведению просто потому, что у тебя нет сил сопротивляться. Мне больно это осознавать: я была готова причинить вред себе, своей душе и телу просто потому, что очень *устала.*

Ни к чему объяснять, что в те дни я не руководствовалась соображениями морали, но даже тогда никому в голову не приходила мысль сунуть член мне в лицо и ожидать от меня определенной реакции. Тогда я еще считалась порядочной девушкой.

Начав работать у Персика, я стала относиться к этому серьезнее: я больше не сплю с незнакомцами просто потому, что так легче от них отделаться. Я начала заботиться о себе, разработав для себя определенную систему ценностей. Теперь я была готова обменять секс только на две вещи: любовь или деньги. Такой подход обеспечил мне крепкий сон без кошмаров.

Девочки по вызову – это профессионалы. Я вступала во взаимодействия с клиентами так же, как любой другой профессионал общается со своими клиентами. Кто-то мне нравился, кто-то – нет, но обращалась я со всеми одинаково. Одинаково справедливо и честно. Я выставляла им разумный счет за свои услуги, не пытаясь «раскрутить» их на деньги. Некоторые из девочек Персика старались как можно скорее довести клиента до оргазма, чтобы освободиться и уйти. Я же всегда оставалась на полный час, если того желал мужчина. Всегда. Стараясь сохранить чувство своего достоинства, я обращалась с клиентом соответственно.

Откуда тогда появилась эта идиотская мысль о том, что, занимаясь сексом профессионально, я доступна круглые сутки и для каждого обладателя мужского хозяйства? Что, обменивая секс на деньги, я обожаю этим заниматься и хочу этого все время? Неужели вы действительно считаете нас нимфоманками, которые никак не могут насытиться? В таком случае вы слишком увлекаетесь порнографией, друзья мои.

Давайте попробуем взглянуть на это по-другому. Скажите, много ли вы знаете психоаналитиков, которые в свободное от работы время умоляют своих знакомых позволить им проанализировать их переживания? Или учителей химии, которые даже на вечеринках не могут прекратить вбивать в пустые головы случайных слушателей периодическую таблицу элементов? Или вэб-дизайнеров, пристающих в выходные к обывателям с предложениями бесплатно создать убойный сайт просто из любви к искусству?

Я вас умоляю! Взгляните на это другими глазами.

Это работа. *Просто работа, и только.* Большинство девушек с трудом дожидаются окончания очередного часа и не соглашаются на следующий до тех пор, пока у них не окажется иного выбора.

Это работа. Я знаю, вам больше нравится, когда мы создаем для вас мир эротических фантазий и играем по его правилам, что у нас действительно хорошо получается. Тогда умейте признать это и будьте благодарны нам за то, что мы готовы заниматься этим профессионально. Мы будем шептать вам на ухо, что вы незабываемы, в то же время разжигая вашу чувственность кончиком языка. Мы будем стонать и извиваться в феерическом оргазме, и заверять вас, что готовы на все ради вашего удовольствия, и клясться, что вы — лучший из лучших. Все это — лишь свидетельство нашего профессионализма.

Какое-то время я работала в фирме, занимавшейся разработкой программного обеспечения. Я была абсолютно уверена в том, что наших инженеров не интересовало ничего, кроме информационных баз и способов создания и усовершенствования приложений, над которыми они работали. Они рано приходили на работу и сидели там допоздна. Даже в кафе они обсуждали принцип организации данных в программе и травили анекдоты о жизни в замкнутом пространстве. И знаете что? Все это было признаком их профессионализма, поскольку по большому счету они прекрасно понимали, что всего лишь занимаются разработкой простой системы учета информации о страховых полисах. Возвращаясь вечером домой, они думали о своих семьях, о том, что для них было дорого, об удовольствиях, о книгах и кино. Им в голову не приходило тратить время на базы данных и пошаговую кодировку. Они не смешивали работу с личной жизнью.

Теперь попробуйте отнестись ко мне таким же образом: как к одному из специалистов отрасли программного обеспечения. Мне тоже могло нравиться то, что я делала, но работа никогда не заменяла мне реальную жизнь. Никогда.

Глава восьмая

Я надеялась, что курс, посвященный истории проституции, заинтересует администрацию в качестве факультатива, однако комиссия по учебному плану приложила все усилия, чтобы включить его в содержание основной программы и заявить в осенних каталогах. Я до сих пор не знаю, почему так получилось. Может быть, кому-то показалось, что в сетке не хватает феминистских тем, а может, кто-то просто решил внести приятное разнообразие, поместив лекции с перчинкой где-то между «Мировой историей» и «Элементами логики». Либо они просто проявили финансовую дальновидность, рассчитав, что клубничка обязательно привлечет к себе внимание студентов и спонсоров. Как бы то ни было, мою идею приняли благосклонно, и мне нужно было готовиться к ее воплощению.

Итак, я внезапно оказалась полностью погруженной в проституцию. Можно сказать, что мое исследование носило академический и практический характер одновременно. Так сказать, теория и практика в действии. Днем я сидела, уткнувшись в книги в библиотеке Бостонского университета, читая, делая записи, ожидая чудесного превращения разрозненной информации в стройную, логичную систему. Ночью же я отправлялась на работу. Обычно я отправлялась в библиотеку одетой таким образом, чтобы вечером не приходилось

Он действительно подошел ко мне. Спросил, о чем я читаю, и, заметив пустую чашку из-под кофе, предложил принести мне свежего.

Наш тет-а-тет был прерван. У меня зазвонил телефон. Персик была краткой:

— Работа, — сказала она. — Парень живет на Честнат-хилл.

Я как можно незаметнее сделала необходимые записи, и отсоединилась.

— Мне пора идти, — сказала я студенту. У него были длинные волосы, собранные в хвост. Мне очень нравятся мужчины с длинными волосами, особенно убранными в хвост.

— Может, мы все же выпьем кофе, позднее? — спросил он. — Наша беседа была очень интересной.

— Извини, — мне было действительно жаль расставаться. У меня появилась прекрасная возможность побыть просто женщиной, а не профессором или девочкой по вызову. Я встала и поправила юбку. — Было приятно пообщаться.

Мне действительно было приятно. Ко мне снова стучалась жизнь, заманчиво обещая показать свою не самую плохую сторону. Кто знает, может, когда все это закончится, я и смогу найти себе где-нибудь место. Этот молодой человек счел меня привлекательной и интересной, не имея ни малейшего представления о моих параметрах (бедра, талия, грудь) и не надеясь получить у меня зачет.

переодеваться. Из университета было проще добраться в любую точку города, чем из моей квартиры.

Однажды вечером я отправилась в студенческую столовую, чтобы перекусить. Я устала и проголодалась настолько, что не в состоянии была воспринимать какую-либо информацию. Вместо маленького кафе, которое я помнила со студенческих лет, здесь вырос огромный торгово-развлекательный центр. Возможно, это было сделано для того, чтобы студенты не слишком сокрушались о загубленной молодости. Не дай нам бог перетрудить нашу молодежь!

Я взяла сандвич и стакан содовой, задержалась у аппарата, который оказался дозатором каких-то экзотических, редких и очень дорогих соков, и пошла к столу.

Прошло немало времени, прежде чем я заметила, как меня рассматривает парень за соседним столом. В тот момент часть моего мозга, которая замечала мужчин и флиртовала с ними, скажем так, работала в фоновом режиме, или была малоактивна. Поняв, что происходит, я ужаснулась. Я привыкла общаться со студентами на занятиях. Мне также привычно мужское внимание. Но сочетание двух привычных явлений оказалось для меня весьма неожиданным. Если я все правильно поняла, этот студент был готов к решительным действиям.

Я вдруг почувствовала желание и подумала: «Если бы обстоятельства сложились иначе...» Если бы... Это ощущение было и сладким, и горьким одновременно. Раньше я никогда не понимала, что люди хотели сказать этим выражением.

Конечно, я видела, что у этого знакомства не было будущего. Попытавшись его развить, я довольно скоро поняла бы, что в нем нет того, что мне нужно. Наверное, мне тогда понравилось ощущение желания и надежды, сознание того, что передо мной еще открыты разные возможности, что мир продолжает жить по своим законам и готов принять меня, когда я буду к этому готова.

Садясь в машину, я улыбалась.

— У меня сегодня могло быть настоящее свидание, — сказала я своему отражению. — Самое настоящее, — повторила я гордо.

Трудно поверить, что девочка по вызову за двести долларов в час может быть настолько не уверена в себе. Ну что ж, удивляйтесь, сколько вам будет угодно.

Чувства оказались мимолетными. Возможно, они пришли ко мне как дар: короткая вспышка надежды, счастья и ощущения невинности.

В этот вечер я получила еще один урок боли.

То, что тогда произошло, никогда не уйдет из моего сердца. Поселившись в нем, это знание лишило меня невинности, навеки заменив ее ощущением непоправимой, неизбывной грусти.

Клиент, к которому отправила меня Персик, жил один в великолепной квартире на Честнат-хилл. Такие районы есть во всех крупных городах Америки, как я поняла. Их объединяет одно: деньги. Квартира, в которой я оказалась, была наполнена удивительными произведениями искусства, антикварной мебелью и картинами, авторов которых я без труда узнала. Малоизвестные работы очень известных художников.

Меня встретил худощавый мужчина с такой бледной кожей, что местами она казалась мне прозрачной. Он улыбался мягкой, грустной улыбкой и не был разговорчив. В квартире играла музыка, симфония из «Нового Света» Дворжака. Мужчина предложил мне шерри и повел в спальню.

Там он попросил меня раздеться до нижнего белья. В тот вечер на мне был прозрачный жакет, надетый поверх бюстгальтера и трусиков.

— У тебя есть с собой косметика? — спросил он с тем же грустным, меланхоличным выражением лица. — Я хочу посмотреть, как ты будешь краситься.

— Просто краситься? — я была немного сбита с толку.

— Да, и разговаривать со мной. — «А, тогда все понятно. Я должна буду грязно ругаться, пока он будет смотреть, как я что-то делаю». Это не было для меня новостью. В прошлый вторник я ругалась и ласкала себя. Было скучно, но клиенту понравилось.

Я уселась на кровати и достала необходимые аксессуары: тушь, карандаш для век и румяна.

— О чем бы ты хотел поговорить? — спросила я как можно соблазнительнее, пока он устраивался удобнее на старинном кресле в стиле Людовика XV в ногах кровати.

— Скажи, что ты собираешься пойти с папой поужинать, — сказал он своим странным голосом, который отражался от стен и в то же время звучал откуда-то издалека. — Скоро придет няня, и ты рассказываешь мне, в какой ресторан поведет тебя папа.

Я замерла на мгновение. Мне хотелось плакать. Конечно, я сделала, как он просил, что еще мне оставалось? Я разговаривала с ним и смотрела в зеркальце на свое отражение, чтобы не видеть, как он мастурбирует, пока я изображаю его мать.

— Мы позвоним, когда доберемся до места, чтобы убедиться в том, что у вас здесь все в порядке. А перед тем как уйти, я тебя поцелую, особенным поцелуем... — Я с трудом сдерживала слезы.

Расплатился со мной он очень щедро. Слишком щедро — оставил семьдесят долларов чаевых сверх того, что запросило агентство. Большинство девушек пришли бы от этого в восторг и, сочтя вызов одним из легких, позже от души посмеялись. Я же ехала домой полностью опустошенная. Я пыталась представить себе, какое же событие в детстве этого человека так изуродовало его сексуальность. Почему он не хочет избавиться от очевидной боли, обратившись к специалисту, и предпочитает вызывать кого-нибудь из нас?

Мне приходилось играть в ролевые игры, представляя безобидные ситуации, подобные тем, что часто встречаются в порножурналах или фильмах. «Давай я буду доктором, а ты — медсестрой» или «Представь, что я твой учитель, а ты хочешь получить у меня пятерку!»

Ситуация на Честнат-хилл была совершенно иного рода. Она впервые затронула мою душу. Даже Барри с Бикон-стрит не настолько волновал меня. Хотя я и сейчас часто думаю и об этом мужчине. Обращается ли он по-прежнему к девочкам по вызову, чтобы они, глядя на него из отражения в зеркале, уверяли его в том, что мамочка его действительно любит. Вспомнив о нем, я произношу короткую молитву. От этого ему не станет хуже.

В тот вечер я не могла сосредоточиться, чтобы составить библиографию для своего нового курса. После часа бесплодных попыток и двух бокалов красного «Кот-дю-Рон» я сдалась и отправилась в Интернет. У меня не было никакой конкретной цели для поисков: я просто хотела отвлечься от мыслей о бледном человеке с Честнат-хилл. Это мне тоже не удалось.

Совсем недавно меня снова расспрашивали о том, как я работала на Персика.

— Клиенты иногда требуют от проститутки выполнения странных прихотей. Как вы к этому относитесь? — снова прозвучал один из самых распространенных вопросов. Когда я отвечаю на него, если вообще делаю это, то не упоминаю о человеке на Честнат-хилл. Я никогда не говорю о том, что чувствую или думаю о его нуждах и боли.

Что же касается других клиентов с их странными желаниями... Здесь все зависит от того, что вы понимаете под словом «странные». Мне, например, кажется, что странно и ненормально позволять людям хранить дома оружие, из-за которого ежедневно происходят сотни несчастных случаев. Поэтому в моем представлении мужчина, примеряющий женское белье, не более странен, чем все остальные.

Как я сказала, у каждого свои представления о странном и нормальном.

Однако я не стану оспаривать тот факт, что, работая в этой профессии, человек сталкивается с широким спектром сексуальных предпочтений и вкусов, о котором не смог бы получить представления, встречаясь с ограниченным числом партнеров. Мне кажется, это происходит потому, что сексуальный опыт с нейтральным, профессиональным участником позволяет человеку более свободно выражать и переживать свои фантазии, которые выходят за пределы общепринятых норм. С проституткой это можно сделать. Она не будет шокирована или смущена необычным поведением клиента, не станет обзывать или отталкивать его, заставляя стыдиться себя. К тому же она обязательно расскажет ему, какой он замечательный сексуальный партнер. Разве плохо?

Девочка по вызову находится не в том положении, чтобы использовать необычное поведение и желания мужчины для того, чтобы оценить характер взаимоотношений между ними. Новая же подружка в ответ на необычное предложение может с нескрываемым неодобрением переспросить: «*Что*, ты сказал, хочешь делать?»

По-моему, некоторые мужчины обращаются в агентства именно для того, чтобы воплотить свои запретные фантазии, выразить ту сторону своей личности, которая скрыта от коллег, жен, подружек и соседей. Они могут получать удовольствие от обыкновенного «ванильного» секса с постоянным партнером и звонить нам, когда захотят попробовать что-то более рискованное и менее приемлемое основной частью населения.

Размышления на эту тему напоминают мне короткий диалог, произошедший между героями фильма «Анализируй это». Разговор вели Роберт де Ниро, который играл мафиози, страдавшего приступами паники, и Билли Кристалл, его психоаналитик. Де Ниро рассказывал Кристаллу о сбое, который произошел у него в постели с любовницей.

— У вас есть какие-то проблемы в браке? — спросил Кристалл.

— Да нет, с браком все в порядке.

— Зачем тогда любовница?

— Чтобы делать с ней то, чего я не могу делать с женой.

Кристалл выглядит искренне озадаченным.

— А почему с женой нельзя делать то же самое, что с любовницей?

Мафиози приходит в негодование от этого вопроса.

— Слушай, — возмущенно говорит он, — это те губы, которые целуют моих детей!

Мне казалось, что мужчины с таким мировоззрением обращались в агентство, желая испытать что-то запретное, причем не со своим постоянным партнером. Они в глубине души не хотели связывать себя отношениями с теми, кто способен воплотить их фантазии. Шлюха есть шлюха. Все сводится к старой как мир проблеме: мужчины хотят секса, хотят встречаться с раскрепощенными, разбитными, сексуальными девицами, но как только дело доходит до заключения брака — все сразу меняется. Жена — это совсем другое дело. Она — мать моих детей и просто обязана быть девственницей, причем с большой буквы.

В этом суждении сложно найти логику, но тем не менее оно существует.

Правда, большинство фантазий, с которыми я сталкивалась, были вполне безобидными. На самом деле всякие предметные и ролевые игры — штука забавная. Разноцветные презервативы со всяческими ароматами, масла для тела, вибраторы, фаллоимитаторы и порнофильмы на большом телеэкране. Все это весело, бездумно и выгодно.

Бледный человек на Честнат-хилл был исключением.

В тот вечер, впервые с того момента, как я начала работать у Персика и перестала волноваться о своем финансовом положении, я приняла снотворное. Не люблю снов с кошмарами.

Глава девятая

Усилием воли я запретила себе думать о человеке на Честнат-хилл. У меня было достаточно других забот, которые требовали моего внимания. На занятия по «Истории и социологии проституции» записалось восемнадцать человек, и независимо от того, готова я к ним или нет, мне нужно было их начинать.

Сентябрь в Бостоне всегда великолепен. Погода еще стоит жаркая, но листья знают, что происходит с природой, и начинают свой зрелищный отход к смерти. По утрам становится зябко, а вечерами — просто холодно, но эта перемена приятна, поскольку становится долгожданной альтернативой изнуряющей жаре.

Сентябрь неповторим еще по многим причинам. Бостон и Кембридж являются образовательной Меккой для студентов. Летом жизнь здесь замирает, затем, с возвращением студентов, снова пробуждается и наполняется голосами и красками. Газон перед Музыкальной школой Беркли, известный как Пляж Беркли, покрывается молодыми обнаженными телами. Вы можете увидеть косички и татуировки, пирсинг и чехлы от музыкальных инструментов.

Маленькие кафе, бары и ирландские пабы внезапно наполняются посетителями и становятся похожими на постоялые дворы. Почтенные старые поезда Зеленой Линии подвергаются набегам первокурсников, впервые вырвавшихся из дома и с гордостью заявляющих об этом всему миру. Они дерзко и независимо сидят на ступенях, не давая пассажирам ни войти ни выйти, приветствуя жизнь со всей пылкостью выпускников школ Хадсона, Нью-Гэмпшира, Сиконка, Массачусетса или Мэйна.

Даже воздух пахнет иначе.

Считается, что год начинается в январе, но в этом месте все происходит иначе: новый год начинается третьего сентября, когда у вас еще нет утрат, которые вы должны оплакать, а будущее полно обещаниями и новыми возможностями. На улицах царит суматоха. Торговля идет бойко как никогда, и хозяйственные магазины полны азартных молодых покупателей. В это время может произойти все что угодно. Люди улыбаются друг другу, и несколько волшебных недель в воздухе витает ожидание и предвкушение новой жизни и исполнения мечты.

По всему городу разносится непередаваемый аромат радостного ожидания и надежды. Да, настоящий новый год начинается в сентябре, когда тетради еще сверкают белыми, незаполненными страницами, учебники и названия новых курсов кажутся интересными, а иностранные фильмы впервые наполняются смыслом.

Этот сентябрь был самым жарким из всех, которые я помнила. По иронии судьбы, в этом месяце мне предстояло пройти техосмотр.

Я любила свою «хонду цивик». Я не собираюсь ничего рекламировать, но у меня эта машина, честное слово, прошла сто сорок тысяч миль, а мой стиль вождения можно отнести к экстремальному, и за все это время мне не пришлось серьезно заниматься ремонтом. Она послушно заводилась каждое утро в любую погоду.

Я не могла винить машину в том, что она не прошла технический осмотр. Я не обращала на нее никакого внимания между этими ежегодными событиями, и, будь я хорошей хозяйкой, все было бы нормально.

В мастерской, куда я поставила ее на ремонт, мне сказали, что она будет готова к обеду в понедельник.

В этой новости плохо было лишь то, что в работе эскорта выходные — самые напряженные дни.

Пятница больше всего подходила для того, чтобы взять выходной, и девочки устраивали свои личные свидания именно в этот день. Работать в пятницу мне не нравилось еще и потому, что в конце недели большинство мужчин получали зарплату и шли в бары, чувствуя себя с наличными вдвойне увереннее и рассчитывая найти там интересное и бесплатное знакомство. Они не могли признать свое поражение раньше полуночи и только потом звонили Персику. Мне было физически трудно работать по ночам, потому что я слишком уставала за рабочую неделю.

Субботы были хороши благодаря постоянным клиентам и людям, которые планировали провести выходные с участием девушек из агентства. Чаще всего мужчины хотели сначала встретиться с девушкой из службы эскорта, а потом пойти в клуб, на настоящее свидание, или просто пообедать или поужинать с женами. В этот день было много ранних вызовов, которые нравились мне больше всего, потому что к половине одиннадцатого я могла уже быть дома рядом со Скуззи.

Еще дела хорошо шли по воскресеньям, потому что был последний день уикенда. Неминуемый понедельник грозился заглянуть людям в глаза, и им не нравилась эта перспектива.

Мне пришлось позвонить Персику в пятницу около четырех и сказать, что у меня нет машины на выходные. Это известие ее не обрадовало.

У меня есть основания считать, что по меньшей мере часть моих клиентов хранила мне верность именно потому, что у меня было свое средство передвижения. Это гораздо удобнее, чем эффектный выход из ярко освещенного такси на глазах у всего района или нетерпеливые гудки с улицы по истечении часа. Собственная машина у девочки по вызову также экономит клиенту деньги, потому что ему не приходится оплачивать такси или зарплату водителю. Чаще всего траты на транспорт разделялись между клиентом и самой девушкой, Персик же старалась, чтобы клиент покрыл по возможности бóльшую часть этой суммы. Она сама никогда не платила водителю из своих денег. Она не платила ни за что.

Итак, я впервые оказалась без машины. Персик, однако, отнеслась к этому событию со сдержанным оптимизмом.

— Нет проблем, — заверила она меня. — Я найду тебе водителя.

Примерно половина или три четверти девочек, работающих в эскорт-сервисах, пользуются услугами водителя. Среди них много студенток, живущих в университетских общежитиях, а Бостонский университет первым делом всегда советовал абитуриентам избавиться от личной машины. Система общественного транспорта здесь эффективна и не дорога, машин в Бостоне много, и все водят их по-разному. К тому же местные полицейские, по моему искреннему убеждению, являются последователями гестапо в вопросах парковки. Я знала женщину, сын которой, полицейский, оштрафовал ее машину за неправильную парковку напротив дома, в котором они вместе жили. Это не шутка! Я сама оплатила столько штрафов, что этой суммы могло хватить на то, чтобы если не купить, то хотя бы назвать в мою честь небольшое здание в центре города.

Итак, девушки часто пользуются услугами водителей. Я уже была знакома с одним из них, Луисом, который вечерами подрабатывал у Персика, а днем учился в бизнес-школе. Когда я только начинала работать и Персик еще не доверяла мне настолько, чтобы позволить хранить у себя наличные от ее доли, я встречалась с ним, чтобы передать для нее деньги, которые получила от клиента. Я пару раз видела его на вечеринках, куда меня приглашала Персик, выделив из общей массы работающих на нее девушек как достойную своей дружбы. Время от времени мы собирались у нее дома, и там всегда почему-то оказывался Луис. Мы оба были заинтересованы друг в друге, но еще не готовы развивать отношения.

Я не знаю, как Персик набирала для себя водителей. Она все время была кем-то из них недовольна, но я никогда ее об этом не спрашивала.

В ту субботу я приняла душ и надела чистые шорты и футболку. Мне не имело смысла одеваться более тщательно, пока я не узнаю, каковы будут пожелания моего клиента. Пощелкав каналами, я поставила в магнитофон кассету со старинным сериалом «Фрейзер» и успела уютно устроиться с мурлычущим Скуззи под боком, чтобы посмотреть, как Найлз будет ругаться по телефону с Мэрис. Разумеется, тут же раздался телефонный звонок.

Смешно получается: вы *хотите,* чтобы телефон зазвонил, потому вам нужны деньги, в то же время вы разочарованы, когда это происходит, поскольку понимаете, какими неприятными могут оказаться следующие два часа.

— Джен? У меня есть для тебя работа.

Я положила на кофейный столик блокнот и сняла колпачок с ручки.

— Диктуй.

— Он из постоянных. — Этими словами она всегда начинала рассказ о клиентах, которых я не знала. — Зовут Джейк, телефон 508-555-5467. Тебе придется спросить его самого, как к нему добираться, он живет в Марблхеде.

— Хорошо. Что ты ему обо мне сказала? — С моей точки зрения, эта информация была самой важной, потому что определяла мою роль на весь вечер.

— Тебе двадцать восемь, 36-25-35, этим делом занимаешься недавно. Ты можешь быть из аспирантов или что-то вроде этого. Я сказала ему, что твоя машина в мастерской и что тебя отвезет друг.

Это значит, что она назвала ему завышенную цену, не объясняя, куда идет надбавка. Это было обычной процедурой: некоторым клиентам не нравилось, когда девочки приезжали к ним на нанятых на их деньги машинах, потому что это разрушало легенду о том, что девушка сама захотела приехать. Если этот клиент жил в Марблхеде, на самом севере побережья, то доставка должна была ему дорого обойтись.

Это уже меня не касалось. Такими вопросами занималась Персик и за это получала свою долю. Мне только нужно было подтвердить, что моя машина в ремонте. Самый большой секрет лгуна в том, что он не искажает истины без особой необходимости.

— Хорошо.

— Позвони Джону, у него есть сотовый телефон, 555-3948. Он уже выехал. Его услуги будут стоить тебе шестьдесят долларов в оба конца. От клиента ты получишь триста двадцать. Объясни Джону, как до тебя добраться, затем позвони клиенту и перезвони мне.

— Договорились. — Я положила трубку со смешанным чувством удовлетворения от того, что смогу сегодня заработать, и сожаления о том, что не могу остаться дома со Скуззи и «Фрейзером» в кафе Нервоса. Двойной «мокко-латте», пожалуйста!

Скуззи мерцал на меня глазищами. Он всегда понимал, что я собираюсь уйти, добровольно и намеренно испортив ему вечер. Я вздохнула и снова взяла в руки телефон.

— Здравствуйте, могу я поговорить с Джейком?

— Ага, — это междометие моментально представило Джейка как мастера искрометной, блистательной речи. Я составляю мнение о людях по тому, как они разговаривают.

— Здравствуйте, Джейк. Это Тиа, знакомая Персика. Она попросила меня позвонить вам.

— Ага. — Он явно не собирался облегчать мне задачу.

Я сделала глубокий вдох. «Как ты думаешь, зачем я тебе звоню, кретин?»

— Персик думала, что вы захотите провести со мной время сегодня вечером. Мне к вам приехать?

— Это мы еще посмотрим. Расскажи о себе.

Эта часть беседы получается у меня все лучше и лучше. Когда потенциальный клиент задает этот вопрос, уверяю вас, он не интересуется ни моими литературными вкусами, ни моим мнением о политической ситуации в Йемене.

— Что ж. Мне двадцать восемь лет, мой рост — сто семьдесят три сантиметра, и вешу я пятьдесят два килограмма. Мои размеры 36-25-35, бюстгальтер размера С. У меня вьющиеся темно-коричневые волосы средней длины и зеленые глаза. — Некоторое колебание, и еще немного неги в голос. — Я очень хорошенькая. Вы не будете разочарованы.

На экране телевизора Найлз передвигался скачками, и, не слыша звука, трудно было определить, было это признаком радости или негодования. Мне очень хотелось сделать телевизор погромче.

— Ага. — Замечательно. Похоже, Джейк был из тех клиентов, которые хотели получить еще секс по телефону, только бесплатно. Обычно так делали уродцы, страдающие манией величия. Или он так начинал свои предварительные игры. — Ой, Тиа. Даже не знаю. Что на тебе надето?

«Боже мой! Ты же и так скажешь, что хочешь меня, потому что заранее договорился об этом с Персиком и выбрал меня по тому описанию, которое только что попросил повторить. Что за дурацкая игра?»

— Я вышла из душа, поэтому на мне сейчас только полотенце. А как вы хотите, чтобы я оделась?

— Хммм. — Похоже, в распоряжении Джейка было все время вселенной. Ну что ж. Он мог себе это позволить: это была его игра. — А как тебе самой нравится одеваться?

«В старый спортивный костюм, шерстяные носки и стоптанные кроссовки, если тебе это интересно».

— Мне всегда нравилось черное белье, — сказала я в трубку самым приятным голосом. «Не забывай, Джен, за машину надо платить уже в следующую пятницу! Этот козел за нее и заплатит». — Мне нравятся кружевные бюстгальтеры и трусики и, конечно, пояс с чулками, — я легко засмеялась. — У чулок должен быть шов сзади. Не понимаю, почему женщины их больше не носят? Они такие... женственные! — Я позволила своему голосу затихнуть ровно настолько, сколько было необходимо его воображению. К этому моменту, если он не гей, Джейк уже должен был запасть на меня.

— Ага. Ну, да. Очень интересно. — Ставлю десять к одному, он сейчас играет со своим членом. — Мм... Хорошо... Ага. Ну, что ж. Когда ты сможешь сюда приехать?

Наконец-то. Если мы перешли к конкретным вопросам, я могу расслабиться. Слава богу!

Я снова сделала глубокий вдох.

— У меня сломалась машина, так что я буду договариваться с другом, чтобы он меня отвез. Я должна ему позвонить, и еще мне нужно знать, как к вам добраться. Я постараюсь приехать как можно скорее. — Чтобы подсластить пилюлю, я добавила: — Не могу дождаться встречи. Мне так понравился ваш голос! Он такой теплый и... интимный. Я бы очень хотела быть рядом с вами уже сейчас...

— Так тебе нравится мой голос? — Позже он будет всем рассказывать, что я с самого начала потеряла от него голову. Если я сделаю ему еще какой-либо комплимент, он сам станет требовать с меня плату за секс. «Она так меня хотела, серьезно! Она сразу завелась, услышав мой голос!»

Вы знаете, что такое проецирование своих желаний на других людей?

Я закатила глаза, чтобы позабавить Скуззи, — мне хотелось сохранить хотя бы *его* уважение. Затем я снова заговорила хрипловатым, сексуальным голосом.

— Да. У вас приятный голос. Теплый. Чувственный. — Это было шито белыми нитками. Данному клиенту не требовалась тонкая игра соблазнения. — Итак, Джейк, где вы живете?

Последовали длинные указания. Записав, я вслух повторила его слова и сказала, что, наверное, смогу быть у него примерно через полтора часа. Он стал ворчать, хотя прекрасно знал, что на дорогу уйдет много времени. Ему просто нужно было заставить меня переживать и чувствовать себя виноватой. Я поражалась тому, скольким клиентам нравилось управлять людьми таким образом. Они стремились с самого начала показать свое недовольство, чтобы я старалась еще больше им угодить и загладить свою вину. К концу разговора я почувствовала, что устала от него. Мне понадобилось десять минут только для того, чтобы подтвердить вызов. Да, он явно знал, что делал.

Джон ответил со второго гудка. У него был британский акцент.

— Джон слушает!

— Джен говорит, — развеселилась я. — Персик сказала, что ты можешь отвезти меня в Марблхед.

— Она была права. Где ты живешь?

— В Олстоне, сразу за Брайтон-авеню. Мне понадобится несколько минут, чтобы одеться.

— Тогда буду возле твоего дома через двадцать минут.

Последний звонок — Персику.

— Мы обо всем договорились.

— Я в этом не сомневалась, — спокойно ответила она. Персик всегда считает, что весь мир к ее услугам. — Позвони мне, когда приедешь на место, и скажи, чтобы Джон мне тоже позвонил. Я хочу, чтобы он купил мне сигарет, пока ты будешь у клиента.

Я перенесла свое внимание на платяной шкаф. Замечательно! За окном стоят самые жаркие ночи года, а я подписалась на целый вечер работы! Такова жизнь.

Мне удалось уложиться в двадцать минут. Я надела короткое, в пределах приличия, цветное платье поверх подробно обсужденного белья, причесала волосы, накрасилась, надела украшения и надушилась, пытаясь в то же самое время досмотреть конец «Фрейзера». Нет, честное слово, эта Мэрис такая стерва!

Я металась перед входом в свой дом, пока ко мне не подъехала «королла», водитель которой распахнул передо мной пассажирскую дверь.

— Ты Джен?

— Правильно. — Я скользнула в машину, возблагодарив всех известных мне богов за то, что человек сподобился изобрести кондиционер. Короткого ожидания на улице хватило для того, чтобы пот потек у меня по шее и верхней части бедра. Чулки были страшно неудобны.

Я развернула длинный список указаний.

— Только не это! — запротестовал Джон, как только я начала их читать. Я впилась в него глазами. — Что такое? Почему? В чем дело?

— Он каждый раз указывает разное направление. Девушка опаздывает, а он использует это против нее. А если она пытается сказать ему, что он сам дал ей такой маршрут, этот тип говорит, что она дура и все перепутала.

Разве не прелесть? А я в ближайшем будущем собиралась заняться сексом с этим идиотом! Вот за что мне платят такие деньги!

Джон ободрил меня.

— Не волнуйся, — сказал он, выполняя сложный поворот. — Я был там уже не раз, так? Я мигом тебя домчу, и ты, к его большому удивлению, приедешь вовремя.

Я улыбнулась.

— Ты — мой герой! — Мне было не удержаться от лести.

— Нет проблем, — ответил он. — Главное — не забудь об этом, когда будешь давать мне чаевые.

Он получал с меня шестьдесят долларов и рассчитывал на чаевые? Я с трудом удержалась от удивленного возгласа. Слава богу, что у меня есть машина! Я уже обожала каждый ржавый винтик и наклейку на ней. Этот стиль слишком дорого мне обходился.

Не спрашивая о моих музыкальных предпочтениях, Джон включил радио. Мы слушали альтернативный рок всю дорогу до северного побережья. Это было познавательно. Хочу вам сказать, что на свете действительно существует группа под названием «Анальные серфингисты». Это пугает. В течение некоторого времени я обдумывала способ убедить своих студентов в том, что я «крутая и продвинутая», но мне пришлось отказаться от этой идеи. У меня не было ни малейшего шанса. Поэтому я просто расслабилась и стала слушать дальше.

Я решила, что после такой поездки он сам должен давать мне чаевые.

Мы подъехали к странному строению с колоннами. Кто вам сказал, что у богатых людей есть вкус? Строение стояло над заливом, окруженное огромным пространством, заросшим травой, деревьями и кустарником. Мы доехали ровно за тридцать пять минут.

— Бедняга, как он будет разочарован! — ухмыльнулся Джон.

— Я помогу ему справиться с этой болью, — легкомысленно заявила я. — Не забудь позвонить Персику. Жду тебя через час.

Он ждал, не гася фар, пока Джейк не ответил на звонок и я не оказалась в доме. Галантно, должна признать. Или, может быть, он просто старался быть практичным. Если с клиентом возникнет проблема, ему не придется разворачиваться обратно и ехать, чтобы забрать меня.

Я начала игру с Джейком. При всех своих запросах сам он был не выше ста шестидесяти сантиметров и весил не меньше ста пятнадцати килограммов. Джейк был одним из самых непривлекательных мужчин, которых я встречала за всю свою жизнь. Это лишь подтвердило мою теорию, которую я назвала для себя Вторым Законом Проституции: «Чем менее привлекателен мужчина, тем больше внимания он к себе требует».

Играя роль шлюхи для Джейка, я размышляла, каково таким людям, как Джон, высаживать женщину возле дома, зная, что она будет там заниматься сексом и что этот секс может оказаться далеко не приятным. О чем он думает, пока она этим занимается? Пытается ли он представить себе, как это происходит? Когда он забирает девушку от клиента, чувствует ли он исходящий от нее запах секса? Думает ли он об этом? Становится ли она в его глазах более или менее желанной из-за того, что она делала?

«Странная у него работа», — подумалось мне.

Джон приехал за мной вовремя, что стало для меня избавлением, поскольку мы с Джейком исчерпали все темы для разговора за первые пять минут.

— Все в порядке? — спросил он.

— Да, спасибо, — ответила я с некоторым удивлением. С его стороны было очень мило поинтересоваться моими делами. Эта фраза звучала почти как утешение. После часа, проведенного с Джейком, мне оно было очень нужно. Умница, Джон.

— Попробуй найди в Марблхеде место, где можно купить сигареты, — продолжал Джон. — Тут все забито плотнее, чем... — Он подумал и решил не развивать эту мысль. — В общем, Персик сказала, чтобы я отвез тебя домой. Она позвонит, если будут какие-нибудь изменения.

— Хорошо, — я поняла шифр. Таким манером Персик давала мне знать, что на сегодня работа окончена.

Честно говоря, я не имела ничего против. У Джейка в доме не было кондиционера, а морского бриза оказалось недостаточно, чтобы освежить нас во время упражнений на кровати.

— Жена уехала навестить мать, — усмехнулся Джейк, театрально переворачивая ее фотографию на туалетном столике лицом вниз. — Нам ведь не надо, чтобы она за нами наблюдала? — Поздновато для демонстрации чувств к ней, говнюк!

— Я позвоню ей, когда приеду домой, — пообещала я Джону, одновременно пытаясь управиться с арифметическими действиями в уме. Математика никогда не была моей любимой дисциплиной. За этот вызов я получила триста двадцать долларов. Шестьдесят из них принадлежали Персику, еще шестьдесят – Джону. Выходит, я заработала двести долларов. Похоже, это значило, что Джейк не нашел другого агентства, готового прислать ему девушку так далеко, и Персик смогла выжать из него все, что хотела.

Я снова вспомнила, как он демонстративно перевернул фотографию жены, и подумала, почему он мог так истово ее ненавидеть, чтобы намеренно сделать центром того, что происходило между нами в ее отсутствие. Опомнившись, я отогнала от себя эту мысль. Если я буду продолжать думать о женах, то не смогу больше работать в этой сфере.

Денег было достаточно, и Джон проявил приятное внимание. Я дала ему на чаевые двадцать долларов, пытаясь не думать, что делаю глупость.

В тот вечер звонков больше не было. Я выбралась из платья, чулок и пояса, сняла туфли на каблуке и с радостью залезла в видавшие виды шорты и футболку. Завязав волосы в высокий хвост, я провела остаток вечера в счастливом воссоединении с «Фрейзером» и миской замороженного йогурта. В полночь, позвонив Персику, я сообщила, что отправляюсь спать, и легла в постель.

На следующий день я узнала, почему Джон стоил своих двадцатидолларовых чаевых.

Персик позвонила около семи.

– Есть работа, – коротко сказала она.

Весь мой день поделился на сон, занятия в фитнесс-центре и обдумывание первой лекции.

Хорошо, второй лекции. Наша первая встреча со студентами была посвящена всяким организационным вопросам: как выставляется оценка, чего я от них жду и какие книги им надо купить. Отношения начинались со второй лекции.

— Я рада. Кто это?

— Марк из Челси.

Это известие немедленно вызвало у меня улыбку. Здорово! Марк был моим *личным* постоянным клиентом. С такими не приходится играть в игры. Нет, не совсем так. В игры приходится играть всегда. Просто в этом случае в них нет элемента неожиданности.

Марк из Челси не был затейником. Я могла представить себе все программу вечера с точностью до минуты. Сначала мы будем в течение пятнадцати минут сидеть и пить ужасное вино и рассматривать вид из окна на небо Бостона. Вид, признаться, был действительно неплохим. В это время он будет жаловаться на свою работу и на то, что все ополчились против него, чтобы не дать ему продвинуться по службе или получить хорошую зарплату. Тот факт, что он был ловкачом, который, по его собственным словам, продал бы свою мать, если бы за нее давали хорошую цену, Марк совершенно не учитывал. Впрочем, мне не было до этого дела. Я издавала сочувственные и одобрительные звуки, когда это полагалось делать, чтобы не нарушать монолога, и обдумывала, какие продукты мне нужно купить или не пора ли менять наполнитель для кошачьего туалета.

Потом он страстно и немного неуклюже поцелует меня, и мы сделаем вид, что нас внезапно охватила такая страсть, что мы не можем больше ждать ни одной минуты. Мы быстро разденем друг друга в затемненной гостиной и займемся сексом прямо на ковре. Единственной репликой будет его вопрос:

— У тебя есть?

В ответ я протяну ему презерватив. Он продержится сколько сможет, кончит, скатится с меня и сразу уйдет в душ. Преждевременное семяизвержение может быть неприятным для жены или подруги, но для девочки по вызову это настоящий подарок!

Существует и другая крайность, но она выливается в скучные и утомительные усилия.

К тому времени как он примет душ, я уже оденусь и выйду на балкон допивать свое вино.

— Правда, роскошный вид? — спросит Марк.

— Вечер прошел замечательно, — заверю его я. Он скажет:

— Когда допьешь...

А я отвечу:

— На самом деле, мне уже хватит.

Он заплатит мне, и я уйду. От начала до конца этот визит займет у меня тридцать пять минут. Так происходило всегда. Да, Марк был одним из лучших клиентов.

— Ты помнишь, что мне нужен водитель? — спросила я Персика.

— Конечно, нет проблем! Я договорилась с Беном. Напомни мне свой адрес.

Я продиктовала его, и Персик сказала:

— Я скажу ему, чтобы он позвонил, когда подъедет к твоему дому.

— Хорошо. Только, Персик, не забудь, что Марк всегда заканчивает раньше.

— Нет проблем. Просто скажи Бену, когда за тобой вернуться. Ему надо будет заплатить тридцать пять долларов.

Я произвела быстрые расчеты. Марк платил мне сто восемьдесят долларов.

— Персик, в таком случае я получаю лишь восемьдесят пять долларов.

— Вот как? — Я слышала, как на другом конце провода она быстро считает. — Хорошо. Позвони Марку и скажи, что наймешь водителя и ему придется доплатить еще двадцать пять долларов.

«Нет, Персик. Ты получаешь свои шестьдесят долларов независимо от того, что зарабатываю я, за то, что мне не приходится договариваться о таких вещах с клиентом».

Многие, даже большинство подобных агентств выставляют клиенту счет по «событиям»: шестьдесят долларов за то, чтобы девушка приехала, и дальше — в соответствии с тем, что закажет клиент по своеобразному меню услуг. Минет стоит пятьдесят долларов сверх базовой стоимости, совокупление — сто. Что же касается более экзотических форм развлечений, то цены на них устанавливает агентство и сама девушка в зависимости от ситуации. Считается, что клиент должен испытать оргазм. Если он хочет испытать его еще раз — это тоже подлежит обсуждению. Ничего не оставляется на волю случая, ничто не дается даром.

Если бы мне пришлось работать в одном из таких агентств, я бы умерла с голоду. Мне кажется в высшей степени непристойным обсуждать цены на удовольствие с мужчиной, находящимся в стрессовой ситуации, а через две минуты после переговоров раздвигать для него ноги.

Мне очень нравилось, что Персик берет все эти переговоры на себя. Если клиент был чем-то недоволен, я могла промурлыкать:

— Ну дорогой, ты же понимаешь, что, если бы мы сами назначали свои ставки, я бы могла дать тебе скидку. Но я здесь ничего не решаю, тебе придется обо всем договариваться с Персиком!

Так мы сохраняем иллюзию уважительного отношения друг к другу. Это помогает создавать иллюзии другого рода.

Во всяком случае, меня устраивало такое положение вещей. Я заметила, что у мужчин не возникает проблем с тем, чтобы трахать женщин, которых они ненавидят или на которых злы. Иногда это даже нравится им больше, чем обыкновенный секс. В этой их особенности проявляется еще один фактор различия полов, который мне не понять никогда.

Мне нравились условия Персика. Клиент платил не за секс, какие-либо конкретные действия, игры или виды поведения. Он оплачивал час времени девочки по вызову. За это время клиент может кончить столько раз, сколько захочет или сможет. Он может разговаривать, воплощать свои фантазии или просто трахаться. Он может играть в свои игры, поддерживая иллюзию о том, что девушка пришла к нему потому, что сама этого захотела. Эти иллюзии составляли большое преимущество агентства Персика. Клиенты постоянны только в своей переменчивости, поэтому они часто обращались в другие агентства, но большинство снова возвращалось к ней. Она давала им то, чего не могли дать другие: уважение, фантазии, исполнение мечты, иллюзии.

Как бы то ни было, я не собиралась лишать себя привилегий работы с Персиком. Я откашлялась и сказала:

— Нет, Персик. Я не могу ему позвонить, потому что мне надо успеть привести себя в порядок.

В трубке послышался громкий вздох. Здесь мне должно было стать стыдно за то, что я взваливаю на нее свои заботы.

— Ну хорошо, Джен. Я сама позабочусь об этом. Главное — будь готова к приезду Бена. Договорились?

— Договорились.

Марк из Челси обладал еще одним замечательным качеством: ему было все равно, во что я одета. Главное — успеть быстро все с себя снять, когда наступит время возни на ковре. Единственное, чего мне следовало избегать в данном случае, — это одежды с рядами пуговиц, зато я могла позволить себе одеться удобно. Я нарядилась в летнее платье с молнией впереди, и обула летние сандалии. Мне самой очень нравилось это платье, и я считала его самым лучшим в своем гардеробе. Немного туши и духов положили конец моим приготовлениям.

Бен позвонил через полчаса.

— Я стою возле подъезда.

— Спускаюсь.

Я схватила ключи и «рабочую» сумочку, в которой кроме пары салфеток и двух-трех презервативов не было ничего: ни денег, ни документов. На всякий случай.

Бен сидел за рулем большой древней американской машины. Мне сразу бросилось в глаза, что все окна в ней были открыты, и только потом я увидела, что в этой машине уже сидят четыре женщины. Ни одно из этих наблюдений не было приятным.

— Давай, садись! — однако, наш Бен оказался нетерпеливым парнем. Плохо представляя себе, куда именно он хотел меня посадить, я открыла заднюю дверь и присоединилась к сидящим там девушкам.

7 Зак. № 723

— Так, — он взял в руки список. — Первая будет Трейси. На Бруклин?

Рыжеволосая женщина, сидевшая у дальнего окна, протянула:

— Да, перекресток у колледжа.

Бен резко взял с места, чудом не задев дряхлую пару, мужественно пытавшуюся перейти перекресток, и включил радио. Это был рэп. Громкий и пульсирующий рэп.

Вы удивитесь, но было время, когда он мне нравился. Судя по всему, во мне с самого начала жил антрополог. Только тогда смысл этих слов казался более искренним, живым и важным. Тогда еще не пели о том, как «брюхатили сучек» и «чистили мусор», а рассказывали истории о людях, родившихся и живших в нищете, делясь прожитым опытом, а не воспевая худшие стороны жизни. Я к своему удивлению вспомнила слова одной из песен, которая когда-то оказала большое влияние на мою жизнь и мысли. «Крысы в одной комнате, тараканы — в другой, невыносимый запах, невыносимый шум...» Кто это был? Такое странное имя... Точно: Грандмастер Флэш (Великий Мастер «Вспышка») и Фьюриос Файв (Яростная Пятерка). Это было в далекие восьмидесятые, до того как на смену общению в музыке пришел эпатаж и наступило засилье гангстерского рэпа, унижения женщин и поклонения тестостерону. «Наверное, я уже старею», — подумала я, потому что чуть не сказала: «в то время, когда мир был еще невинен».

Моя бабушка всегда говорила, что мир потерял невинность во время Первой мировой войны. Это были еще цветочки.

Вернемся же к настоящему, которое в тот момент было трудно игнорировать. Каждый вдох оказывался непростым испытанием даже с опущенными стеклами. «Шаллимар» и «Обсешн» вели битву за пальму первенства на заднем сиденье. Эти два запаха плохо смешивались, и я с тоской подумала о Джоне, его кондиционере и альтернативном роке.

К тому времени как мы добрались до моей остановки («Йо! Тиа! Челси, да?»), мы проехали от Бруклина до Ньюбери-стрит, с небольшим крюком в Бикон-хилл, чтобы высадить блондинку с переднего сиденья перед дверями гостиницы. Бен все время наклонялся к чему-то, что лежало перед ним, и у меня возникли подозрения, что его постоянное шмыганье носом не было признаком простуды. Выходя из дверей, я задержалась и наклонилась к переднему окну.

— Я закончу через тридцать пять минут.

— Не выйдет, крошка. — Теперь я могла рассмотреть его поближе. Одно из двух: или у меня паранойя, или он нюхал кокаин прямо со статьи в журнале «Пипл», который лежал на соседнем сиденье. Рядом открыто валялись кредитная карточка и свернутая купюра. Происходящее ошеломило меня.

Нам бы не помогло никакое чудо, если бы машину остановил патрульный. Мне не помогло бы никакое чудо, если бы он нашел там меня. Прощай, карьера, прощай, светлое будущее. Я была в ярости.

Усилием воли я вернулась к теме разговора.

— В каком смысле «не выйдет»? — Это получилось резко.

Бэн шмыгнул носом.

— У меня есть расписание. У Трейси два часа в Бруклине, час Тиффани почти истек, потом истекает время Лизы. Я вернусь через час. — Он завел мотор, чтобы придать важность своим словам. Я по-прежнему придерживала дверь открытой.

— Этот клиент из постоянных. Он не любит, когда я у него задерживаюсь. Я хочу, чтобы он остался доволен.

— Черт, да сделай ты ему минет! Он и будет доволен!

Если бы он в этот момент стоял передо мной, моя реакция была бы незамедлительной, носила физический характер и привела к временной потере дееспособности оппонента. У меня не оставалось иного выбора.

— Хорошо. Ты прав, — легко согласилась я. — Ух ты, у тебя есть «Пипл»! Вот здорово! Будет что почитать, пока я тебя жду! — Прежде чем он понял, что происходит, я схватила журнал и отступила от открытого окна, тут же начав обмахиваться журналом как веером. Никто не знает, сколько кокаина высыпалось из его страниц прямо на улицу. Мне было уже все равно. На свете живут люди, которые считают, что мужчины больше не оскорбляют женщин. Однако я знаю, что они не правы, и это знание со мной разделяет большинство других женщин. Я не привыкла терпеть оскорбления.

Разумеется, я поплатилась за свою выходку. Бен не приехал за мной. Попробуйте поймать такси жаркой летней ночью, и поймете мое состояние.

Персик кипела от злости.

— Бен зол на меня. В чем дело? Ты что, думаешь, водители растут на деревьях?

— Нет! Судя по всему, ты находишь их в выгребной яме! — Я была зла не меньше ее. Моя выходка обернулась настоящим адом мучительно долгой дороги домой. У меня явно не оставалось времени на второй вызов, и *она* еще захотела покричать на *меня*?

— Он предложил тебе сделать дополнительный минет клиенту. Да, он свинья, но и ты не впервые сталкиваешься с женоненавистничеством, — продолжала Персик. — Ты все время видишь это у клиентов.

— Именно поэтому я не собираюсь терпеть это от людей, которые, по моим представлениям, работают на меня. Клиенты платят мне за то, чтобы я их терпела, Персик. Но давай не будем вдаваться в детали, потому что дело было не в этом.

Ты знала о том, что у него лежал кокаин на виду, прямо на переднем сиденье?

Молчание. Значит, она об этом не знала.

Я продолжала.

— Он так зол, Персик, потому что я случайно стряхнула его дозу. — Ну, хорошо, может и не случайно, но ей не обязательно об этом знать. Ему просто не хватило времени при таком плотном графике купить себе наркотик в замен утраченному. — Ты представляешь себе, что могло бы произойти, если бы нас остановили? Со всеми девицами в машине?

Больше всего мне хотелось изменить положение вещей с транспортом эскорта, и я знала, как это сделать. Персик гордилась своим агентством. С тех пор, как она занялась этим делом, ни одна из ее девушек серьезно не пострадала и не была арестована. Речь шла о том, что мы действительно рисковали попасть под арест.

— У тебя за рулем сидит бомба с часовым механизмом. Он не просто употребляет наркотик, а делает это публично, к тому же за рулем, развозя твоих девочек! Это, черт возьми, настоящая катастрофа на колесах!

Она мне поверила. Это было замечательно в Персике: если она решила доверять человеку, то будет доверять до конца. За эти несколько недель она узнала меня лучше, чем некоторые люди за долгие годы знакомства со мной. Она была уверена в том, что в таких серьезных вопросах я не стану лгать.

— Я перезвоню тебе, — ответила она отстраненным голосом, который был явным признаком того, что ее мозг работал на полных оборотах.

— Только не сегодня, — отрезала я. — С меня на сегодня хватит. Я собираюсь залезть в ванну и выпить галлон воды. Вот тебе новость: в Челси нет такси, а автобусы ходят не чаще одного раза в час. Эта поездка стала для меня настоящим уроком. Спокойной ночи.

— Подожди... — Но я уже положила трубку. Мне понравилось: не часто выдается возможность первой положить трубку в разговоре с Персиком. Обычно она делает это сама.

На следующий день я забрала свою «хонду» из ремонта и от радости готова была расцеловать ее новые колеса. Лишь спустя немало времени я узнала, что Бен на самом деле был не так уж плох.

Некоторые из агентств *обязывают* своих девушек пользоваться услугами их водителей, которые нужны для того, чтобы управлять ими и контролировать их поведение. Хозяева заставляют женщин обслуживать минимум пять клиентов за ночь, и когда водитель замечает, что девушка засыпает на ходу, он предлагает ей «дорожку»-другую кокаина, за счет заведения. Просто так, чтобы она могла взбодриться, и потому, что он считает ее славной девушкой и хочет ей помочь.

Но в следующий раз заведение не будет угощать ее за свой счет. Ужесточив требования до шести клиентов за один вечер, хозяева добиваются того, что она снова обращается за наркотиком к водителю, у которого по стечению обстоятельств всегда есть лишняя доза. Кстати, Персик отдает предпочтение женщинам-водителям, но в других агентствах эту роль обычно исполняют мужчины. Проходит совсем немного времени, и девушка уже не может существовать без утренней «дорожки», и все ее заработки уходят в карман к водителю.

Так что в этом смысле Бен оказался не так уж плох.

Кокаин в то время был очень популярен. Экстази в клубы еще не вернулся, а героин потерял свой шик, и, благодаря тому, что в районе Бостона проживало много выходцев из Южной Америки, не утративших связи со своей родиной, самым распространенным наркотиком стал кокаин. Его было практически невозможно избежать тому, кто вел активную ночную жизнь. Водители такси делали намеки на возможность покупки, во всех туалетах в клубах стояли очереди из девушек, ожидавших не возможности справить нужду, а свободного места на столике.

Большинство наших клиентов употребляли кокаин. По целому ряду причин делала это и я. Независимо от концентрации кофеина, кофе перестал мне помогать. У меня был прекрасный план, только я не учла в нем одного: риска, которому ежедневно подвергала свою жизнь.

Занятия по «Смерти: процесс и результат» были назначены на послеобеденное время, что меня вполне устраивало. Большинство медсестер, которые записались на них, освобождались в половине четвертого, поэтому занятия начинались в четыре. С «Жизнью в психиатрической клинике» все сложилось не так удачно. Поскольку я была одним из самых молодых преподавателей, мне назначили время по понедельникам, средам и пятницам в восемь утра. Я никогда не была соловьем, а моя нынешняя вечерняя жизнь сделала это свойство моего организма еще более выраженным.

Попробуйте вернуться домой в два часа ночи в бодром настроении. Вы ведь тоже, придя с работы, не идете с порога спать, верно? Вам требуется время, чтобы стравить пар и расслабиться. Вы можете выпить бокал вина или чашку травяного чая, принять ванну, почитать или посмотреть телевизор. Я чаще всего читала: в ночные часы особенно хороши авторы мистики. Больше всего я любила Майкла Коннели, Кэти Рейхс и Тони Хиллермана. Постепенно вы засыпаете, и тут, в самый сладкий момент глубокого сна, звонит будильник. Шесть тридцать утра. И через полтора часа вы обязаны быть умной, яркой, организованной, но самое главное — бодрой. Вы затягиваете неотвратимую эвакуацию из кровати до того момента, когда вам уже поздно воевать с кофеваркой.

Или все может происходить иначе. Вы решаете, что сегодня обслужите только одного клиента и пойдете спать, потому что прошлой ночью вам удалось выкроить на сон лишь четыре часа. Вас приглашают к клиенту в восемь, что вас очень устраивает, но вы настолько нравитесь ему, что он решает продлить ваше совместное времяпрепровождение. К одиннадцати часам вы понимаете, что использовали все свои остроты и маленькие сексуальные игры, а главное — свою энергию. Но вы хотите, чтобы этот клиент стал постоянным, причем приглашал к себе именно вас, и начинаете искать способы вернуть искру, которая покинула вас около часа назад.

Самым простым выходом из обеих ситуаций был кокаин. Утренняя «дорожка», или «завтрак чемпионов», как называла ее одна из девушек Персика, расчищала сознание от дебрей сновидений и делала вас снова работоспособной. Вечером же, отпросившись у клиента в туалет, вы делаете новую «дорожку», и внезапно обретаете второе дыхание. Уходя от клиента, вы уносите кучу денег и уверенность в том, что он позовет вас снова.

Логично. Просто. Вредно для здоровья.

Мне понятно, почему так много девочек подсаживаются на наркотики даже без помощи беспринципных водителей. В этой профессиональной сфере потребляется много алкоголя и наркотиков. Если человек восприимчив и впечатлителен, он подвергает себя опасности стать вечным рабом допинга.

Возможно, дело было не только в нас. В те годы, казалось, все употребляли кокаин. Это позже кокаиновые головы стали совершать ритуальные самоубийства: женились, нарожали детей, купили дорогие машины и начали тратить деньги на спортивные лагеря и пристройку к дому. Они больше не покупали кокаин и все время выглядели совершенно изможденными. Может быть, им не стоило отказываться от наркотика?

Мне повезло, только и всего. Дело не в какихлибо особенных навыках или силе воли, которые помогли мне выжить во время работы в службе эскорта. Судя по всему, у меня нет предрасположенности к развитию пристрастий, иначе бы все закончилось для меня весьма печально. Тот факт, что я выпила столько алкоголя и употребила столько наркотика и не попалась в наркотические сети, можно отнести только на счет слепого везения. Если бы все сложилось иначе и мой организм отказался функционировать без этих веществ... в общем, при самом благоприятном исходе, я бы писала эти строки из реабилитационной клиники. Либо лишилась бы своей жизни, карьеры, жила бы гденибудь в притоне и делала минеты в обмен на наркотик. Я видела, как это происходило.

Я вышла оттуда без потерь, но не всем так повезло, как мне.

Глава десятая

В службе эскорта я познакомилась со многими людьми, употреблявшими наркотики. Любой работающий человек знакомится с новыми людьми, но проституция явно притягивает к себе проявление крайностей.

С Софи я познакомилась на одном из вызовов. Приехав на место, я увидела Софи, которая уже была с клиентом. Она тогда работала на себя, и клиент сначала вызвал ее, а потом обратился в агентство, чтобы устроить любовь втроем.

Этот вечер стал одним из лучших в моей карьере. Мы с Софи сразу же нашли общий язык. Она была удивительно красивой китаянкой с роскошными блестящими черными волосами и умопомрачительным телом. Мы развлекали клиента и друг друга, смеялись и играли и в одиннадцать часов оказались в коридоре гостиницы с хорошими деньгами на руках.

— Поехали ко мне, выпьем, — предложила она. — Сегодня можно больше не работать.

План мне понравился. С клиентом мы выпили три бутылки «Мутон-Каде» плюс еще что-то, стоявшее в баре, поэтому мне не хотелось ехать дальше, чем это было необходимо. Мы находились во Фрамингеме, а Софи жила в Натике, соседнем городишке. Мне очень понравилась эта женщина. Когда мы были в постели с клиентом, она цитировала Паскаля. Она говорила на английском, французском и вьетнамском, не говоря уже о нескольких наречиях китайского языка. Большинство ее фраз были простыми и непосредственными и больше походили на белый стих, чем на простую речь.

Я позвонила Персику, предупредила ее, что сегодня больше не буду работать, и поехала к Софи.

У нее была удивительная квартира, где стояли большие животные из папье-маше. Жираф возвышался над креслом, в котором я сидела, тигр затаился перед большим овальным окном. Сверху свисали ярко раскрашенные птицы. Зебра охраняла вход в кухню, а в ванной сидело какое-то неизвестное сумчатое. Они были повсюду, оттеняя своими яркими красками тяжелую вишневую мебель, занимавшую все остальное пространство.

Софи протянула мне бутылку «Сэм Адамс» и села за телефон. Через двадцать минут у нас появились гости: трое очень молодых и привлекательных ребят, которые оказались друзьями Софи. Они все были европейцами, но тогда это не показалось мне странным.

Они принесли с собой огромные запасы кокаина.

Мы сидели, пили и разговаривали, передавая друг другу коробку от компакт-диска, чтобы делать на ней «дорожки». Софи все время куда-то исчезала, и однажды, сделав неправильный поворот в поисках ванной, я наткнулась на нее на кухне.

Она готовила кокаин для того, чтобы его можно было курить.

— Ты не будешь возражать?

Я пожала плечами. Это ее дом, я была навеселе, и мне очень нравился один из гостей. Я не стала бы возражать, даже если бы она решила принять наркотик внутривенно. Какая мне разница?

Так сложилось, что потом я изменила свою точку зрения. Мы с Софи стали друзьями, и я узнала то, что постепенно и с муками узнает каждый друг наркомана. Единственной, настоящей, основной и всепоглощающей любовью Софи был только наркотик, как бы она ни старалась убедить окружающих в обратном. С наркотиками всегда так. Люди для наркоманов играют второстепенные, фоновые роли. Софи могла их по-своему любить, но нуждаться в них так, как она нуждалась в наркотике, она не смогла бы никогда. Ради кокаина она готова была предать кого угодно и пойти на любой поступок, потому что кокаин оставался основной и единственной ее целью.

Конечно, тогда я всего этого не знала. Я могла позволить себе употреблять наркотики и по-прежнему жить нормальной жизнью. В своей наивности я полагала, что если это могу я, то может и она, и остальные люди. Софи в моем представлении не соответствовала образу наркомана: она была сильна, умна и любила жизнь. Лишь потом я поняла, что наркотический дурман — демократ по натуре и не дискриминирует своих покорных рабов. Он поглощает бедных и богатых, образованных и отверженных. Почему бы он стал отказываться от такой яркой и трепетной личности, как Софи?

Я изо всех сил старалась спасти ее и этим нанесла себе непоправимый вред. Я потеряла значительную часть своего «я» и того, что мне принадлежало, стараясь дать ей то, что в моем представлении могло ей помочь.

Как-то я смотрела документальную передачу о героине. Один из ее участников сказал:

— Знаете что? Вы можете сразу же после первого укола идти и арендовать себе место на рынке, чтобы распродавать свои вещи, дом, подружек, друзей — все, что у вас есть. У кого-то этот процесс протекает быстрее, у кого-то медленнее. Это уже не имеет значения. Главное, что это обязательно произойдет. Гарантировано! Вы думаете, что с вами этого не случится? Никому не удавалось изменить развития событий. Все это лишь вопрос времени.

Когда я впервые услышала эти слова, то не придала им особого значения. Оказавшись же в новой для себя сфере сексуальных услуг, я быстро разобралась в том, что они означали. Не только героин обладал таким эффектом — крэк имел такую же проклятую силу.

В теории все понятно и объяснимо. В жизни же попытка связать свою жизнь с наркоманом может стоить вам растерзанного сердца и постоянных ночных кошмаров. После этой битвы вы уже никогда не будете прежним. Это я вам гарантирую.

Мне сложно будет объяснить свое увлечение Софи. Мне навилось разговаривать с ней, слушать ее мысли, ее внезапный высокий смех. Мне нравилась ее речь, сохранившая способность ее родного языка передавать смысл с помощью аллегорий, которые плохо приживаются в западной литературе. Если она писала, то это было похоже на хайку. Если она говорила, то ее слова создавали яркие поэтические образы, рожденные несомненно выдающейся фантазией.

Мы старались как можно больше работать в паре и часто встречались после работы. Я выкраивала время после занятий, а она — после работы в тесной комнатенке на пятом этаже офисного здания в Чайнатауне, где переводила экономические отчеты для некоммерческой аналитической базы данных.

Во всяком случае, когда мы познакомились, Софи занималась именно этим. Однажды мы поехали к озеру Уолдон и пошли на прогулку по тропинке, опоясывающей его. Была поздняя осень, листья изменили цвет и опадали, шурша у нас под ногами. Над озером в прекрасном, гордом молчании парил ястреб.

По правде сказать, я его сначала не заметила. Я смотрела под ноги и не знала, что в небе происходит что-то удивительное, пока Софи не схватила меня за руку.

— Смотри! — выдохнула она, не отрывая восторженных глаз от силуэта, парящего над нами. Я проследила за ее взглядом, но потом снова повернулась и стала наблюдать за ней самой, ее изумлением и явным благоговением перед красотой парящей птицы, озера и заката. Я помню, как жалела, что не могу чувствовать с таким накалом и полнотой, как она.

Ребенком Софи стала жертвой сексуального насилия. Ее врагом оказался ее же единокровный родственник: отец. Он обожал ее до тех пор, пока она не достигла половой зрелости, а затем, когда она стала похожа на молодую женщину, жестоко отверг. У нее не было ни братьев, ни сестер — в соответствии с действовавшим тогда в Китае законом о запрете на рождение больше одного ребенка. В ее семье некому было смягчить или исправить формировавшиеся у девочки искаженные представления о любви, семье и правде. Конечно, это могла бы сделать ее мать, но она сама была продуктом традиционного воспитания и просто не обладала внутренней силой и знаниями, чтобы противостоять укоренившимся догмам. Она не противоречила своему мужу потому, что не должна была этого делать, шла на цыпочках по коридору, закрывала за собой дверь спальни, садилась на брачное ложе и ждала. Ждала ли она искупления, прощения или спасения — не известно, но я до сих пор представляю себе ее — неподвижно сидящую и смотрящую прямо перед собой, добровольно ставшую слепой, глухой и непонимающей. Она сама не хотела ничего знать, потому что где-то в глубине души чувствовала, что не вынесет этого знания. Я хорошо вижу ее цветной халат и застывшее лицо и не могу ее простить. Я понимаю, что мне не дано почувствовать все давление и безысходность, с которыми ей приходилось жить, но у нее был ребенок, плоть от плоти ее, кровь от крови. Плакала ли она когда-нибудь из-за того, что приходилось пережить ее девочке?

Я могу представить себе и отца Софи, но не в состоянии думать о нем спокойно — мне мешает гнев.

Странно: из всего курса психологии я сделала вывод о том, что большинство женщин, занятых в бизнесе сексуальных услуг, в детстве стали жертвой насилия или инцеста. Я представляла их или с пожилыми клиентами, безуспешно пытающимися создать атмосферу любви и понимания, которая была незнакома им с детства, или использующими свою работу в качестве средства для мести, стремясь наказать всех мужчин — как вид — за то, что с ними произошло в детстве.

Оказалось, что я была не права. Либо я строила свои выводы на неверной основе, либо Персик очень хорошо разбиралась в людях, не позволяя пострадавшим страдать еще сильнее. Сейчас я склонна думать, что, скорее, дело в Персике. В ее собственной жизни хватало черных пятен, кстати, некоторые из них были довольно страшными, и она не собиралась отягощать ими жизнь других людей.

У французов есть такое определение: «исследователь внутренних глубин». Им пользуются для описания человека, который находит самые богатые и захватывающие переживания, изучая глубины собственной души. Софи стала для меня живым примером и воплощением этого определения. Она вечно проверяла себя на прочность, пытаясь найти переделы своим возможностям.

Я не знаю, что она читала на родном языке, но видела книги на английском, которым она отдавала свои силы и чувства. Комбинация была необычной, но она составляла суть ее собственного восприятия мира: Юнг и Анна Райс, Сартр и Мэри Шелли, Франсуаза Саган и Достоевский, Кальвино и Хемингуэй.

Она разговаривала о книгах не так, как мы привыкли это делать. Мы рассматриваем и оцениваем сюжет с точки зрения фабулы, описаний, действий и диалогов. Софи же не было никакого дела до всего этого. Ее интересовала эзотерика книги, истина не явная, а скрытая между строк. Она жила в этом мире, следя за географией души, ее развитием, и безошибочно определяла тот момент, когда автор оказался не способным сделать последний, единственный шаг, который мог превратить его произведение в шедевр. Софи много говорила об этом, можно даже сказать, что она была одержима этой идеей. Ей казалось, что человек не достигает совершенства потому, что готов мириться с удовлетворительной посредственностью и боится отказаться от своих убеждений, своего «я» и своей души ради того, чтобы продвинуться в развитии.

Однажды она подарила мне керамический сосуд: простой цилиндр, покрытый китайскими иероглифами.

— Это очень красивое стихотворение, — сказала она. — Оно написано человеком, который был велик и успешен в политике и поэзии, но попал в немилость властей и был заключен в тюрьму. Здесь он выразил свои видения и мысли, которые у него никогда не возникли бы, сложись его жизнь иначе.

Эти слова напомнили мне о моих собственных изысканиях в то время, когда я еще училась в приходской школе и пыталась найти ответы на мучившие меня вопросы у Отцов Церкви. Я не нашла практически ничего и почти уже отказалась от своих попыток, когда наткнулась на работу Фомы Аквинского, самого разумного человека среди теологов. Он писал одному из своих учеников: «Я видел в своей жизни такое, что рядом с этим все мои учения становятся не ценнее соломы».

Мне кажется, что Софи тоже в своей жизни видела что-то подобное или хотя бы знала, что это существует. И знание как таковое являлось запредельным для большинства из нас.

У меня по-прежнему хранится сосуд, который она подарила. Он стоит у меня на столе, наполненный разнообразными ручками, карандашами и старыми резинками. Иногда я смотрю на иероглифы и пытаюсь представить себе, в какие слова может складываться этот каллиграфический узор, какие мечты и видения подарить, какое волшебство он подарил Софи.

В ее квартире почти ничто не намекало на то, что хозяйка была китаянкой. Лампа с абажуром из рисовой бумаги, покрытой тонким рисунком, палочки для еды в ящике на кухне, рисоварка — эти предметы могли принадлежать кому угодно. У нее был плюшевый китайский лев, которого она держала в шкафу. Софи получила его в подарок от давнего любовника, который привез ей этого льва из провинции, известной изготовлением таких игрушек. Об этом любовнике она никогда не говорила. После того как она рассказала мне о своем детстве, тема ее прошлого была для нас закрыта. Только однажды, пребывая в расслабленном и мечтательном настроении, она проговорилась, что скучает по рисовой каше, которую мама готовила ей в детстве на завтрак, и вспоминает, как мать сосредоточенно ее помешивает, неподвижно стоя у плиты.

По-моему, она осознанно отвернулась от воспоминаний о мучительном детстве, отвергнув вместе с ним и свою страну. Настал момент, когда она не смогла разделить эти два понятия. О Китае она разговаривала, только если я ее об этом просила, отделываясь от меня короткими ответами на конкретные вопросы. Спустя какое-то время я перестала их задавать.

Мы работали парой при каждой удобной возможности. У нее были свои клиенты, и она часто уговаривала их включить меня в свои развлечения. Об этом я никогда не рассказывала Персику, потому что они не были ее клиентами, значит, она не имела к ним никакого отношения. Это были хорошие времена. Смех, шампанское, счастливый голос Софи... Я готова поклясться, что слышала счастье в ее смехе. Кто знает, может быть, увлекшись исполнением своей роли, она действительно *была* счастлива?

Я знаю только, что, вернувшись домой после очередного вызова, мы сразу же начинали курить. Часто у нее уже был приготовлен кокаин, иногда, если на вызове у клиента мы делали «дорожки», она просила разрешения забрать остатки, в остальное же время просто заказывала наркотик по телефону. Как разносчики пиццы, наркоторговцы никогда не брали выходных. Работа кипела круглые сутки, и этим ребятам не было смысла лишать себя дополнительного дохода, укорачивая рабочий день.

Я допивала свой коктейль или вино рядом с Софи, пока она на кухне готовила крэк. Чаще всего доза была немного выше той, что мы употребляли с клиентом. В кокаиновой эйфории мне меньше всего хотелось сидеть в одиночестве и смотреть на жирафа, поэтому я приходила к Софи и болтала все время напролет, словно она занималась чем-то совершенно обычным.

Софи зажигала несколько сигарет, чтобы добыть нужное количество пепла для трубки, пока готовится смесь для курения. Она смешивала кокаин и соду с водой и перемешивала все это над пламенем газовой плиты. После этого мы сидели, слушали музыку и говорили, говорили, говорили... Я вдыхала «дорожки», которые она заботливо для меня оставляла, в то время как сама делала аккуратные затяжки из трубки. После затяжки она откидывалась назад и закрывала глаза, и на ее лице появлялось выражение чистейшего наслаждения. Ее реакция на наркотик всегда будила во мне любопытство: мне нравилось действие кокаина, но он никогда не оказывал на меня такого эффекта.

Разумеется, со временем она стала передавать трубку мне; и тогда я начала понимать, о чем говорил человек из документального фильма. Сделав затяжку, я испытала внезапное пульсирующее удовольствие, которое нельзя было сравнить ни с чем испытанным раньше. Сначала раздавался легкий звон в ушах, потом меня окатывала волна восторга. Эти ощущения были лучше тех, что дарил секс. Они были лучше всего, что мне довелось испытать в жизни. Я разрывалась между желанием делать это не переставая и мечтой вернуться в то время, когда я этого не пробовала.

После этого раза мы какое-то время не виделись. Наверное, так было лучше. Во всяком случае, для меня. Мне слишком понравилось ощущение от трубки с кокаином.

Мы не встречались с Софи почти два месяца, хотя продолжали общаться по телефону. Однажды вечером она позвонила и будничным голосом предложила прийти к ней посмотреть фильм «Фарго», который она взяла напрокат. Я уже в течение нескольких недель пыталась забронировать этот фильм и к тому же успела соскучиться по Софи. Я накормила Скуззи его любимым дорогим угощением, чтобы он не скучал, и отправилась в Натик.

И попала в круги Дантова ада.

Если бы я не знала наверняка, что тут живет Софи, то никогда не узнала бы женщину, которая открыла мне дверь. Она обрезала свои великолепные волосы, и сейчас они были взлохмачены и давно не мыты. К тому же она была в одежде, в которой явно спала, причем не одну ночь подряд.

Я села в гостиной и стала наблюдать за тем, как она нервно ходила по квартире. Она включила видео и поставила фильм почти сразу же, как я вошла, затем принесла бутылку «Сэм Адамс» и пластиковый бутылек из-под минеральной воды, который превратила в трубку. Я сделала затяжку, и меня немедленно захлестнули приятные ощущения, которые я еще не успела забыть.

Не успев толком завязать беседу, она остановила магнитофон и спросила у меня:

— У тебя есть видеокамера?

— Нет, — ответила я заинтригованно. — Зачем? Что ты хочешь снимать?

— Да так, ничего. — Она щелкнула зажигалкой, снова затянулась и задержала дыхание. Потом положила новую порцию крэка и делала затяжки одну за другой. Затем самодельная трубка все-таки перекочевала ко мне. Я поняла, что Софи значительно увеличила свою дозу с тех пор, как мы виделись в последний раз. На одну мою затяжку приходилось четыре или пять ее. С моей точки зрения, в этом не было ничего особенного. Я сама старалась относиться к курению кокаина разумно и каждый раз, делая затяжку, обещала себе, что она будет последней. Ну, хорошо, еще одну, и все. Поэтому меня не смущало то, что Софи не давала мне много курить. Это было даже удобно.

Плохо было лишь то, что она сама курила практически без остановки.

— Просто тут есть один парень, — сказала Софи не глядя на меня и стараясь подать эту информацию как что-то малозначительное. — Он сказал, что заплатит мне, если я буду снимать кино. Ну, знаешь, всякие там порнографические штуки. Я с парнями, я с девушками. Если бы у тебя была камера, ты тоже могла бы ко мне присоединиться. Хочешь, я могу тебя с ним познакомить? Он сказал, что за все заплатит. Это такая работа, понимаешь? Ты не просто один раз снимешься, а будешь делать это снова и снова, столько раз, сколько захочешь. — Она пожала плечами. — Ерунда, Джен, не обращай внимания.

Я не знала, что ответить. У меня был постоянный клиент, Уинни, с которым я встречалась в мотеле «Чишолм». Он тоже хотел снять меня на камеру.

— Я никому не буду это показывать, — говорил он с честным лицом. Уинни даже предлагал мне деньги за то, чтобы записать наши с ним встречи: как я его ласкаю, как он меня трахает. Он говорил, что в этом нет ничего страшного, и потом, эти кассеты дали бы ему возможность развлечься между визитами в «Чишолм».

Смешно, но, пытаясь доказать мне, что он достоин доверия, Уинни предложил посмотреть кассету с ним и еще одной девушкой Персика.

— Ей очень понравилось сниматься, — уверял он. — Особенно ей нравилось заниматься перед камерой анальным сексом.

Я не стала спрашивать его, не обещал ли он ей, что не будет показывать эту кассету никому другому.

Ни за какие деньги мира я не согласилась бы оставить документальное и легкодоступное свидетельство того, чем занималась.

Я с жалостью посмотрела на Софи. Ей бы это тоже не пошло на пользу, но в тот момент я отчаянно жалела, что у меня не было камеры. Мне очень хотелось что-нибудь сделать, чтобы стереть выражение боли с ее лица. Она бы неплохо смотрелась на видеопленке. Многие добропорядочные расисты хорошо относятся к цветным женщинам в постели.

Какое-то время мы молча смотрели фильм, потом Софи сказала что-то об акценте Франца Мак-Дорманда, который она с трудом понимала, и я начала рассказывать о скандинавских поселениях в Миннесоте и в Северной и Южной Дакоте. Постепенно мы снова стали разговаривать. Снег, акценты и даже довольно мерзкие убийства, чередовавшиеся на экране, не имели для нас никакого значения. Мы сидели и в счастливом забвении изливали друг другу свои мысли, как это бывало раньше. Почти так же. «Было очень похоже», как поговаривал мой урод-любовник.

Только перед уходом я заметила, что в квартире не хватает мебели. Видно, до этого момента я была слишком занята переменами, произошедшими с самой Софи. Она сразу же отмахнулась от моего вопроса.

— Я просто устроила распродажу, — сказала она. — Зачем мне был весь этот хлам?

Я оглядывала ставшие незнакомыми гостиную и прихожую, не зная, что на это ответить. Мне было совершенно нечего сказать. Вишневая этажерка в углу, тяжелый буфет с затейливой резьбой...

— А как же твой стол? — спросила я наконец. — Как же ты берешь работу на дом?

Только тогда она рассказала мне, что произошло.

* * *

На следующий день, с трудом вытерпев борьбу с бессонницей и напряжением, я пригласила на обед одного из моих коллег по колледжу.

— Честно признаюсь, — сказала я ему по телефону, — не сочти меня расисткой, но я хочу поговорить с тобой именно потому, что ты китаец. Мне нужна помощь, а ты — единственный человек из Китая, которого я знаю.

Генри не обиделся. Он был очень добр и предельно прямолинеен.

— В той ситуации, которую ты описала, у девушки нет никаких шансов. Оставшись в Китае, она никогда не добилась бы ни высокого положения, ни уважения. Да она сама не стала бы этого ждать. Ей мешало бы чувство вины за то, что она навлекла позор на свою семью.

Я уставилась на него во все глаза.

— *Она* навлекла позор на свою семью? Генри, ее отец надругался над ней, это он во всем виноват! — Но, к сожалению, реальный мир живет совсем по иным правилам. Даже в нашем предположительно либеральном и ориентированном на равенство полов государстве в случаях насилия и даже иногда инцеста чаще всего обвиняют саму жертву. Почему Китай должен отличаться от нас?

Генри закусил губу и задумался.

— Возможно, так оно и есть, если оценивать происходящее с точки зрения поступков. Но существуют вещи гораздо более важные. Она рассказала посторонним людям, судя по твоим словам, достаточно, чтобы бросить тень на свою семью. Она не пошла учиться в университет Бейинг, где специально для нее приготовили место. Этот университет считается у нас очень престижным, это наш Гарвард. Своим поступком она нанесла оскорбление не только семье, но и важным людям, возможно членам партии, которые спонсировали ее учебу. Для того чтобы такой девушке, как она, предложили место в этом университете, нужно было договориться со многими людьми. Должно быть, она великолепно училась. Все школьники и студенты в Китае учатся очень прилежно, но далеко не каждый из них попадает в Бейинг. Там занимаются только лучшие из лучших, которые к тому же имеют хороших спонсоров, выразивших готовность взять на себя ответственность за конкретных учеников. Представь, что кто-то проделал все это для нее, и тут она заявляет, что не пойдет туда учиться! Отказываться очень непочтительно, Джен. Этим отказом она нанесла оскорбление университету и, конечно, всей Народной Республике.

Я мучительно подыскивала слова для ответа, но никак не могла избавиться от образа Софи, вырвавшейся из ада своего детства и, несмотря ни на что, ставшей «лучшей из лучших». Я была права относительно ее ума.

— Дети в Америке все время так поступают, — наконец нашлась я. — Наверное, мы здесь относимся к образованию не так серьезно, как в Китае.

Он с жалостью посмотрел на меня. Любая страна мира даст Америке сто очков вперед по системе образования. Генри продолжил развивать свою мысль.

— Дело тут не только в университете. Для нас самое важное в жизни — это семья. Верность семейным традициям считается главной из добродетелей. Дети должны заботиться о родителях так, как те заботились о них. Я могу предположить, что твоя подруга, как бы далеко она ни была от Китая и каких бы ни добилась здесь успехов, по-прежнему мучается от чувства вины и стыда за то, что совершила. Сейчас она должна быть там, в Китае, ухаживая за постаревшими родителями. Для нас забота о тех, кто растил нас, — это честь. Именно мудрость и жизненный опыт родителей определяют то, кем она стала.

Я отодвинула в сторону сандвич. У меня пропал аппетит, и мне не хотелось вот так сидеть и нервно теребить в руках хлеб.

— Она вряд ли это осознает. Во всяком случае, она об этом не говорит, — сказала я. — Наверное, я не знаю, о чем она думает.

— Тем не менее ты так беспокоишься о ней, что пригласила меня на разговор. — Глаза Генри излучали тепло и почти сострадание. — Я не умею предсказывать поведение, к тому же твоя подруга ведет себя нетипично для китаянки, поэтому мне сложно сказать, что она может сделать дальше. Но мне неприятно тебе это говорить... — Он отвел глаза, потом снова посмотрел на меня. — То, что я сейчас скажу, многим не нравится и даже считается архаизмом. Многие люди убеждены, что такого не должно больше происходить, но если человек, особенно женщина, делает что-то, скажем так, неправильное, то единственным способом... — Он замолчал, пытаясь подобрать правильное слово. Потом, извиняясь, с легкой улыбкой сказал: — Мне не хватает словарного запаса для обсуждения таких тем.

Я попыталась ему подсказать:

— Ты хочешь сказать, способом получить прощение?

Он нахмурился. Эти слова явно не выражали того, что он имел в виду.

— Стереть то, что было сделано, — проговорил он наконец, по-прежнему не удовлетворенный определением. — Смыть позор, очистить душу. Так вот, для этого такой человек должен лишить себя жизни, совершить самоубийство. — Он замолчал. — Я сказал об этом потому, что если ситуация настолько серьезна, что так тебя обеспокоила, то, возможно, твоя подруга выберет именно этот путь. — Он пожал плечами, затем промокнул губы салфеткой и встал. — Мне пора идти, у меня в час практикум в лаборатории, — произнес он извиняющимся тоном. — Если у тебя возникнут еще вопросы — обращайся.

Я кивнула:

— Спасибо, что уделил мне время, Генри.

Это была страшная новость. Насилие, пережитое в детстве, убедило Софи в том, что она может быть привлекательной для мужчины только в образе напуганного, забитого ребенка. Даже когда отец устанавливал правила, а она следовала им, чего бы ей это ни стоило, он по-прежнему ее отвергал, показывая, что любовь должна быть заслужена, что она всегда непостоянна, непредсказуема и жестока. Стал ли ее побег в США актом бунтующей воли, силы и уверенности в том, что она сможет сама о себе позаботиться? Или она пыталась спастись от чувства вины, о котором говорил Генри? Вины в том, что она пережила в ранние годы, в ее отказе от драгоценного места в университете? Почувствовала ли она себя в безопасности, или поняла, что есть вещи, от которых нельзя убежать?

Я знала ответ на этот вопрос. Софи не смогла убежать от действительности. Она окружила себя волшебными животными и обожающими ее мужчинами, книгами и мыслями, которые ей нравились, но по-прежнему была гонима жизнью. Я представляла ее себе как героиню одной из повестей Конан Дойла: одинокую девушку, бегущую по бесконечной темной дороге от собаки Баскервилей, следующей за ней по пятам. Она чувствует себя загнанной. Ее жизнь должна представлять собой сплошной кошмар, который иногда преследует нас душными ночами: нескончаемый бег, бесплодная попытка скрыться.

Не удивительно, что она ищет различные способы спрятаться от реальной жизни. Я вздохнула и подозвала официанта, чтобы рассчитаться. Я уже получила ответы на свои вопросы и поняла, что делала Софи. Трубка с крэком, может быть, не так страшна, как прыжок с крыши небоскреба или вскрытие вен, но в итоге так же эффективна. Сама не осознавая этого, Софи могла делать именно то, чего от нее ожидали. Ну что ж, она до конца оставалась хорошей дочерью китайских родителей.

Меня накрыла волна гнева такой силы, что у меня дрожали руки, пока я искала бумажник и ключи от машины.

«Ну уж нет, — пронеслось у меня в голове, — я не дам тебе умереть, Софи!» Я была полна решимости помочь ей.

Увлеченная мыслями о том, как спасти Софи, я краем глаза выхватила листок бумаги, который оказался передо мной. Затем я поймала себя на

8 Зак. № 723

том, что невидящим взглядом смотрю внутрь своего раскрытого бумажника. На столе лежал счет за обед, а бумажник, содержавший в себе около двухсот долларов до моего визита в Натик, был абсолютно пуст.

* * *

Я не стала спрашивать Софи о деньгах — в этом не было смысла. Мне не нужно было думать, куда я могла их положить, потому что я всегда аккуратна с деньгами. Они могли оказаться только в одном месте.

У нее было достаточно возможностей это сделать. Я пила пиво, и мне несколько раз за вечер приходилось бегать в туалет и облегчаться под пристальным взглядом неизвестного науке сумчатого животного.

Сидя в ресторане, я чувствовала обиду и боль, которые постепенно перешли в ощущение грусти. Я не собиралась так легко сдаваться. Она хотела украсть у меня? Ничего. Она так легко от меня не избавится. Я собиралась заставить Софи понять, что она хочет жить.

Первым делом я решила показать ей, что не сержусь на нее за кражу. Мне нужно было убедить ее в том, что она была дорога мне и я хочу ей помочь.

Персик растерзала бы меня, если бы узнала, что в один из вечеров, отправившись к клиенту, я самым нежным голосом уговорила его попробовать секс втроем — у меня как раз есть подходящая подруга.

— Нам очень нравится заниматься сексом друг с другом, — мурлыкала я. — И я просто уверена, что ей понравится заниматься сексом с тобой!

Когда он согласился, я позвонила Софи. Дело было не в том, что Персик не любила двойные заказы. Главное, чтобы их выполняли только ее девушки.

Телефон в Натике прозвенел восемь раз, и когда я уже собралась повесить трубку, Софи наконец ответила. Все это время мне приходилось массировать бедро клиента, чтобы он не потерял интерес к происходящему. Не дав Софи сказать и слова, я начала:

— Изабель! Это Тиа! Слушай, я тут рядом, в Уэстоне, и со мной просто замечательный приятель, Энди. Я рассказала ему о тебе, и мы подумали, что ты захочешь присоединиться к нам на часок!

Она откашлялась и задала один-единственный вопрос:

— Сколько?

Я заставила себя разговаривать прежним радостным тоном, хотя это становилось делать все труднее.

— Все как раньше, не волнуйся. Так ты придешь? — Ради Энди я вложила в свой голос всю сексуальность, на которую была способна: — Я так хочу снова встретиться с тобой!

«Ну же, Софи, — думала я, — давай!»

Она приехала. С сорокапятиминутным опозданием, которое не понравилось клиенту и потребовало известной изворотливости с моей стороны, когда позвонила Персик. Софи даже попыталась войти в образ: надела прозрачное индийское платье и серьги, накрасила губы. Но ее лицо напугало меня. Щеки ввалились, глаза стали какими-то стеклянными и безжизненными. Она явно была нездорова. Кроме того, у нее не хватало одного зуба. При мысли о том, что это могло означать, меня охватил страх.

У нас не было времени на церемонии: в нашей работе время действительно деньги.

Я попыталась устроить настоящее веселье. Софи была пассивна, вяло пытаясь ласкать меня, делать Энди минет или вводить палец в его анус, после того как он сам ее об этом попросил. Я вздохнула и начала работать, занимаясь сексом с ними обоими одновременно, доставляя им физическое удовольствие и поддерживая фантазию клиента об участии в лесбийской любви попытками расшевелить Софи. Это было нелегко.

Зачем я позвала ее? Чтобы ободрить воспоминаниями о лучших временах? Или я пыталась найти утешение для себя? Для кого на самом деле я это делаю? Может быть, я пыталась убедить себя в том, что, создав видимость прежнего положения вещей, смогу действительно все вернуть на свои места?

«Изабель» отпросилась выйти на кухню за стаканом воды в то время, как Энди на грани оргазма вовсю работал членом у меня во влагалище, а я трахала его задницу пальцем.

Я вытащила ее из квартиры сразу, как только смогла. Она приехала на такси, поэтому мы обе сели в мою «хонду».

— Софи, у тебя все в порядке? — спросила я. — Ты сегодня совсем на себя не похожа.

Ответом мне было молчание. Она была занята подсчетом денег, которые я ей дала. Мы доехали до Натика и поднялись на третий этаж, в ее квартиру. Оказавшись дома, Софи явно ожила и наполнилась энергией, будто бы очнувшись от сна. Войдя в дверь, она прямиком отправилась к телефону на кухне и позвонила своему дилеру. Я знала, что она так сделает, но это все равно меня разозлило. Мне было непривычно чувствовать, что меня игнорируют.

В гостиной не было мебели, — за исключением матраса, лежавшего прямо на полу.

Я ворвалась на кухню.

— Ты продала всю мебель? — негодовала я. — Ерунда. Подумаешь, кому нужна мебель или телевизор? Но, черт возьми, Софи, что ты сделала со своими животными?

Она готовила трубку вся в предвкушении скорой доставки наркотика и просто пожала плечами:

— Мне они уже надоели.

— Я знаю, что ты делаешь, — сказала я как можно спокойнее. — Ты считаешь, себя ничтожеством, потому что чувствуешь свою вину по отношению к отцу и потому, что все обвиняют тебя в произошедшем. Тебе стыдно, что ты сбежала от них. Но они не нужны тебе. У тебя есть я, я — твой друг и хочу тебе помочь. Я знаю, что тебе больно, но ты ни в чем не виновата. Это не справедливо, черт тебя побери! Слышишь? Разве ты не понимаешь? Ты не одна. Ты должна рассчитывать на мою помощь, слышишь? Я могу тебе помочь! Правда, могу! — Я сделала глубокий вдох и продолжила. — Мне придется сказать тебе очень неприятную вещь, Софи. На свете не хватит мужчин, алкоголя или героина, чтобы заглушить твою боль.

Раздался стук в дверь, и она теперь смотрела в ту сторону. Мое раздражение вспыхнуло с новой силой, я развернулась и ушла. Дойдя до двери и рванув ее на себя, я услышала тихий ответ.

— Может, и нет, — прошелестела Софи голосом маленького ребенка, — но на время мне становится легче.

На следующий день, когда я возвращалась домой после занятий по «Смерти» (кто сказал, что у Бога нет чувства юмора), мне позвонила Персик.

— Ну, мы его потеряли.

— Кого мы потеряли? Что ты имеешь в виду?

— Энди Миллера, твоего вчерашнего клиента. — Я слышала, как она зажигает сигарету и делает затяжку. Дым в легких сделал ее голос еще жестче. — Похоже, пока вы там были, его обворовали, — выдохнула она, а мой желудок сжался в комок от ужаса. — Как только ты ушла, он заметил, что у него пропали некоторые вещи. Часы, которые лежали рядом с кроватью, наличные, которые он держал где-то в ящике, кое-какие украшения дочери, лежавшие в ее комнате. Я ни в чем тебя не обвиняю, Джен, ты не имеешь к этому никакого отношения. Я знаю, что там была еще одна девушка, из другого агентства, он сам мне сказал. Я не знаю, какое это было агентство, он уже не помнит, но все равно, он сказал, что больше не будет к нам обращаться, потому что все эти события оставили у него неприятный осадок.

Я пыталась как-то переварить тот факт, что клиент покрыл меня, сказав, будто это он, а не я, позвонил Софи. Обычно клиенты так не поступают.

— Боже мой, Персик, я понятия об этом не имела.

— Конечно, дорогая. — Ее голос звучал беззаботно. — Такое часто встречается в этом бизнесе. Не волнуйся, Джен. Он вернется. Не будет звонить несколько недель, попробует пару других агентств, а потом решит, что с нами ему было не так уж и плохо, и снова позвонит. Так уже было. Они всегда возвращаются.

Ее беззаботность оказалась заразительной. Добравшись до дома, я сразу начала искать в сумочке клочок бумаги, где вчера записывала его имя и номер телефона.

— Э, Энди? Это Тиа, мы встречались вчера вечером.

Он, похоже, не удивился.

— Да, чем могу быть полезен?

Я сглотнула.

— Я только что разговаривала с Персиком, и она сказала, что... что у тебя кое-что пропало. Мне очень жаль, что так произошло. — Я замолчала, но он не стал отвечать на мои слова, и я продолжила: — Еще... ты сказал ей, что вызвал Изабель через агентство. Я хотела тебя поблагодарить. Если бы ты сказал правду, я потеряла бы работу.

— Я так и подумал. — Возникла короткая пауза. — Слушай, Тиа, меня, конечно, это не касается, но я все равно дам тебе совет. У тебя все будет в порядке, потому что, как я вижу, ты сама себе хозяйка, но ты близка к тому, чтобы совершить очень большую ошибку. Держись от этой девушки подальше. Она тонет и будет тянуть тебя за собой.

Я глупо принялась отпираться:

— Я не думаю, что...

Он не дал мне договорить.

— Я хочу сказать, что знаком с этим. Я же вижу, что происходит. У меня есть брат, который отбывает пятый заход в реабилитационной клинике. Я знаю, что ты делаешь, это называется опосредованной зависимостью. Мне это знакомо, потому что со мной происходило то же самое. Ты пытаешься ей помочь, и это похвально, но она тебе не друг.

Я поблагодарила его и повесила трубку. Я злилась на него за то, что он выручил меня и использовал свою помощь как предлог прочитать мне лекцию. Я сама могла о себе позаботиться.

В то же самое время внутренний голос говорил мне совсем другое. Софи чуть не лишила меня работы. Она обкрадывала и использовала меня. Она толкала меня к употреблению того же вещества, которое убивало ее. Как я узнала позже, с наркоманами это бывает. Она не хотела идти навстречу смерти в одиночестве.

Энди был прав: Софи не друг мне.

Но я так хотела, чтобы она им была. Может быть, если я сделаю вид, что все осталось как прежде, то все плохое уйдет из ее жизни и она снова станет мне настоящим другом, как раньше?

Я лежала на кровати, наблюдала за сменяющими друг друга тенями на потолке и понимала, что не готова проверить свою шаткую теорию на практике. После этого дня я не звонила Софи, а она не звонила мне.

Спустя три недели на занятиях курса о «Смерти» мы проходили похороны: каковы похоронные ритуалы в различных культурах и что они дают тем, кто оплакивает усопших. Рассказывая студентам о буддистской концепции в восприятии Брижит Бардо, о важности промежуточного шага похорон для последующей реинкарнации и возможности правильного исполнения ритуала только при участии всей семьи, я вдруг представила себе, как Софи пытается совершить правильный поступок, вернувшись в Китай на похороны своего отца, и ее с позором изгоняют оттуда. Я была рада тому, что занятие подходило к концу, потому что мне стало трудно дышать.

После лекции я не стала даже заезжать домой, а поехала прямо в Натик и барабанила по двери до тех пор, пока она мне не открыла. В руках у нее была трубка, сделанная из бутылки из-под питьевой воды.

Вы можете спросить меня, любезный читатель, зачем я туда поехала. Что за нездоровая страсть к спасательству двигала мной? Кому из нас двоих я пыталась помочь: себе или Софи? У меня была простая идея: Софи лишилась мебели и соскальзывала в болото зависимости. Вдруг, получив свою мебель обратно, она вспомнит, как все было раньше, и ей станет лучше? В то время я цеплялась за эту надежду.

Вы не можете представить, как я заработала докторскую степень? Странно, что у меня вообще есть голова на плечах.

Я вытащила Софи из квартиры и усадила в свою машину. Она сопротивлялась и пыталась отказаться, но я была неумолима. На шоссе номер девять я повернула к первому мебельному магазину, который попался мне на глаза. Я была одержима своей миссией. Я купила кровать, журнальный столик, и два простых стула.

— Ты должна жить! — прошипела я Софи, когда оплачивала покупки кредитной карточкой и заказывала доставку. — Ты отработаешь и вернешь мне деньги. Я даю тебе в долг.

Она была потрясена.

— Ты так добра... Ты веришь в меня, Джен?! Я не подведу. Ты же знаешь, что я тебя не подведу, правда, Джен? Я верну тебе деньги, как только смогу. Я отдам тебе часть с первого же клиента!

— Знаю, — ответила я, подвозя ее к дому. Там она приготовила крэк, и, к своему стыду, я присоединилась к ней, сделав несколько затяжек на одиноком матрасе. Когда наркотик закончился, она предложили позвонить дилеру и заказать новую дозу, но мне было достаточно.

Вернувшись домой, я долго стояла под душем, смывая с себя сладковатый запах дыма и подставляя тело под массаж горячих струй, ускоряющих процесс обмена веществ. Ощущения после дозы кокаина бывают весьма неприятными. Возвращение к себе после крэка подобно адским мукам. Я больше не хотела их испытывать и не желала больше думать о Софи. Приняв снотворное, я запила его глотком вина, которое держала на случай прихода гостей с хорошим вкусом, и пошла спать.

Софи пришла ко мне через несколько дней и принесла конверт с первой выплатой денег за мебель. Я очень хотела ей доверять, но все же не спускала с нее глаз. Судя по всему, моя бдительность оставляла желать лучшего, потому что после ее ухода я обнаружила, что у меня пропали часы и серьги с бриллиантами. Открыв конверт, я нашла в нем стопку линованной бумаги, выдранной из блокнота.

Я долго плакала, не в силах остановиться.

Мне пришлось признать, что Энди был прав. Я не хотела так жить. Я не хотела больше курить крэк, чего ожидала от меня Софи и на что я слишком быстро соглашалась. Я не хотела терять свою карьеру, квартиру, кота, мебель и свою жизнь. И мне совершенно не хотелось, чтобы меня обворовывала подруга.

Разумеется, одного моего желания прекратить все это было недостаточно.

Тем временем Софи становилась все более зависимой. Я подозревала, что люди один за другим уходили из ее жизни. Она стала часто звонить мне, не выбирая времени, с просьбой одолжить денег, или отвезти ее куда-нибудь, или взять ее с собой к клиенту, чтобы она могла купить крэк. Или она просто просила меня купить для нее дозу, обещая, что обязательно вернет деньги. «Давай, Джен, только один раз. Пожалуйста, ладно? Я прошу, сделай это для меня. Пожалуйста, ради меня, Джен...»

Она всегда находила убедительные доводы. Нет, она была просто великолепна в искусстве оправдания! «Только один раз, и все. У меня есть планы, я снова пойду учиться. Я выбираю подходящую реабилитационную клинику. А пока, ты же моя подруга? Ты же поможешь мне в беде? Ты же не допустишь, чтобы мне стало еще хуже, Джен? Неужели тебе на меня наплевать?»

У Софи всегда находились благовидные предлоги обратиться ко мне за помощью. «Дело же не в наркотиках! Я уже несколько дней, почти неделю ничего не принимала. Правда, это здорово? Нет, я не прошу у тебя наркотиков. Я просто не хочу сегодня быть одна. Пожалуйста, приезжай, не оставляй меня в одиночестве!»

Она всегда умела убеждать. Оказывается, это дар всех наркоманов. Они могут заставить вас поверить во что угодно. Я верила. Мне приходят на ум слова из песни Рода Стюарта: «Хотя ты лгала мне в лицо, я искал повода поверить в твою ложь». Боже мой, как я искала повод, чтобы поверить Софи! И она прекрасно об этом знала.

У нее всегда находились поводы привлечь к себе внимание: у нее не было денег, и она три дня ничего не ела. Я бросала все, ехала к ней с пакетом продуктов и становилась объектом гневной истерики.

Новая мебель была на месте, но матрас кровати уже в нескольких местах прожжен пеплом от ее сигарет и трубки. Я вообще удивлялась, как она еще не сожгла свою квартиру.

По объявлению в газете я нашла и купила для нее подержанную видеокамеру, привезя ее в Натик вместе с сумкой разных видеокассет и пакетом продуктов. Время от времени я уступала ее настойчивым просьбам отвезти ее в Линн или Ривьеру. Теперь ей приходилось далеко ездить, чтобы купить кокаин. Она порвала отношения со всеми местными дилерами, ни оставив ни одного, кому не задолжала бы крупную сумму денег. В отличие от меня, они знали, как вести себя с наркоманами, и могли им отказать. К несчастью Софи, дилеры желали получать прибыль от торговли.

Я наблюдала за медленной смертью Софи, а она просила меня помочь ей ускорить этот процесс. С того самого вечера, когда я поняла, что происходит, я решила прекратить свою помощь. Это было самым трудным решением в моей жизни.

Она изводила меня шантажом и просьбами, звоня через каждые три минуты, прося подвезти ее куда-то и обещая заплатить за это, если в моем сердце «не осталось сил для оказания дружеской поддержки». Это были ее собственные слова. Я снова сдалась и поехала за ней в Натик, чтобы потом отвезти в Линн.

Она выбрала самое неподходящее время. Было одиннадцать часов вечера, мы заблудились, и оказалось, что Софи не имеет ни малейшего представления о том, куда нам надо ехать. Она была движима смутной надеждой, что узнает нужный ей дом, как только мы к нему подъедем.

Предыдущей ночью я ушла от клиента в четыре утра, а этим утром в восемь тридцать меня ждали студенты, так что я была совершенно не расположена к таким играм. Я протянула Софи свой сотовый и рявкнула:

— Звони этим людям и узнавай, как до них доехать. — Мое терпение было на исходе.

Она посмотрела на меня отсутствующим взглядом.

— Я не знаю, как их зовут. Но я помню, как выглядит дом. Я его узнаю! Давай еще поездим по улицам!

Я сделала глубокий вдох, чтобы успокоиться. По моему представлению, она могла бы уже несколько раз купить этот наркотик, если бы мы решились остановиться на одном из углов, которые проезжали. К слову сказать, мы находились, наверное; в самом неблагополучном районе этого городишки.

— Софи, ты же сказала, что это займет не более полутора часов.

— Ну, я так думала, — капризно протянула она. — Джен, давай не будем. Мы уже приехали.

«Посмотрим», — подумала я и дала ей еще десять минут.

— Все, мы не нашли этого места. Я еду домой.

— Как ты можешь так поступать со мной? — это был почти вой.

— Нет, скажи лучше, как *ты* можешь так поступать со *мной*, — ответила я. — Софи, ты просто используешь меня, и мне это уже надоело. Тебя оставить тут или отвезти домой?

— Давай просто доедем до конца вон той улицы, по-моему, это место мне знакомо...

Я крутанула руль и добилась такого потрясающего скрежета тормозов, который у меня с тех пор ни разу не получался. Я везла ее домой, не говоря ни слова, пока она плакала и умоляла вернуться. В гробовом молчании я ждала, пока она выйдет из машины, потом поехала к себе, и не поднимала трубку телефона, который звонил всю ночь.

И черт ее подери, она все-таки умудрилась снова выпотрошить мой бумажник.

Я больше не могла так жить, одновременно любить ее и ненавидеть.

Я начала отвечать на ее звонки словами: «Извини, но я не могу с тобой разговаривать». Я выплатила магазину всю стоимость ее мебели, злясь на собственную глупость и сожалея о том, что ей это не помогло. Но даже тогда во мне оставалось что-то от Питера Пена, который не хотел взрослеть. Эта часть моего «я» завидовала Софи, запершейся в квартире с задернутыми шторами, равнодушной ко всему миру и вдыхающей сладкий дым смертельного блаженства из трубки с крэком.

Одна из девочек, работавших на Персика, както рассказывала, что попробовала кокаин и он ей не понравился.

— Он заставляет тебя всю цепенеть, — объясняла она. — Во всех отношениях. Я была удивлена тем, какое влияние он оказывает на сердце, мозг. Он будто отнимает у тебя способность чувствовать. Тебе просто становится на все наплевать. Я не хочу лишаться своих чувств.

Да, она была права. Но эти слова принадлежали молодой, здоровой девушке, у которой впереди была вся жизнь. Когда ты ждешь, что перед тобой откроется будущее, с его таинственностью, восторгом, обещаниями и надеждами, легко торопиться жить и спешить чувствовать.

С другой стороны, она сказала о кокаине чистую правду.

Я перестала разговаривать с Софи, и постепенно она сама перестала разговаривать со мной. Незадолго до того, как закончилась моя карьера девочки по вызову, я слышала, что она делала минеты в парадных большого дома на Финуэй за дозу крэка.

С того времени прошло много лет, но эти воспоминания до сих пор вызывают у меня слезы, мое горло саднит, а желудок скручивает в тугой узел. Я все еще чувствую это. Мы были похожи на выживших жертв кораблекрушения. Я пыталась удержать Софи на воде, но она все равно утонула. Мне остается лишь гадать, все ли я сделала для того, чтобы она осталась здесь, со мной, на поверхности водной глади, отплевываясь от соленой влаги и надеясь на спасение.

Разумеется, Энди был прав, говоря, что она не хочет умирать в одиночку. Если бы она могла, то с радостью взяла бы меня с собой. Нет, не потому, что ненавидела меня или была ко мне безразлична. В конце пути я просто стала для нее источником средств. Она потеряла способность чувствовать, полюбив наркотик последней любовью.

Должна признаться, я не считаю, что у меня было больше сил, чем у Софи. Я ничем не лучше ее, даже не умнее. Единственной разницей между нами может стать более легкий груз воспоминаний, который достался мне. Я не знала, что такое отец-мучитель и мать, которая может отвернуться от тебя.

Хотя, возможно, я до сих пор пытаюсь найти ей оправдания.

Я была знакома с женщиной, работавшей на Персика. В возрасте пятнадцати лет она стала жертвой группового насилия, выжила после подпольного аборта, попытки самоубийства и трех мучительных связей с мужчинами. Она принимала наркотики, но смогла бросить. Так что, возможно, все зависит не от тяжести испытаний, а от смелости и желания жить.

Или от простого везения. Если так, то из нас двоих повезло мне, а не Софи.

Я вспоминаю ее почти каждый день. Моя память хранит много событий той жизни, но только Софи может вторгнуться в мой сон и заставить меня плакать ночами. Мой муж уже привык к моим кошмарам. Он просто прижимает меня к себе и не задает вопросов.

Несколько лет назад я попала на семинар, посвященный наркомании, и там узнала, что именно делает кокаин с телом человека. В мозгу у нас есть вещество, называемое дофамином. Оно позволяет нам чувствовать радость, удовольствие и счастье. Мозг самостоятельно регулирует количество вырабатываемого дофамина, достаточное для того, чтобы вы находились в хорошем настроении. Кокаин легко и быстро усваивается кровью и блокирует дофамин. Мозг на это не реагирует, поскольку кокаин действует намного сильнее и ярче. Зачем теперь дофамин, если с помощью кокаина можно испытать такие яркие чувства! Однако наркотический восторг быстро проходит, а вместе с ним уходит и ваше настроение. Неприятности начинаются тогда, когда клетки, производящие дофамин, получают команду прекратить свою деятельность, потому что мозг решает заменить его кокаином. Постепенно выработка дофамина замедляется или прекращается вовсе, оставляя человека в состоянии намного худшем, чем то, которое у него было до того, как он вдохнул наркотик. Вы не только выходите из состояния «кайфа», но и теряете свою естественную способность радоваться и чувствовать себя счастливым.

Самое грустное заключается в том, что вам никогда не удастся испытать тот исступленный восторг и блаженство, которое посетило вас при первом употреблении наркотика. Вы будете продолжать надеяться на то, что у вас это получится, если только вы вдохнете еще одну «дорожку», сделаете еще одну затяжку... Но вы будете бороться с воздушными мельницами. Химия, как и жизнь, — наука жесткая. У истории наркозависимости есть только конец.

Иногда, когда я задумываюсь, с чем заигрывала все это время, я покрываюсь холодным потом от страха.

Вспоминая о Софи, я понимаю, что ничто в мире не смогло бы исцелить ее. Никакого дофамина, кокаина, алкоголя или секса не хватило бы для того, чтобы удержать ее в этой жизни. Ни дружбы, ни даже любви было бы недостаточно.

Глава одиннадцатая

Единственной сферой, которую я ревностно охраняла от своих сложных отношений с Софи, была моя работа в университете. В самом начале какое-то шестое чувство не дало мне впустить ее в эту часть своей жизни. Возможно, я не до конца понимала, что с ней происходит, но где-то внутри меня жила уверенность в том, что, если я сделаю ее частью мира, где я была уважаемым преподавателем, последствия окажутся катастрофическими. Проводя с ней время и забавляясь с крэком, я всегда помнила, что на следующий день должна идти к студентам и преподавать.

В этом мне тоже повезло. Может быть, моим шестым чувством и был голос Марии Магдалины, моей покровительствующей святой (как мне хочется думать). Во всяком я случае, *я* никак не могу присвоить себе эту заслугу.

Мои усилия были вознаграждены, потому что курс, посвященный проституции, оказался самым интересным из всего, что я когда-либо преподавала. Я утверждаю это совершенно серьезно: у меня было достаточно интересных работ, с которыми я могу его сравнивать. Два года я проработала в качестве ассистента преподавателя в Массачусетском технологическом институте на кафедре гуманитарных наук. Я проверяла работы студентов по темам «Мистика и гностицизм в литературе» и «Зло как тема в литературе». В задании не было конкретизированных тем, и глубина вопросов, затронутых студентами, была просто потрясающей. Такие работы сложно превзойти, и с тех пор я не встречала ничего столь же интересного. Они выделялись даже в среде, где гениальность шла об руку с целеустремленностью и трудолюбием.

Но этот курс формировался в нечто совершенно особенное.

Некоторые темы провоцируют к себе интерес определенных типов личности, и это заметно по тому, кто приходит на занятия. Например, всякий раз, начиная курс занятий о смерти, мне приходилось отсеивать тех, кому там было не место: людей, только что переживших смерть близких и нуждавшихся не в научном познании, а помощи специалиста; особ в черных одеждах и с длинными черными ногтями.

Я предполагала, что на «Историю и социологию проституции» придут студенты, которых можно будет разделить на две группы. Там будут феминистки, которые приложат все усилия к тому, чтобы окрестить это явление мужским игом над женщинами либо потребовать легализации этого вида деятельности. Еще я ожидала студентов, привлеченных «клубничкой» и возможностью поговорить про секс. Также там должен оказаться по меньшей мере один молодой республиканец, собирающий информацию по этой теме, чтобы потом использовать ее для своего продвижения на политическом поприще. Но я все же надеялась, что ко мне придут хотя бы несколько человек, движимых чистой любознательностью и непредвзятым отношением к жизни.

В самом начале занятий было необходимо задать общий тон нашим взаимоотношениям, которые я хотела сделать демократичными и открытыми, насыщенными информацией и размышлениями. Сразу хочу сказать, что не являюсь сторонницей дискуссионных занятий, на которых принято не давать знания, а учить их обсуждению. Если вы хотите такого познания, — отправляйтесь в ближайшее кафе «Старбакс». Если меня, специалиста высокого класса, профессора, наняли в качестве преподавателя, то я имею право настаивать на своем собственном стиле ведения занятий.

Итак, мы начали с обычных кратких рассказов о себе, которые всегда помогают мне составить представление об учениках. Я ходила по аудитории и выслушивала студентов, которые представлялись и объясняли, почему они пришли на эти занятия. Потом я сказала несколько слов о своем образовании и услышала свои слова, что я, оказывается, собираюсь писать книгу о проституции (эта идея удивила меня саму). Потом я объяснила, что у меня как у преподавателя нет приемных часов и в случае возникновения вопросов, студентам следовало обращаться ко мне непосредственно до или после занятий.

Мы просмотрели программу курса, я объяснила им, какие задания буду давать, и какие книги они должны прочитать. Потом я стала рассказывать о том, чему мы будем уделять особое внимание в течение ближайших месяцев.

— Разговоры о сексе перестали быть запретной темой, как раньше. Однако говорить о проституции по-прежнему считается неприличным, если только это происходит не в контексте острот или пошлых шуток. — Я стала обходить аудиторию. — В этом семестре мы займемся изучением истории проституции, ее форм и изменений, которые она претерпела за века. Мы узнаем, как к ней относилось общество, и посмотрим, какое значение она имела с точки зрения антропологии. Мы окунемся в мир древних цивилизаций Средиземноморья, Китая, Кореи и Южной Америки и увидим, как проституция процветала во все времена. Мы будем искать ответ на вопрос о том, почему это происходило. Мы попробуем разобраться в том, почему появилась и существует проституция, зачем она нужна и почему подвергается гонениям со стороны общества.

Один из студентов сидел и тихонько хихикал. Продолжая говорить, я дошла до того места, где он сидел, встала у него за спиной, замолчала и после паузы снова начала рассказывать. Он немедленно успокоился. Я знаю пару-тройку приемов управления аудиторией.

— Мы постараемся разобраться в том, какое место занимает проституция в обществе и какую роль она в нем играет. Познакомимся с попытками легализовать проституцию и научиться ею управлять, или с методами, которые применялись, чтобы от нее избавиться. Мы сравним проституцию как осознанный выбор карьеры и как форму рабства. Мы будем задавать сложные вопросы и попытаемся избавиться от предрассудков относительно этого явления. Я хочу, чтобы к концу семестра у каждого, кто сейчас находится в этой аудитории, было четкое представление и мнение о проституции, основанное не на слухах и вашем живом воображении, — по залу прокатилась волна нервных смешков, поскольку последнюю фразу я произнесла с особенным выражением и улыбкой, — а на бесстрастном взвешенном анализе известных фактов.

Я вышла из аудитории с ощущением душевного подъема. Впечатления от курса у меня были приятные. Некоторые студенты задержались после занятий, чтобы задать мне кое-какие вопросы или поделиться собственным мнением. Будущее наших занятий казалось многообещающим. Ребята уже задавали правильные вопросы, проявляли интерес, увлеченность и открытость к обсуждению.

Душевный подъем, который я испытывала, этот восторг, опьянение и были основной причиной, по которой я любила преподавать. Дело не в том, что я испытывала какой-то особый интерес к конкретной теме, потому что моя специализация позволяла мне исследовать и многие другие, не менее интересные сферы. Гораздо важнее была для меня связь, которая устанавливалась между мной и студентами, их интерес и искра, загорающаяся у них в глазах, когда та информация, которую я им предлагала, пробивалась к их сердцам и умам.

Многие преподаватели придерживаются мнения, что главное — донести до студентов содержание курса и его информативную базу. Я же считаю, что если я в состоянии что-либо понять, то смогу это объяснить другим. Содержание курса становится для меня инструментом, которым я пользуюсь для того, чтобы развить у студентов желание и умение учиться, и именно это меня больше всего привлекает в профессии учителя. Таким образом, получается, что содержание темы становится не конечным результатом, а способом его достижения.

Я не хочу сказать, что мне все равно, что преподавать. Сомневаюсь, что мне доставит удовольствие или хотя бы заинтересует обучение работе с программным обеспечением. Разумеется, работа над темами, которые я изучала годами, будет увлекать меня намного больше. Хотя значение этих многолетних исследований в сфере научной жизни чаще всего переоценивается.

Подумайте сами: если вам не нравится учиться, то не имеет никакого смысла истязать себя попытками заработать ученую степень. В школе вы изучаете то, что выбрал для вас кто-то другой. В колледже у вас появляется выбор, благодаря которому вы можете сузить поле своей деятельности до той темы, которая вас действительно интересует, хотя и там от вас будут требовать посещения никчемных обязательных занятий, не имеющих никакого отношения ни к вам, ни к вашим интересам. Степень магистра дает вам еще большую свободу в выборе тем для занятий. Я, например, выбрала антропологию. Но даже внутри этой темы вы будете стремиться к еще более узкой специализации. Мне хотелось заниматься современной жизнью реальных людей, но мой учебный план содержал в себе три обязательных курса по археологии. Они, конечно, были не так скучны и мучительны, как уроки математики в колледже, но все же не интересны.

Только достигнув докторского уровня, вы почувствуете горячий, страстный интерес ко всему, чем занимаетесь. Два года вы отдадите работе над конкретными вопросами, затем государственный экзамен, и перед вами обозначается конечная цель вашего пути: диссертация.

Вы должны будете написать о том, о чем до вас никто не писал. Сделав это, вы получите все, что вам нужно: ученую степень, тему, которую потом сможете развивать в журнальных статьях и лекциях на конференциях, закрепляя свой авторитет и продвигаясь в исследованиях. Однако ничто из вышеперечисленного не сделает вас учителем. Тема моей диссертации звучала следующим образом: «Роль ближайших родственников в формировании адаптационных механизмов». Как видите, эта тема едва ли заинтересует широкого слушателя или станет основой для остроумной беседы на вечеринке. Вы можете стать экспертом в узкой, ограниченной сфере исследований, но вас никогда не попросят вести по ней занятия. Наоборот, вам предложат курсы, которые были так давно и счастливо вами забыты: «Антропология», «Введение в антропологию», «Происхождение человечества».

Я не хочу показаться чрезмерным альтруистом, поэтому добавлю, что мне нравятся ощущения, которые дает преподавательская деятельность. Установление контакта со студентом, совместная работа, в результате которой он или она изменится на всю оставшуюся жизнь... Пусть даже эти перемены коснутся незначительных ее сфер, но они будут важны, — все это дает мне чувство, схожее с ощущением полета. Ни один наркотик не может имитировать его. Для меня ничто не может с ним сравниться.

Даже крэк. Странно, но теперь, познакомившись с крэком, я стала сравнивать с ним все ощущения своей жизни. Блаженство, даруемое этим наркотиком, однобоко, непостоянно и всегда пугающе. То, что я испытываю благодаря своей работе, имеет абсолютно иную сущность: это чувство дает силы и расширяет возможности. Это связано в равной степени с тем, что я даю, и с тем, что получаю взамен.

* * *

На четыре часа у меня была назначена встреча с одним из клиентов, поэтому я успела только заскочить домой, принять душ и переодеться. Клиент любил, когда я одевалась повседневно: джинсы и простые блузки. Он жил на юге по шоссе номер 128, в Нидеме, одном из элитарных пригородов Бостона, где люди до сих пор пытаются убедить себя в том, что, вывешивая американские флаги на всех улицах, магазинах и частных домах, они охраняют свой мир от чужаков. Чужаки же, в соответствии с их определением, — это все, кто не обладает белой кожей, не придерживается протестантской веры и зарабатывает меньше восьмидесяти тысяч в год.

Им некому сказать, что подобные взгляды давно устарели и, возможно, были несостоятельны всегда.

Я терпеть не могу Нидем, но клиент мне нравился. У него был свой бутик на Грейт-Плейн-авеню, и он закрывал его для того, чтобы уделить время девочке по вызову. Все происходило там же, в задней комнатке магазинчика, на софе, которая стояла прямо за дверью.

У нас было много клиентов из мест, похожих на Нидем, — ведущих жизнь успешного человека, но чувствующих пустоту где-то внутри и не знающих, что с ней делать. Мужчины, пытающиеся бежать от действительности, в первую очередь обращаются к сексу. Вот и получается, что они продолжают вести свою обычную жизнь профессионала и семьянина, посещая спортивные соревнования, в которых участвуют их дети, и концерты, вечеринки, церковные собрания и распродажи, на которые вытаскивают их жены. Вся трагичность их ситуации заключается в том, что они достаточно умны и понимают, что с ними происходит, но слишком боятся перемен и не могут это исправить.

Единственное, на что они могут решиться, — это вызвать девушку из агентства.

Мне становится страшно, когда я думаю о жизни, в которой самым значимым и смелым поступком становится вызов проститутки, деньги на которую удается накопить тайком от жены. Тем не менее их такая жизнь устраивала. Проститутка и два мартини каждый день после работы позволяли им вытерпеть расписанные и предсказуемые вечерние события, как и всю их тщательно спланированную жизнь. Карл полностью соответствовал этой модели. Иногда я его жалела, а иногда он казался трогательным и смешным.

В тот день ничто, даже Карл с его пустой жизнью, не могло испортить мне настроения. Я с трудом сдерживала восторг, когда пришла к нему в бутик и начала изображать из себя покупательницу. Таков был ритуал: я должна была рассматривать дорогую бижутерию и страшноватые безделушки, пока Карл не решал, что уже может закрыть магазин, и мы вместе отправлялись в заднюю комнату. Я стала рассказывать ему о том, как хорошо у меня сегодня прошли занятия.

Честно говоря, я очень редко делилась своей настоящей жизнью с клиентами. С одной стороны, она редко их интересовала, потому что в большинстве своем клиентам не нужна проститутка-личность. Она их устраивает в качестве объекта, мягкой живой игрушки или образа. Очень малую часть клиентов, и Карла в том числе, интересовали детали моей настоящей жизни. Мне кажется, что они особенно остро ощущали запретность происходящего, узнавая мелочи из личной жизни девочки по вызову. В основном я их придумываю, потому что не хочу, чтобы люди знали обо мне, вторгались в мою жизнь, претендуя на право стать ее частью более чем на оплаченный час.

Но сегодня с Карлом я не смогла удержаться.

— Эти занятия будут просто замечательными, — счастливо лепетала я. — Студенты уже задают вопросы, причем *хорошие* вопросы, а не создают поводы для разговора о сексе!

Карл погладил рукой свою лысую голову.

— Мне никогда не был нужен повод для разговора о сексе! — сказал он. Разумеется, это не так. Он не мог говорить о сексе даже с женой, иначе бы меня здесь не было. Но я оставила эту ремарку без внимания.

— Я уже вижу парочку студентов, которые могут позже стать источником проблем на курсе, но в общем они кажутся заинтересованными, и это всего лишь после первого занятия!

Беседы не получалось.

— Ты преподаешь в колледже? — спросил Карл, когда мы зашли в его комнатку и он снял обувь и ослабил узел галстука.

— Да, — ответила я с запоздалой осторожностью. — Я веду занятия в нескольких колледжах.

Его глаза загорелись.

— Ух ты! Это очень сексуально! Скажи, ты заводишься, когда, стоя перед учениками, думаешь о том, как тебя трахали накануне?

— Я никогда не думаю об этом в классе, — быстро ответила я. Карл оказался слишком близок к истине. У меня действительно возникали иногда подобные мысли, только у них было несколько иное направление.

Я на самом деле вспоминала порой о встречах, которые у меня были накануне занятий, и поражалась контрасту, который они составляли с моей дневной деятельностью. Главное — мои воспоминания никогда не носили сексуального оттенка. Честное слово, я никогда не чувствовала сексуального возбуждения на встречах, организованных через службу эскорта. Это была просто работа.

К тому же в моем представлении чтение лекций в аудитории и сексуальное возбуждение абсолютно не совместимы. Может быть, кто-то из женщин мог испытывать подобные чувства, но для меня сама мысль об этом казалась смешной. Это, скорее, больше относится к стилю Вуди Аллена.

Думая обо всем этом, я радовалась, как в детстве, когда знала и хранила какой-нибудь секрет. Согласитесь, секреты — вещь очень интересная. Моя вторая жизнь постоянно подпитывала меня энергией только потому, что была совершенно несовместима с моей настоящей жизнью. Работа в службе эскорта была запретной, тайной и незаконной. Я ходила по лезвию бритвы, хорошо это понимая. А что, кроме лезвия бритвы и ощущения опасности, может дать вам такую мощную порцию адреналина?

Карла же интересовали более приземленные мотивы.

— Подумай завтра об этом во время занятий, — призывал он меня с явно возрастающим возбуждением, снимая штаны и усаживая меня сверху. — Представляй себе, как я трахаю тебя, двигаюсь глубоко внутри тебя, — добавлял он, совмещая слова с действиями.

— Хорошо, дорогой, я так и сделаю, — пообещала я.

Он поверил. Они всегда нам верят.

На следующий день после урока меня ждала одна из студенток, стеснительно стоя возле дверей аудитории.

9 Зак. № 723

— Доктор Эббот, — обратилась она ко мне тихим и серьезным голосом. — Моя мама считает, что я не должна посещать занятия, на которых изучают проституцию. Что мне ей сказать?

— Почему она так решила? — спросила я с удивлением.

В ответ девушка лишь неловко пожала плечами.

— Не знаю, правда. То есть я хочу сказать, вы же не будете нас учить тому, как заниматься проституцией или чему-нибудь в этом роде?

«Да, наверное, именно об этом она и подумала». Так проявлялись нелепые и непонятные представления, которыми общество аргументировало свое сопротивление введению сексуального образования в школе. Считается, что само знание о сексе каким-то образом может пробудить у человека желание заняться им. Кроме того, общепринятое мнение о гомосексуалистах гласит, что они находятся в постоянном поиске новых жертв для «обращения» в свой стиль жизни, который, судя по всему, является настолько привлекательным, что сам молодой человек не в силах ему противостоять и поэтому нуждается в защите.

Я набрала воздуха в легкие и произнесла:

— Вашей матери не о чем волноваться. Этот курс будет не сексуальнее курса по тригонометрии. Мы просто занимаемся научным рассмотрением социального феномена, — спокойно продолжила я, видя, что девушка по-прежнему чувствует себя неуверенно. — Или она боится того, что, закончив этот курс, вы сформируете свое представление о проституции, которое может отличаться от ее собственного?

— По-моему, в этом все и дело, — кивнув, сказала она почти в отчаянии.

— Вы учитесь на первом курсе? — тактично спросила я, уже зная ответ на этот вопрос.

— Да.

Я взяла ее под руку и повела в сторону скамьи. Мы сели.

— Для вашей матери начался один из самых трудных периодов в ее жизни. На самом деле он начался уже давно, с тех пор как вам исполнилось два года, и вы поняли, что можете существовать отдельно от матери. Потом стало еще сложнее, когда вы в старших классах гуляли допоздна, встречались с мальчиками, которые ей не нравились, или говорили слова, которые провоцировали и шокировали ее. — С моей стороны было рискованно делать подобное заявление, но я предположила, что ее подростковые годы не слишком отличались от моих. Девушка, казалось, понимала, о чем идет речь.

— Так это похоже на свидания с мальчиками, которые ей не нравятся?

Я пожала плечами:

— В чем-то, да, похоже. Все родители хотят, чтобы их дети стали независимыми мыслителями, или, по меньшей мере, говорят, что хотят этого. Однако они не учитывают, что, став независимыми, дети иногда приходят к выводам и принимают решения, которые родителям могут не понравиться. Мало того, решения детей могут им категорически не понравиться. Это никому не приятно. — Я задумалась. — Я сама пока не планирую заводить детей, но иногда все же думаю об этом. Знаете, что меня больше всего пугает?

— Что?

— Что я приложу все усилия для того, чтобы воспитать их с правильной системой ценностей, правильной по моим представлениям, а они, несмотря на все, чему я их учила, станут республиканцами!

Мы рассмеялись, — этого я и хотела добиться.

— Значит, тут дело вовсе не в теме занятий, — подвела она итог.

— Мне кажется, что нет. — Я встала. — Лучшее, что вы можете сделать, — это поделиться с ней своими мыслями, даже если сами еще не знаете, как относиться к некоторым вопросам. Таким образом, вы дадите ей возможность постепенно привыкнуть к происходящим с вами переменам, и она поймет, что вы тут не подвергаетесь промывке мозгов, а взвешенно принимаете каждое решение. Она будет гордиться вами.

Наблюдая за тем, как девушка уходит, я не пошла за ней следом, а снова села на каменную скамью. Странно, что эта мысль не пришла ко мне, когда я оценивала совместимость двух своих занятий.

Мать девочки была обеспокоена тем, что ее драгоценное дитя посещало лекции, посвященные изучению проституции? Что, в таком случае, она могла подумать, если бы узнала, что ее преподаватель университета на самом деле является проституткой?

В теории нет ничего плохого, знание всегда полезно, понимание – похвально. Все это так, но лишь до тех пор, пока мы рассматриваем объект изучения отстраненно и изолированно, будто это явление происходит лишь в уединенных племенах, которые не имеют с нами ничего общего. В таком случае мы чувствуем себя в приятной безопасности и можем рассуждать, анализировать, провозглашать и управлять.

Я начинала испытывать все возрастающее сочувствие к членам этого племени, ибо прекрасно понимала, что они чувствовали.

Глава двенадцатая

Кажется, чуть раньше я рассказывала о положительном влиянии нашествия первокурсников на Бостон. О том, как каждую осень они приносят в этот город свежие силы и энергию и начинает казаться, будто вся природа празднует их появление. Ну что ж, это будет первым и последним моим положительным отзывом о первокурсниках как о социальной группе.

Я понимаю, что могу показаться мелочной и скупой на похвалу, но пока я не достигла возраста, которому сопутствуют все эти качества. Я просто стараюсь быть искренней в своих суждениях. Дело вовсе не в том, что с их приездом приходится надолго застревать в душном вагоне метро, сидя напротив прыщавых юнцов, которых распирает уверенность в собственных знаниях, уме, правоте своих выводов и поступков. Меня больше трогают их склонность приносить свое отношение к действительности на занятия и попытки навязать его окружающим.

Я дала слушателям задание, предельно точно объяснив его формат и требования к содержанию, чтобы избавить себя от утомительного знакомства с рассуждениями, которые часто возникают в умах людей в качестве реакции на предложенную тему. Работы были сданы в срок, и оказалось, что двое студентов полностью проигнорировали мои требования. Один из них, вместо того чтобы выполнить учебное задание, написал на всю страницу стихотворение, касающееся предложенной темы. Я вздохнула, представляя, какое противостояние мне придется выдержать с автором этих строк. Если кто-нибудь захочет узнать мое мнение об американской средней школе, выбивающей у учеников зачатки разума, я с удовольствием его предоставлю.

Я раздала работы, оставив две, выполненные неверно, без оценки, но с предложением их переделать. Что характерно, оба студента, не справившихся с заданием, оказались первокурсниками.

— Я даже буду добра к вам, — сказал я, — и на этот раз не стану вас наказывать. Может быть, вы действительно не поняли моих указаний. Перепишите работы, и я оценю их как сданные вовремя.

Вместо того чтобы проявить понятную благодарность за исключительно мягкое толкование недостатков выполненного ими задания, оба студента впали в негодование. К тому же сделали это громогласно.

— Не могу поверить, чтобы человек настолько узких взглядов преподавал в так называемом центре образования! — прорычал Джесси, решивший не тратить время на подготовительные маневры. Он оказался тем самым поэтом. Должно быть, готовился состряпать очередной обличительный памфлет. Жаль, ему не повезло: это уже пытались проделывать до него, причем люди, обладавшие куда большим талантом, чем тот, который в настоящее время расцветал перед моими глазами.

Я начала:

— Я просто прошу вас...

— Так что, вы считаете, что эти задания можно выполнять только по-вашему? — встрял Боб, ухитрившись перебить и нахамить одной фразой. — Можно подумать, у нас нет мозгов и нам нечего предложить обществу! Мы пришли сюда не для того, чтобы вы учили нас, как нам все делать.

Я напомнила себе, что убийство ученика не поможет развитию моей карьеры, и сумела спокойно продолжить:

— На самом деле вы пришли сюда именно за этим. Откуда вы знаете, что мой способ выполнения задания неправильный, если не испробовали его? — Я замолчала, пытаясь оценить целесообразность своих попыток объяснить что-то сопротивляющемуся разуму, затем заговорила снова, пока спорщики не выдали новую реплику. — Давайте сделаем таким образом — я дам вам личное задание: исследуйте требования к форме выполнения работ, которые я вам предъявила, и обоснуйте свое недовольство ими. Логически, я имею в виду, а не эмоционально, я и так знаю, что вы разозлены. Объясните мне, что в моих требованиях неправомочно и почему вы не хотите их выполнять.

— Да, как же! Выходит, вы отвечаете нам тем, что заставляете за вас делать вашу работу?

Нечто подобное происходит каждую осень. Приходят студенты, со своими привычками и амбициями, взращенными в родном Поутукете, Форт-Лоудердэйле или Сент-Луисе, где они могли быть в десятке лучших учеников своей школы. Они дерзки, самоуверенны и убеждены в том, что имеют право на собственное мнение обо всех и обо всем.

Проблема заключается лишь в одном: для того чтобы иметь о чем-то мнение, необходимо получить некую информативную базу, на которой можно было бы его обосновать. Нельзя разгромить Фрейда, имея о нем лишь относительное представление. Нельзя спорить с какой-либо концепцией, если ты даже не дал себе труда с ней познакомиться. Однако никто в школах не собирается заниматься непосредственным обучением, и государственные чиновники, похоже, с этим смирились. Вместо того чтобы стремиться к знаниям и совершенству, мы согласились принимать любые личные мнения как равноценные настоящим усвоенным знанием и пониманию предмета. После этого мы еще задаемся вопросом, почему в нашей стране живут наименее образованные люди планеты.

Удивительно, что никому, похоже, нет до этого дела.

— Вы можете либо переписать работу, либо получить по ней незачет, — твердо произнесла я.

Молодые люди согласились на незачет. Может быть, со временем они чему-то научатся, но в этом раунде им было не до учебы. Если я дам им послабление, то скоро они начнут жаловаться на то, что мои оценки плохо сказываются на их самоуважении.

Моя ночная деятельность начала мне казаться приятной альтернативой тому, чем я занималась в тот момент.

Персик перепоручила телефон ассистентке, а сама устроила на выходных вечеринку в своей квартире на Бэй-Вилладж. Впрочем, слово «вечеринка» не вполне подходит для определения салонных встреч у Персика. Я очень устала, но все равно пошла туда. Просто не могла не пойти. Я по-прежнему была новичком в этом бизнесе и находилась под влиянием чар Персика, ее личности, идей и энергетики. Честно сказать, меня потрясло то, что она выделила меня среди стальных девушек, оказывая мне особое внимание.

Мне нравилось бывать у нее дома. Мне бы нравился ее дом, даже если бы у меня не начался там роман с Луисом. Все, кого я встречала у Персика, были такими *умными* и утонченными. По-моему, я в определенной степени тоже была подвластна распространенному стереотипу. Возможно, в том, что женщина может быть сексуальной и умной одновременно, нет ничего особенного.

Персика обожали все, кто был с ней знаком. Ее особенный шарм заключался не только в том, что в определенных кругах она была известна как «мадам», владелица службы эскорта, хотя это ей тоже шло на пользу. Ее фантастическая привлекательность происходила откуда-то изнутри, от какой-то хрупкости, уязвимости, неуловимого сходства с ребенком. Это сочетание непреодолимо влекло к ней людей.

Она тщательно отбирала тех, кому позволяла подойти ближе. Из всех работавших на нее женщин я была единственной, кого она приглашала к себе в гости. В круг ее знакомых входили интеллигентные, начитанные люди, способные поддержать разговор практически на любую тему. Наверное, поэтому мне кажется, что определение «салон» больше подходит для описания встреч, проходивших у Персика. Живые беседы и интеллектуальный потенциал чаще всего были единственным звеном, связывающим ее гостей.

Давайте поговорим о Персике.

Что о ней можно рассказать? Она проявляла одновременно заботу и признаки уязвимости, и вам хотелось поплакать у нее на плече, а затем помочь ей справиться с расстройством, которое она пережила из-за вашего эмоционального всплеска. Ради Персика вы были готовы на такие подвиги, которые вряд ли совершили бы из-за другого человека. Мне понадобилось много времени, чтобы понять, что эта личность была неестественной и создавалась и поддерживалась Персиком, потому что ей так было удобно. Она сама решила, кем и какой она хочет быть, и затем просто превратилась в этого человека, сформировав его глубоко внутри своего существа. Она была «мадам», владелицей незаконного и процветающего агентства по оказанию сексуальных услуг. Она могла обсуждать Фолкнера, была знакомой с нужными людьми и составляла изюминку местного общества. Я же знала, вернее, она позволила мне узнать о себе, что она удобнее всего ощущала себя в мягком спортивном костюме, любила читать познавательный «Нашионал инкуайер» и по ночам писала стихи. Я никому об этом не рассказывала, потому что была так же ослеплена ее обаянием, как и все остальные, и благодарна ей за то, что она приняла меня в свое общество.

Ее девочки были готовы на все ради нее. Она знала об этом и рассчитывала на такое отношение к себе, потому что на нем держался весь ее бизнес. Так бывает только с «мадам». Вы должны понимать, что работа под руководством «мадам» отличается от той же работы под руководством сутенера примерно так, как девушка по вызову отличается от уличной проститутки. Относительно похожие явления были абсолютно разными по сути. Персик закончила хорошо известный университет по специальности «Коммуникация», что, если подумать, проливало свет на многое. В классической литературе она разбиралась лучше меня и, не побоюсь этого предположения, вас. Она была ненасытна в чтении, поглощая романы, стихи и философские работы. Она легко делилась своими книгами, которые в беспорядочном изобилии населяли ее квартиру. Она была умопомрачительно красива, ее волосы обрамляли лицо, как картину, изюминкой которой были живые, умные глаза. Она варила лучший в мире кофе, с ней было бесполезно играть в «Эрудит», и она была известна своей рассеянностью.

Работала она в своей квартире, сидя в окружении книг, котов и с диетической колой в руках. У нее была феноменальная память на числа, и ни один из ее клиентов мог не волноваться о том, что его имя, адрес или номер телефона осядет в какой-нибудь маленькой записной книжке, а потом всплывет где-то в ненужном месте. Никаких записных не было в принципе, потому что вся информация хранилась в ее памяти. Случайный клиент, путешественник, остановившийся на ночь в мотеле, мог остаться простым набором цифр на полях книги, которую Персик читала в тот вечер, когда он к ней обратился. Даже сейчас, беря в руки книгу, которую она мне когда-то дала, я рассматриваю похожие на шифровки числа, написанные рядом с названием главы.

Таким же образом она хранила информацию о том, кто в какие дни недели работал, кого можно было уговорить отработать дополнительный вызов, если позвонит постоянный клиент, кому из девочек нужна машина с водителем. Она легко оперировала параметрами своих девушек, размерами бюстгальтера, акцентами, родом занятий и профессиональными предпочтениями. Я не уставала изумляться этим ее способностям. Если бы она пошла в торговлю, то могла бы заработать огромные деньги.

Правда, если хорошенько об этом подумать, она ею и занималась.

Когда я работала в агентстве, Персик брала с нас фиксированный тариф: шестьдесят долларов за час с клиентом. Она всегда была предельно конкретной в этом вопросе: «Сюда входят и чаевые, и моя доля». По-моему, никто не имел ни малейшего представления о том, что она имела в виду, но среди нас находились девушки, которые предпочли бы исключить эти чаевые.

— Восьмидесятые года давно позади, — легко говорила одна, часто повторяясь. — Сейчас никто не дает чаевых.

Она была права: этот жест встречался очень редко.

Персик договаривалась о том, чтобы клиент оплачивал девушке водителя, или просто увеличивала тариф, если клиент жил очень далеко. Но ее доля никогда не менялась и не подлежала обсуждению: шестьдесят долларов в час. Два часа — сто двадцать долларов. Она никогда ее не увеличивала, даже если переговоры оказывались сложными и неприятными. Разумеется, за эти деньги она не только назначала встречи с клиентами. Я постоянно напоминала себе об этом, когда мне приходилось работать в дождь, слякоть или жару, и мысль о том, что Персик сидит в своей уютной квартирке и почитывает романы, пока я вкалываю и рискую, оказывалась для меня невыносимой. Она отслеживала клиентов, улаживала возникавшие конфликты, чего я не стала бы делать ни за какие деньги, и первой рисковала, указывая свое имя и номер телефона в объявлениях в «Фениксе».

На самом деле она хорошо заботилась о своих девочках. Я оказалась свидетельницей удивительных событий. Однажды я была у нее в гостях, когда ей позвонила одна из новеньких девочек, восемнадцатилетняя первокурсница, которая не могла справиться со слезами, потому что клиент грубо обозвал ее. Персик в считанные доли секунды в ярости набрала его номер.

— Мне плевать на это, — говорила она. — Ты не имел права говорить ей это. Не зли меня, Кори, она плачет! Ты козел, а она — молодая и неопытная. Ты просто ею воспользовался. Мне стыдно, что я была с тобой знакома! — Она бросила трубку и несколько недель не отвечала на его звонки.

В этом заключалось одно из основных правил Персика и секрет ее успеха: обидишь ее или кого-то из ее девочек, — не рассчитывай в скором времени на то, что тебя обслужат.

Конечно, у меня возникало ощущение, что для большинства постоянных клиентов это было частью игры, составлявшей особенную привлекательность агентства Персика. Она будто представала в образе Госпожи Повелительницы из эротических фантазий, щелкая воображаемым кнутом, когда они «плохо себя вели».

Когда проштрафившиеся клиенты звонили Персику, она просто бросала трубку, независимо от того, как обстояли финансовые дела в агентстве. Им приходилось добиваться ее расположения. Покаяние принималось только полное и безоговорочное: «Пожалуйста, Персик, этого больше не повторится! Я был не прав!..» Подарки тоже помогали вернуть утраченное доверие: у Персика всегда словно по мановению волшебной палочки оказывались бесплатные билеты на аншлаговые концерты, коктейли за счет заведения в модных ресторанах и барах и коробки с чипсами.

Конечно, ей это очень нравилось. Кому бы не понравилось? Ей был приятен шик, привилегии и дорогие лимузины. Она обожала ролевые игры и внимание, которое получала благодаря им.

Вот вам пример из моей жизни. Приближался День Благодарения. Первый с тех пор, как я стала работать в агентстве Персика. Мне было некуда особенно идти и не с кем проводить это время, и Персик пригласила меня к себе, в квартиру на юге города, где ограниченный круг знакомых будет встречать этот праздник. Я была невыразимо тронута этим приглашением.

Так получилось, что накануне мне пришлось отправиться в Луизиану, на похороны моей престарелой тетушки, и я перед вылетом домой позвонила Персику из Нового Орлеана.

— Мне что-нибудь привезти? — автоматически спросила я, следуя правилам хорошего тона.

— Да, — ответила Персик. — Мне нужен видеомагнитофон, мой сломался. Ты не могла бы купить новый? Я верну тебе деньги, когда ты приедешь. Я каждый День Благодарения ставлю одну и ту же кассету.

Мне не пришло в голову сказать ей: «Слушай, я же приеду к тебе прямо из аэропорта, значит, мне придется искать его где-то здесь, в Луизиане. Почему бы тебе не попросить об этом кого-нибудь, кто живет ближе?» Нет, ни в коем случае. Персик же *меня* попросила об этом одолжении, доверила мне такую важную миссию.

— Конечно, хорошо! — ответила я.

Попробуйте как-нибудь лететь экономическим классом вместе с новым видеомагнитофоном. Я приехала в аэропорт слишком поздно, чтобы сдать его в багаж, а ящик оказался слишком большим, чтобы влезть под сиденье или в багажное отделение у меня над головой. Я сидела мрачная, с коробкой в руках, пока стюардессы совещались, что со мной делать дальше. Остальные пассажиры, не особенно интересуясь точной причиной задержки их вылета, довольствовались тем, что знали виновника этого события, и укоризненно на меня смотрели. Не могу сказать, что я их не понимала: на их месте я бы первая стала выражать недовольство.

Ситуация разрешилась с обнаружением места для перевозки моего ящика, и мы сели в Логане с небольшим отклонением от запланированного графика. Снег кружился на ветру и яростно сек лицо, пока я брела до стоянки такси вместе со своей сумочкой, чемоданом, ручной кладью и... новым видеомагнитофоном. Я потеряла перчатку, прядь волос постоянно лезла мне в глаза, косметика размазалась еще несколько часов назад, но я представляла собой воплощение любезности и доброжелательности. Если бы в тот момент я сказала кому-нибудь, что подрабатываю проституткой, ответом мне был бы в лучшем случае истерический хохот. Я выглядела чем-то средним между беженцем-переселенцем и жертвой распродажи электроники. Самое удивительное, что меня это нисколько не расстраивало. Я делала это для Персика! Она предъявляла людям самые трудновыполнимые требования и обращалась к ним с нелегкими просьбами, но всем это казалось приемлемым и само собой разумеющимся. Она обладала чертовски полезным умением заставлять людей идти ради нее на любые подвиги.

Она всегда находила решение, которое было удобно для нее. Эта черта хорошо проявлялась в работе: она договаривалась о специальных услугах для клиентов, условиях для работниц, и даже об особом тарифе в журнале, который публиковал ее рекламу. Она была в высшей степени профессиональна. Если задуматься, то ее бизнес не представлял собой ничего сложного или дорогостоящего: сфера сексуальных услуг в этом плане разительно отличается о ракетостроения. Для начала нужно было поместить рекламу, не обязательно дорогую.

Самые крупные агентства города: «Голубая луна», «Временно ваши», «Полночный экспресс» и так далее – печатали рекламные объявления на полстраницы в центральных справочниках, что, как я полагаю, стоило баснословных денег. Эти агентства могли позволить себе подобные траты, потому что содержали штат работников, офисы и вели некоторую бухгалтерию. Они также пугающе часто привлекали к себе внимание правоохранительных органов и пугающе часто подвергались аресту.

Агентство «Аванти», которым руководила Персик, полицейским радаром не улавливалось: она была одиночкой, у нее всегда работало не больше двадцати девочек. Она просто не стоила внимания полицейских.

У нее был договор с «Фениксом» на издание двух рекламных объявлений: для клиентов и – отдельное – для потенциальных работников. В те дни это стоило триста сорок долларов в неделю, наличными. Она сама никогда не вносила плату за рекламу. Часто это почетное поручение передавалось мне, за что мне отдельно доплачивалось двадцать долларов. Персик ждала, пока у меня накопится необходимое количество денег из ее доли, и просила меня заплатить за рекламу на следующую неделю. Ждать приходилось недолго: сумма легко складывалась из шести встреч с клиентами. Так что в офисе «Феникса» иногда появлялась я или еще кто-то из девушек, иногда – Луис. Мне было интересно, что могли подумать служащие этого журнала о том, что за рекламу услуг службы эскорта постоянно платят разные люди. Я не могу себе представить, что они думали обо мне, когда я приходила к ним без прически, косметики и в спортивном костюме после занятий на тренажерах.

Второе объявление было адресовано к тем, кто хотел устроиться к нам на работу. Мне не нравится термин «рекрутинг». В моем представлении он связан с образом неясных фигур, построенных шеренгой или с разноцветными транспарантами с лживыми рассказами о радостях армейской жизни. Нет, Персик не занималась «рекрутингом», или активным наймом. Во всяком случае, она не делала этого, пока я у нее работала. Так получалось, что люди сами находили ее.

Например, я. Я сама искала ее агентство или что-то подобное. Увидев этот раздел рекламы в «Фениксе», я поняла, что такая же страница может существовать во всех местных газетах. Откройте любую из них, и вы увидите где-нибудь рекламные объявления вроде: «Принимаем на работу» или «Приглашаем к сотрудничеству привлекательных девушек».

Не радуйтесь тому, что вы попали как раз вовремя: эти агентства постоянно принимают на работу новых сотрудников. Дело в том, что даже постоянные клиенты спрашивают, не появился ли кто-нибудь новенький. Как бы красива, сексуальна и соблазнительна ни была женщина, — ее все равно оставят ради разнообразия и ощущения новизны. Я не знаю, в чем причина: в стремлении познакомить со своим пенисом как можно большее количество женщин или в ложной надежде на то, что следующая обязательно окажется самой лучшей и самой сексуальной женщиной на земле. Как бы то ни было, эта черта мужчин заставляет девушек относиться к ним цинично. Однако мы помним, что наша работа заключается не в анализе мотивов сексуального поведения мужчин, а в удовлетворении их потребности, поэтому в каждом агентстве приветствуют новые лица и свежие тела. Трудоустройство практически гарантировано.

Работа с рекламными объявлениями не нравилась Персику только тем, что требовала постоянного и пристального внимания. Ей приходилось проводить тщательный отсев женщин, которые ей звонили. Они обращались к ней по разным причинам: из-за любопытства, в поисках острых ощущений или из наивности, не понимая сути того, что будет с ними происходить: «Нет, я просто хочу сходить с ним куда-нибудь поужинать!» Она отсеивала слишком молодых или отчаявшихся, потому что они обладали самым большим потенциалом к совершению ошибок и получению новых душевных травм. Она также отсеивала глупых и скучных. Потом тех, кто прошел ее тщательный отбор, она бережно проводила через первого клиента, и если после него девушка решала, что эта работа не для нее, Персику иногда приходилось проводить сеанс психотерапии.

Разумеется, в отборе девушек она руководствовалась своими собственными вкусами и мнениями. Почти всегда она отправляла новых девушек к Брюсу или двум другим клиентам, похожим на него: доброжелательным, нежным и благодарным. Она делала все, чтобы первая встреча с профессией проходила для девушек как можно приятнее, и за это они платили ей истовой преданностью, которая выдерживала грубых клиентов и плохие времена. Несмотря ни на что, они хотели оставаться частью ее мира, ее агентства.

Персик сама решала, кому и насколько доверять. Иногда она ошибалась. Я помню, как одна из девушек украла у нее большую сумму денег и скрылась в неизвестном направлении. У нее также работали когда-то две женщины, которых Персик считала своими друзьями и самыми надежными из работниц. Одна из них обслуживала клиентов, а другая сидела на телефоне. В один прекрасный момент эти женщины ушли от Персика, чтобы открыть свое собственное агентство, и увели за собой добрую половину клиентов. Так случается в этой сфере деятельности. К сожалению, подобные конфликты не разрешаются через суд.

И все-таки в большинстве случаев мнение Персика о людях оказывалось верным. Она хорошо знала и понимала людей и заставляла их почувствовать ее искреннее беспокойство и заботу о них.

Иногда я отвечала на ее звонок немного расстроенным голосом, и она сразу спрашивала:

— Что случилось?

И я сразу же понимала: Персик сделает все, что в ее силах, чтобы мне стало легче. Ее секрет был прост и практически невозможен для того мира, в котором мы существовали: она была искренней. Она действительно, неподдельно заботилась о каждой из нас.

Именно поэтому время от времени ее обманывали. Именно благодаря этому у нее работали потрясающие девушки и к ней обращались. В общем, все было замечательно.

Лучший способ избежать случайных людей в этом деле — рекомендация. У Персика работало много студенток, которые могли рекомендовать других девушек. Работа в службе эскорта — не из тех занятий, которыми хвастают, но обычно люди более или менее представляют себе, с кем можно говорить на эту тему, а с кем — нет. Рекомендации предполагают, что девушка имеет представление о том, в какую сферу деятельности она хочет влиться, на какую оплату может рассчитывать и каковы требования и ограничения выбранной ею профессии. Рекомендации значительно облегчали работу Персика и делали ее гораздо безопаснее.

А безопасный секс, как известно, — лучший из всех возможных.

* * *

Просматривая объявления служб эскорта в газетах или журналах, вы обязательно наткнетесь на обещание честности. Должна вам сказать, что это — самая главная ложь в этой сфере.

Я очень хорошо помню одного из своих первых клиентов. Первая неделя моей новой работы оказалась для меня мучительным испытанием из-за телефонных переговоров, которые мне приходилось вести с клиентами. Этот мужчина продолжал терзать меня вопросами о моем внешнем виде. Я *точно* вешу именно столько, сколько сказала? Я не обманываю его с размером бюстгальтера? Он повторял свои вопросы снова и снова, проверяя, совпадают ли параметры с теми, что предложила ему Персик. «Как ты сказала, какие у тебя размеры?» Во время этого разговора я стояла на территории паркинга возле большого торгового центра, где только что провела не самый приятный час перед зеркалом примерочной «Касик», выбирая себе нижнее белье. Поэтому тема моего внешнего вида и некоторых недостатков была для меня достаточно неприятна. Наконец клиент согласился встретиться со мной, и я сразу же перезвонила Персику.

— В чем дело? Он все время спрашивал меня о том, как я выгляжу! С чем это связано?

Она отмахнулась от моих тревог:

— Ой, он просто неудачно обратился в одно из агентств, где ему пообещали неземную красавицу, а вместо нее приехала мымра без передних зубов, или что-то в этом роде.

Я поехала к назначенному отелю с определенными опасениями, потому что, следуя инструкциям Персика, я, конечно же, солгала о своем внешнем виде. В моем случае дело было лишь в технических деталях: я занималась в тренажерном зале, а мышечная ткань тяжелее жировой. Получалось, что весила я значительно больше того, на что намекала моя фигура. Так что клиентам я просто говорила то, что они хотели услышать. Если бы хоть один из них услышал по телефону, сколько я вешу на самом деле, ни один из них не согласился бы на встречу со мной. Но, увидев меня, никто не оставался недовольным.

Этот вызов оказался одним из лучших. Мужчина был приятным, от того отношения ко мне, которое сквозило в телефонном разговоре, не осталось и следа. Нам было весело, и мы много смеялись. Он стал одним из моих постоянных клиентов, что было приятно не только с точки зрения заработка, но и потому, что с ним мне больше не приходилось играть в телефонные игры.

В сфере эскортных услуг действительно много лжи.

Однажды я решила поговорить об этом с Персиком.

— Зачем агентству давать ложную информацию о том, как выглядит девушка? Ведь как только она появится перед глазами клиента, сразу станет понятно, что они солгали.

Мы сидели в ресторанчике морской кухни, и Персика больше интересовало меню, чем тема разговора.

— Ну, на откровенную ложь мы не идем. Это было бы глупо. Никто из клиентов не позвонит тебе снова, если поймет, что ты пытаешься его обмануть.

Я уже выбрала себе блюдо, единственное, что я заказывала из морепродуктов: мидии в ароматном соусе.

— И что дальше?

— Согласись, мы все кого-то обманываем. Ты знаешь, что клиент захочет тебя, как только увидит, так? Но ты также знаешь, что, узнав, сколько ты весишь на самом деле или сколько тебе лет, он и слушать о тебе не станет. Поэтому мы немного искажаем действительность. Это никому не причиняет зла: ты получаешь то, что нужно тебе, а клиент — то, чего хочет он. — Персик закрыла меню. — Мидии в ароматном соусе, пожалуйста, — сказала она официанту.

— Мне то же самое, — добавила я, и подождала, пока официант отойдет. — Но мы по-прежнему рискуем своей репутацией.

Персик нахмурилась. Она не любила говорить о деле. Как ни странно, она обсуждала секс только в случае крайней необходимости.

— Мужчины как бараны, — ответила она. — Средства массовой информации, рекламные издания и порножурналы навязывают им идеалы. Они сами не понимают, что им нужно. Они *думают*, что им нужна Памела Андерсон, и считают, что знают ее настоящие размеры и вес, но я готова поспорить, что они ошибаются в обоих значениях. У мужчин не хватает фантазии, когда речь заходит о том, что они считают сексуально привлекательным: им нравится то, что должно нравиться по каким-то общепринятым принципам, и считают, что, только выполняя все навязанные им правила, могут достичь сексуальной нирваны.

Так вот почему Персик «искажала действительность»! Она просто говорила клиентам то, что они хотели услышать. Она знала, что ее девочки хороши и, кого бы из них ни увидел клиент, он останется доволен. Однако если бы ее описания девочек слишком отличались от образа той же Памелы Андерсон, он мог бы сразу от них отказаться. Поэтому она лгала, клиентам нравились те девушки, которых она им присылала, и все были счастливы.

Ленин как-то сказал, что если ложь повторять достаточно часто, то она становится правдой. Вот мы и выдумываем себя снова и снова, день за днем.

Я рассказывала о поздних салонных вечерах у Персика, которые проводились уже после того, как она отключала телефоны, и избранная часть общества оставалась с ней, чтобы сидеть, пить, нюхать кокаин и обсуждать разные темы, от политики до архитектуры. Разумеется, все беседы были очень содержательны и остроумны. Иногда мы играли в разные игры: «словарь в картинках», «эрудит» и «погоня». Мы были так же изобретательны, умны и влюблены в себя, как члены классических литературных обществ Франции восемнадцатого века. Разница между ними и нами заключалась лишь в том, что мы осознавали свое сходство и от души над ним веселились.

Должна сказать, что на этих встречах нам всегда было очень весело. Я выезжала по одному или двум вызовам, затем около часа ночи отправлялась к Персику. Там мы развлекались до пяти, и я ехала домой спать. Так было не каждую ночь, потому что мне нужно было готовиться к лекциям и проверять студенческие работы. Но эти встречи все же происходили достаточно часто, чтобы я могла остро ощутить жизнь, увидев себя в ней особенным человеком. Такой была моя вторая жизнь. Возможно, химерическая, она была, тем не менее, приятной и восхитительной.

Однажды вечером мы играли в «эрудит», пили вино и вдыхали кокаиновые «дорожки». Я куда-то поставила свой бокал с вином и не могла его найти. Сидевший рядом со мной мужчина коснулся моей руки и предложил свой собственный бокал.

— Вот, выпей из моего.

Я подняла глаза. Это был Луис, который иногда вечерами развозил девушек Персика, а днем учился в экономическом колледже. Я приняла его бокал, а он смотрел мне в глаза, пока я пила из него.

— Давай сыграем, — предложил он мне.

Мы разделили еще один бокал вина, и еще. Луис выиграл у меня в «эрудит». Люди постепенно стали расходиться по домам, Персик зевнула и пошла спать, а мы с Луисом остались разговаривать, не в силах оторваться друг от друга, будто зачарованные. Мы накинули на плечи большое лоскутное одеяло и сидели плечом к плечу. Он рассказывал о своем детстве, я — о своем. Мы обсуждали этику делового предпринимательства и образования. Я даже не помню, о чем еще мы тогда говорили. Но точно помню, что именно тогда мы полюбили друг друга.

Это поставило нас перед интересной и неожиданной моральной дилеммой. Если я продаю любовь за деньги, как мне ее подарить?

Глава тринадцатая

Итак, я стала встречаться с Луисом Мендозой.

Сначала я не заметила никаких перемен в моем преподавании. Все шло как обычно, и никто ничего не замечал. У меня оставалось все меньше и меньше времени для сна, но я все же ухитрялась выдерживать жизнь в прежнем ритме. Адреналин, который я получала благодаря работе со своим замечательным курсом, помогал мне преодолеть трудности. Но постепенно я стала запаздывать с оценкой студенческих работ, потому что у меня просто не хватало на них времени. Иногда я засыпала за столом, когда пыталась прочитать работы. Я утешала себя тем, что знала множество преподавателей, которые тоже задерживались с проверкой работ своих студентов. Да что тут говорить, мой собственный руководитель диссертационного проекта потерял мою работу по французскому языку, которую я выполнила в качестве государственного экзамена. В течение шести месяцев он делал вид, что она все еще у него, а потом был вынужден поставить мне зачет просто потому, что не смог найти работу. Так что я оказалась в приличной компании.

Я не придавала происходящему особого значения. «Еще один раз, последний день отсрочки, последняя пара плохо подготовленных лекций. Ничего страшного, я могу это пережить».

В это время Луис не просто занимал все мои мысли. Он был совершенным любовником: дарил цветы, звонил просто для того, чтобы услышать мой голос, признавал мой экстраординарный интеллектуальный уровень. Неожиданно для себя я начинала тянуться изо всех сил, чтобы соответствовать его планке. Наша сексуальная жизнь была милой, приятной и дружественной. Он даже посвятил мне стихотворение. Правда, оно было на испанском языке.

Удивительно, но моя работа у Персика, казалось, никак не влияла на наши отношения.

Я уже говорила об этом, но не побоюсь повториться. Работая в службе эскорта, я никогда не путала свою профессиональную деятельность с личной жизнью. Слова и жесты могли оставаться теми же самыми, но это была просто работа. Среди девушек по вызову лишь единицы не способны произвести подобное разделение. Те, кто не может это сделать, обречены.

По-моему, женщине гораздо легче провести разделительную черту между сексом за деньги и сексом по любви, чем мужчине. Напоминаю вам, что мужчины думают, что они хорошо ориентируются в понятиях. Муж, пойманный на месте преступления, будет отвечать на обвинения жены: «Дорогая! Это же был просто секс! Это ровным счетом ничего не значит!» Возможно, но только потому, что секс вообще мало значит для мужчин, с кем бы они им ни занимались.

У меня как у антрополога возникает масса разнообразных теорий по этому поводу, но сейчас я воздержусь от лекции. Как бы то ни было, женщины наполняют физическую деятельность (секс) эмоциональным значением (любовью). Мужчины же не склонны к такому объединению, потому что свобода от чувств в сексе позволяет им иметь постоянную партнершу и в то же время быть готовыми к «развлечениям» на стороне. Чудовище двойного стандарта поднимает свою уродливую голову, когда становится понятно, что мужчине прощается «случайный» секс на стороне, в то время как женщина не имеет на это права. Для нее секс должен иметь единственное значение: любовь. Если она позволит себе «случайный» секс (с точки зрения мужчины, «не опасный» для основных отношений с постоянным партнером), то ее поведение будет считаться неприемлемым. Ее сочтут шлюхой, потому что «приличные» женщины так не поступают.

На самом деле мужчины совершенно не понимают концепции проституции. Большинство из них либо нанимали проститутку, либо думали об этом. Это дополнение к своей сексуальной жизни они обычно объясняют своим женам как «случайный» секс. Господа! Но он же не упал на вас совершенно неожиданно в подарочной упаковке! Вы хотели его, планировали, оплатили его и получили удовольствие. В моем представлении эти действия плохо вяжутся с понятием случайности.

Получается, что большинство мужчин воспринимают проституцию не как вид профессиональной деятельности, а как часть реальной жизни, то, чем они пользуются. Часть ритуала посвящения в выпускники школы, фрагмент вечеринки для будущего молодожена, приятное дополнение к повседневному меню личной жизни.

Секс с проституткой на самом деле великолепен, потому что мужчине достается право выбирать блюдо из меню по своему вкусу. Женщина будет с ним исключительно ради его удовольствия, и сделает в точности все, о чем он ее попросит. Ему не придется ждать, пока она достигнет оргазма, или тратить время и силы на утомительные предварительные ласки. Она и так будет готова сделать для него все, что он захочет. У нее не будет ни своих собственных нужд, ни желаний, ни требований. Это будет секс в той форме, которая и нужна мужчине!

Проституция способна создать и удовлетворить любые фантазии. Девочка по вызову будет соблазнительна, полна готовности выполнить желания клиента, подарить ему час таких удовольствий, о которых он мог только мечтать! Представьте себе: роскошная женщина, которая может думать только о сексе! Нет, даже еще лучше: роскошная женщина, которая может думать только о сексе и полностью сосредоточена на желаниях мужчины! На том, чего хочет он, на том, чтобы доставить ему удовольствие. Ее интересуют только его нужды и желания. Такие женщины существуют на са́мом деле! Почему же все его подружки, жены и любовницы совсем не были на нее похожи?

Ответ на этот вопрос будет краток и несколько болезнен: потому что им не платили за это.

10 Зак. № 723

Когда мужчина звонит в агентство, то может предъявить ему определенные требования. Девушке, звонящей ему за подтверждением, он может объяснить, как она должна быть одета и как ей следует себя вести. Да он может сказать ей, чтобы она стала королевой Елизаветой, если его это заводит, и она это сделает. Если она профессионал, то сумеет даже убедить его в том, что сама возбуждается от того, что он ей предлагает, и что ему так дорого.

— Я никогда не думала, что изображать королеву Елизавету так сексуально. Это так эротично, так возбуждает! — будет она шептать на ухо клиенту.

Мужчины так наивны и легковерны, что всегда попадаются на эту удочку. Девушка делает все, чтобы им было хорошо и они ощутили себя на вершине мира.

— Ты лучший любовник из всех, кто у меня был! Я никогда не могла кончить с мужчиной, но с тобой я испытала такой оргазм! Если бы мы только встретились с тобой при других обстоятельствах...

И они этому верят! Вот что меня не перестает в них удивлять! Опасные противники на заседании совета директоров, за милю чувствующие подвох или слабину в системе безопасности, в спальне они верят любому вашему слову, если оно позитивно и касается их сексуальной состоятельности. Часто, поразительно часто, выслушав мои хвалебные песни в свой адрес, клиент заявлял, что, поскольку он доставил мне столько удовольствия и это я хотела его с самого начала, мне и следовало заплатить ему за секс, а не наоборот. Я выслушивала эти комментарии, не уставая недоумевать, как разумный человек может попасться на такую откровенную лесть.

Средства массовой информации, пропагандирующие поп-культуру, только усложняют дело. Я как-то смотрела телевизионную передачу, авторы которой показывали проститутку как жалкую личность, изо всех сил пытающуюся доказать, что она не *является* тем, чем *занимается*. У нее это неплохо получалось до тех пор, пока, следуя изощренной мысли сценариста, она не сказала следующее: «За эти деньги мне приходится много и тяжело работать! Ну, почти...» Роскошно! Идея прослеживается такая: «Нельзя считать работой то, что доставляет удовольствие».

С точки зрения мужчины, исполнение его желаний, игра в его фантазии — явление совершенно нормальное. Это приятно, и это твоя работа. Если мне хорошо, то и тебе должно быть хорошо, это логично. А раз хорошо, то это нельзя назвать работой.

Но это также нельзя назвать сексом.

Большинство женщин воспринимают секс как взаимодействие равных партнеров, в котором они дают и получают, которое удовлетворяет желания и нужды их обоих. Он никогда не должен строиться вокруг желаний только одного человека: в лучшем случае — это взаимное одновременное удовлетворение, в худшем — удовлетворение по очереди.

Если следовать логике этого определения, то работа, выполняемая проститутками, не является в их понимании сексом. Девочка по вызову делает все, чтобы удовлетворить потребности и желания клиента, и только его. Она возбуждается от своей работы не больше, чем от похода в магазин за продуктами. Я сама часто, услаждая слух клиента стонами страсти во время часовой встречи в его квартире, в уме прикидываю список дел на завтра. Такое рассредоточение внимания между несколькими объектами заставляет время бежать немного быстрее. Я изобразила столько оргазмов, что мне их не сосчитать. Вы меня простите, но эту деятельность нельзя назвать сексом.

Для клиента это секс, но пока *он* им наслаждается, *я* — на работе.

Женщины крайне редко путают эти две вещи, а мужчины делают это достаточно часто.

Итак, я продолжала работать с Персиком, обслуживая трех или четырех клиентов в неделю, а в промежутках встречалась с Луисом. Для меня эти два события существовали отдельно друг от друга. С клиентами была работа, а с Луисом — секс. Единственным недостатком такой новой жизни было лишь то, что Луис не давал мне спать так же долго, как и большинство клиентов. Играла ли я в «эрудит» с Луисом, получала ли с ним удовольствие от секса, алкоголя или кокаина, либо выкладывалась для того, чтобы удовлетворить клиента, — в конечном итоге это уже не имело значения. Времени это было безразлично. Ни то, ни другое не помогало мне на следующее утро, когда я к восьми часам должна была блистать умом, свежестью и ясностью мысли.

Нет, на моей основной работе у меня все складывалось превосходно. Курс по истории проституции был новым, сексуальным и балансировал на грани приличий. Новость о нем неизбежно просочилась за пределы университета. Мне позвонил кто-то из «Альберты», предложив разместить содержание курса и его библиографию на сайте в Интернете, чтобы другие студенты могли пройти его заочно. Администрация учебного заведения, в котором я вела этот курс, заверила меня в том, что я могу преподавать его так долго, как мне будет угодно.

Сам декан пригласил меня на чашечку чая и беседу.

— Кроме того, доктор Эббот, вы можете вести и другие занятия или два разных курса по той же теме проституции. Мы понимаем, что, желая удержать у себя такой талант, как вы, мы должны создать для него все условия. Мы хотим считать себя учебным заведением, заботящимся о своих кадрах, поэтому поднимаем вам заработную плату и хотим предложить работать столько, сколько вы захотите.

Я сидела и глупо улыбалась, размышляя о том, где он был со своей заботой о кадрах, когда я не могла набрать денег на оплату квартиры, питалась одними макаронами быстрого приготовления и в результате сама стала проституткой.

Мне присылали множество приглашений с предложениями прочитать разовые лекции по теме проституции. Моими слушателями были преподаватели учебных заведений, социологи, антропологи и историки. Я соглашалась почти на каждое приглашение: за лекции прилично платили, но главное — они обеспечивали мне имя, что исключительно важно в мире науки.

Я была довольна собой. У меня все должно было получиться! Нет, у меня все уже получалось, и я действовала по своим собственным правилам. Я получала все, к чему стремилась, и мне не приходилось ради этого идти по головам.

Я помню лекцию, которую прослушала в начале работы над докторской диссертацией. Тогда перед нами выступал декан другого факультета.

— Дамы и господа, должен предупредить вас, что вам в скором времени придется развить в себе менталитет питбуля. Помощь другу и взаимовыручка для вас становятся непозволительной роскошью. Посмотрите вокруг: половина присутствующих здесь не дойдет до выпуска. Доберетесь ли вы до финиша, зависит только от вас. Не жалейте тех, на кого вам придется наступить по дороге к вершине, потому что, если бы вы поменялись ролями, они бы вас точно не пожалели.

Мне категорически не понравились эти слова, и я глубоко убеждена в том, что своим, мягко скажем, небыстрым продвижением по академической лестнице я обязана нежеланию играть в эти игры. Я считаю, что приняла тогда правильное решение, потому что хотела крепко спать по ночам и без отвращения смотреть в зеркало. Требования, которые тогда предъявлялись к кандидатам, были этически неверны. Если уж на то пошло, работа девочкой по вызову по сравнению с этими играми кажется гораздо более этичным мероприятием.

Давайте же, как говорится, вернемся к нашим баранам.

Я отправилась на Северное побережье, чтобы прочитать лекцию в Государственном колледже Салема, и задержалась там на весь день. Несмотря на ужасный холод, прогулка вдоль залива все равно была приятной. Луис хотел поехать со мной, но у него самого были занятия. Признаться, я была рада побыть в одиночестве.

Персик позвонила, когда я сворачивала на шоссе номер один из Салема.

— Ты далеко от «Чисолма»? — поинтересовалась она.

— В десяти минутах, — ответила я, потому что Персик исчисляла расстояния не милями, а минутами и часами.

— Прекрасно. Как ты отнесешься к спаренному вызову с другой девушкой? Тебе придется развлечь их обоих.

— Нет проблем. — Я провела бóльшую часть студенческих лет в сомнениях о своей ориентации. Я пришла к выводу (которого, кстати, придерживаюсь и по сей день), что и мужчины, и женщины бисексуальны по своей природе и ограничивать себя лишь одной половиной человеческой популяции по меньшей мере неразумно. Разумеется, я спокойно относилась к двойным вызовам.

«Чисолм» — это мотель к северу от Бостона, рекламирующий ванны с гидромассажем и кабельное телевидение для взрослых. Вас там никто никогда не станет рассматривать. Вы просто останавливаете машину напротив дверей номера, в который направляетесь. Стены этих комнат отделаны теми же псевдодеревянными панелями, которые украшали салоны автомобилей-универсалов до тех пор, пока кто-то не решил, что миру необходимо перейти на полноприводные машины, чтобы преодолевать «лежачие полицейские» и сложности городской парковки.

Клиент — его звали Уинни — был пышнотелым американцем итальянского происхождения. Его изрядно волосатую грудь украшали золотое распятие и пара других золотых безделушек. Моя партнерша, по словам Персика приехавшая ради этого клиента из Нью-Гемпшира, уже сидела на огромной кровати в номере. На ней был комплект белья в веселенький цветочек. Ее звали, кажется, Стейси. Поскольку Уинни не был склонен к долгим беседам, я взяла инициативу в свои руки начала медленно раздеваться, пытаясь в то же время присмотреться к тому, что происходило в комнате. Для начала я присела на кровать и стала ласкать плечо Стейси, обращаясь к Уинни:

— Правда, она красавица!

Давным-давно, еще до урода Питера, я узнала, что мужчинам нравится, когда других женщин привлекают их подруги. Нравится — хорошо! Никаких проблем!

На самом деле, проблема появилась, только с совершенно неожиданной стороны. Прикоснувшись к Стейси, я почувствовала, как она сжалась и чуть не отпрянула. Вот черт!

Жаль, что Персик не спросила Стейси о том, как *она* относится к спаренным вызовам. Может быть, девушка просто не поняла, о чем шла речь?

Я точно знала: если Стейси не понравилось, что я коснулась ее плеча, то следущее прикосновение, уже в другом месте, заставит ее возненавидеть меня. Я не могла ничего понять по ее глазам, потому что она не сводила взгляда с Уинни, ожидая от него сигнала или знака к действию.

Одна бы она неплохо справилась, этакая маленькая беспомощная девочка, — такой тип нравится некоторым мужчинам. Никаких проявлений личности, — одно всепоглощающее желание услужить и ублажить. Здесь же нужна была абсолютная противоположность. Похоже, у нас могли возникнуть серьезные неприятности.

Я облизала губы.

— Почему бы тебе ни присоединиться к нам? — обратилась я к Уинни. Может быть, когда он начнет действовать, она немного расслабится.

Уинни не нужно было приглашать дважды. Он быстро разделся и лег на кровать, протянув руки туда, где мы сидели.

— Иди сюда, — сказал он.

Было не ясно, к кому именно он обращался, поэтому мы обе скользнули к нему, каждая со своего бока. Это было уже лучше. Стейси начала целовать его, в то время как я перебирала пальцами шерсть на его груди, затем легко опустила руку вниз по животу и охватила кольцом основание его члена. Он затвердел и стал наливаться от моих прикосновений. Я продолжала ласки. Уинни зарычал и оторвался от Стейси, показывая руками на себя.

— Облизывайте меня, обе! — приказал он.

Стейси опустилась, приблизив ко мне голову. Я держала член, пока она ласкала его языком по всей длине. Я облизывала его с другой стороны, и наши языки неизбежно соприкасались.

— Закрой глаза и поцелуй меня, — прошептала я ей, делая вид, что целую мочку ее уха и щеку. — Не бойся, так он быстрее заведется.

Я начала ласкать языком головку члена, затем снова приблизилась к Стейси. Она казалась мне полной решимости и с закрытыми глазами позволила себя поцеловать. Во время поцелуя она слегка расслабилась. Замечательно. Мне придется делать всю работу за двоих, но, по крайней мере, она не будет мне мешать, и этот нелегкий час принесет удовлетворение очередному клиенту.

Высвободившись из объятий Стейси, я сразу же вернулась к Уинни, чтобы поцеловать его, проникнув языком глубоко в его рот.

— Она такая горячая, — шептала я ему, теребя рукой ее локоны. Стейси была занята минетом и не обращала на меня внимания.

Мы пережили этот час. В этой работе мне больше всего нравилось то, что при любом раскладе через час все заканчивалось. Как бы тебе ни было плохо, ты можешь взглянуть на часы и сказать себе: «Еще тридцать минут, и этот человек станет историей» или «Еще двадцать минут, и я его больше не увижу».

Уинни не был неприятным клиентом, и не его вина в том, что Персик прислала к нему девушку, которая была не в восторге от двойного заказа. «Стейси надо будет серьезно поработать над этим пробелом в своем профессионализме», — подумала я, вставляя ключ в замок зажигания. Мы часто получаем заказы именно на «любовь втроем».

Не секрет, что мужская фантазия о том, чтобы заняться любовью с двумя женщинами одновременно, является практически универсальной. Возьмите в руки «Пентхауз» — любой номер любого года, — прочитайте что-нибудь из раздела «письма читателей». Вы обязательно наткнетесь на описание именно этой мужской фантазии. Я раньше думала, что все эти истории — своего рода шутка. Было время, когда я читала много таких изданий, потому что эротика всегда меня интересовала. Я часто мастурбировала, читая в порнографических изданиях описание эротических сцен. Правда, у меня никогда не получалось соединить их с реальностью, как это делали писатели и, очевидно, читатели. «Моя жена хрупкая блондинка, сексуальная и не знающая удержу. Однажды я лежал дома с гриппом, когда к нам пришел телемастер, чтобы починить прием у кабельного телевидения. Я встал с кровати и стал подглядывать в трещину стены. Я видел, как он, крепкий, волосатый жеребец, вгонял свой толстый член во влажное влагалище моей жены...» Да, такое бывает. Или, например, две соседки вашей подружки могут внезапно начать целоваться у вас на виду, когда вы сидите у них в гостях, а они учат вас новым неожиданным способам использования холодных фруктов и овощей. Или...

Представьте, что вы — мужчина, самый обыкновенный, средних лет. Часть вашего существа ужасно возбуждается от мысли о двух прекрасных, сексуальных женщинах, занимающихся любовью друг с другом и делающих это с полной отдачей и большим удовольствием. Но больше всего вам нравится представлять себя участником этой сцены. Ваша фантазия услужливо подсказывает вам, что секс друг с другом не может полностью удовлетворить этих женщин. Только вы способны дать им истинное, полное удовлетворение.

Восторг и удовольствие, которое дает вам проститутка, лишь удваивается, если с вами оказываются две девочки по вызову. Ваша фантазия может создать иллюзию, что эти женщины лесбиянки, но настоящий мужчина способен наставить их на путь истинный. Или вы можете быть слишком темпераментным мужчиной, чтобы вас могла удовлетворить одна женщина, или вам просто нравится много ласки. Вы даже можете представить себе, что они будут драться из-за вас, или что они любят друг друга, или, наоборот, вы — единственное связующее звено между ними. Сказать по правде, мысли, которые заставляют ваш член напрягаться — сугубо ваше личное дело. Вы — вне конкуренции, рядом нет никаких других мужчин, способных отвлечь от вас внимание, а эти две роскошные женщины умоляют о возможности прикоснуться, поцеловать, вобрать, изобразить, принять, предложить вам все, что вы только пожелаете. Весь мир вращается вокруг вас. Вас не будет мучить неуверенность в себе, вы — жеребец, у которого есть две самки. Два языка на вашем члене, так много грудей... Вы даже не знаете, с чего начать, вы как ребенок в кондитерской лавке: губы и руки, вагины и анусы — все в вашем полном распоряжении.

Если вы мне не верите... Что ж, если вы мне не верите — значит, вы женщина, потому что каждый мужчина, читающий эти строки, ощутит возбуждение и прилив крови к члену. Они прекрасно понимают, о чем я говорю. Дамы, если вы все же не верите мне — спросите у любого гетеросексуального приятеля: своего партнера, брата, друга, сотрудника. Все они скажут вам: для них мечты о любви втроем так же «нормальны», как просмотр футбольного матча по телевизору. Это просто является частью жизни мужчины. Если вы попросите их рассказать об этом более подробно, то они поделятся с вами деталями, которые могут вам не понравиться. Мужчины не фантазируют о сексуальных таинственных незнакомках: чаще всего в их фантазиях фигурируют совершенно конкретные женщины, которых они знают или видят каждый день на работе, в спортклубах и магазинах.

Кого-то это может шокировать. Если вы представляете себе, как занимаетесь сексом со мной, без моего согласия или осведомленности об этом, то это можно рассматривать как вторжение в частную жизнь. Если вы воображаете себе секс со мной, мастурбируете и достигаете оргазма, то вероятность того, что вы последуете за мной и заставите меня заняться сексом с вами в реальности, не так уж далека.

Итак, женщины в большинстве своем равнодушно относятся к любви втроем. В этом немалую роль сыграла мысль, прививаемая каждой из нас с детства: другая женщина рядом с вашим мужчиной — явный признак опасности. Она моментально становится для нас соперницей, хищницей и врагом. В такой перспективе сложно представить себе секс с ней и со своим партнером. При первой же мысли об этом в нас просыпается неуверенность в себе: а что, если она окажется лучше меня? Что, если она понравится ему больше, чем я? Что, если мы больше никогда не сможем вернуться к простому сексу? Значит ли это, что я больше не могу сама удовлетворять его?

Мужчина в это время может работать в режиме поршня, и единственной его мыслью будет отчаянное желание не кончить слишком быстро, а в воображении его партнерши уже будут подписаны бумаги о разводе, поставлен жирный крест на ее личной и сексуальной жизни, и от самооценки останутся одни руины. Ничего не подозревающий партнер, поймав ее взгляд, решит ее подбодрить: «Ну же, начинай лизать ее щель!»

Любовь втроем в исполнении «любителей» (если здесь уместно это определение), поддерживающих какие-то отношения помимо сексуальных, представляет собой своеобразный гордиев узел. Я пробовала, но даже при моем умении разделять любовь, секс и развлечения, у меня ничего хорошего не получилось. Поэтому я не могу себе представить, как это делают другие люди. Возможно, девочкам по вызову и приходится выполнять так много фантазий на тему любви втроем, потому что со знакомыми людьми она невозможна.

Это действительно опасно. Дело в том, что как бы вы ни старались, в итоге кто-нибудь обязательно пострадает. Искренне советую вам не пытаться изобразить это домашними силами, потому что для исполнения такой фантазии необходимы профессионалы. Только благодаря их подготовке и квалификации все *выглядит* так просто.

Как-то я занималась сексом с моим уродом любовником и женщиной, которую до того момента считала своей подругой. Может быть, я слишком часто говорила ей, что не смогу бросить его потому, что он слишком хорош в постели. Может быть, там происходило что-то еще... В общем, это не было запланировано. Я пыталась остановить все в самом начале, но у меня ничего не получилось. Дело кончилось тем, что я сидела на кровати с текущими по щекам слезами, а он трахал ее. Когда же я попыталась начать его ласкать, она оттолкнула меня в сторону со словами: «Я покажу тебе, что может делать настоящая женщина».

Для того чтобы восстановиться после события вроде этого, требуется немало времени.

Девочки по вызову часто принимают участие в представлениях, где две женщины ублажают одного клиента. После всего, что я только что рассказала, вы удивитесь, узнав, что большинство из нас любят это делать. Правда, совсем не по тем причинам, которые, скорее всего, пришли вам на ум.

Прежде всего, это деньги. Клиент платит вдвое больше обычного, и каждая из вас получает свою долю. Поэтому вы сразу понимаете, что клиент платежеспособен и, если вы все разыграете правильно, может продлить общение с вами на дополнительный час. Это гораздо удобнее, чем уйти от одного клиента и сразу отправиться к следующему. Дело не в том, что мы не хотим лишний раз заниматься сексом или терять время, просто лишняя трата сил на телефонные переговоры, убеждение клиента в том, что ему нужны именно вы, поиски нужного места, определение желаний клиента, — нелегкое, подчас тяжелое дело. Даже если в конце часа вы понимаете, что клиент вам понравился, сама организация вашей встречи по-прежнему остается неприятной и трудоемкой. А в случае любви втроем вы можете все разыграть так, что останетесь там, где уже находитесь, в знакомой обстановке со знакомым окружением и за те же деньги. К тому же вдвоем легче уговорить клиента продлить ваше общение с ним. Вы можете просить, заигрывать, льстить, играть на уже известных вам слабостях и фантазиях клиента. Если он каким-то чудом еще не кончил или хочет кончить еще раз, вы можете отложить это удовольствие на второй час.

— Но мы только начали! — Детским капризным тоном. — Я хочу еще так много тебе показать... Ты так меня возбуждаешь!

Кроме тех случаев, когда клиент по каким-то причинам задался целью уехать сразу по окончании первого часа, или вынужден отправиться на встречу, или испытывает материальные затруднения, — я всегда могла уговорить его на второй или третий час занятий любовью втроем. У меня была своя техника, коронные фразы и репертуар. Мне нравились такие вызовы, они давали возможность увидеть, как другие женщины взаимодействуют с клиентом, и позаимствовать что-то новое, научиться новым трюкам для освежения моих собственных возможностей.

Кроме того, на таких вызовах приходится просто меньше работать. Если клиента сложно довести до оргазма, вы можете работать по очереди. Если вы к тому моменту уже обслужили двух или трех клиентов и у вас саднит влагалище, ваша партнерша может взять на себя бóльшую часть непосредственного полового акта. Если кому-то из вас не нравятся поцелуи, а клиент на этом настаивает, то вторая девушка может сделать то, от чего воздерживается первая. Двойной вызов никогда не становится для девушек соревнованием, наоборот, именно там лучше всего проявляется дух сотрудничества. Между нами иногда возникает связь, как между двумя актерами, ведущими шоу. И в конце мы вместе делим радостное облегчение от того, что представление удалось и все довольны. Это довольно любопытная связь, — среди моих знакомых есть женщины, с которыми меня сближает только то, что мы занимались сексом с одним мужчиной.

Если клиент оказывается обладателем сложного характера, вы не останетесь с ним один на один. Вы можете общаться с партнершей одними глазами. Как-то раз женщина, с которой я работала в паре, изображала оргазм, пока клиент делал ей куннилингус, а я в это время ее смешила. Конечно, я держала руку на ее груди на тот случай, если клиент решит посмотреть, чем я занимаюсь, но мы с ней изо всех сил сдерживали смех. Парные вызовы — хорошая вещь. В те периоды, когда понимание сущности вашей работы начинает вгонять вас в депрессию, смех над абсурдностью происходящего помогает выжить.

Однажды Персик вызвала меня на «любовь втроем», и по дороге к клиенту я с ужасом почувствовала, что у меня начались месячные. О том, чтобы не приехать на вызов, не было и речи. Это было бы неудобно Персику, клиенту, моей напарнице и мне самой. Если бы я отказалась, то мужчина мог проявить ангельское терпение и дождаться замены, но, скорее всего, он бы просто отменил вызов. Мне совсем не хотелось, чтобы дело закончилось таким образом.

Я обняла женщину, с которой только что познакомилась, поцеловала ее щеку, мурлыча что-то сексуальное, и провела языком по линии ее скулы так, чтобы клиент мог это видеть. Незаметно я подобралась к ее уху и прошептала:

— У меня только что начались месячные. Прикроешь меня?

Она повернулась ко мне и поцеловала меня долгим поцелуем в губы.

— Она просто прелесть! — воскликнула моя партнерша, когда поцелуй закончился. — Какой у тебя хороший вкус, если ты встречаешься с такими потрясающими женщинами! Мне очень понравится заниматься с ней любовью. — Она повернулась к клиенту и пробежала пальцами по внутренней стороне его бедра. — А еще больше мне понравится, если ты будешь смотреть, как я ем ее киску!

У нас все получилось. Изображая неожиданное сильное влечение ко мне, моя партнерша создала такую ситуацию, в которой она полностью управляла моим телом. Она делала вид, что занимается со мной оральным сексом, в то же самое время развлекая клиента своим задом, чтобы у него не возникало желания слишком внимательно присматриваться к тому, что делала я. Если он пытался начать ласкать меня, она закатывала сцену ревности:

— Нет, нет! Эта киска для меня! Разве ты не этого хотел? — Затем она развивала события таким образом, чтобы отвлечь от меня внимание. — Ну же! Я не могу ждать больше ни минуты! Она такая влажная! Я так хочу ощутить твой огромный член в своем влагалище!

Я, в свою очередь, ласкала его член, чтобы ему самому не пришло в голову устраивать сцену ревности. Я пела хвалебную песнь ему, а моя партнерша хвалила меня. Он играл моей грудью и сосками, а я лизала его мошонку и член, возбуждая его до тех пор, пока он не зарычал и не начал быстрее двигаться, прижимая член к моим губам. Он отпустил мою грудь и стал смотреть, как я делаю ему минет. В это время моя партнерша изображала, как она ласкает мой зад, и вовсю комментировала, как мне нравится, когда меня трахает женщина, и как ей нравится это делать. Я же стонала, всячески выражая свое согласие с ее словами и радость по поводу происходящего.

Это был один из немногих вызовов, когда я не расстроилась от того, что клиент не потребовал продолжения. У меня все болело, и мне хотелось скорее залезть в кровать со своим котом, бутылкой теплой воды и какой-нибудь веселенькой книжкой. Мы ехали в лифте почти в полном молчании.

— Тебя куда-нибудь подвезти? — спросила я партнершу.

— Нет, — ответила она. — Я на своей машине. Ты собираешь деньги для Персика?

— Если хочешь, я могу передать ей твою часть. Я встречаюсь с ней во вторник.

Она протянула мне деньги, которые до этого были предусмотрительно отделены от ее собственных. Чаевых у нас не было, но это не главное. Вызов удался, и мы не были слишком измотаны. Клиенту понравилось, и позже он рекомендовал службу Персика как единственное агентство, где работали настоящие лесбиянки, которым нравилось заниматься любовью. Он считал, что не зря потратил свои деньги.

Мы прошли вестибюль гостиницы в том же молчании. За стойкой стоял один человек, потому что политика этих гостиниц требовала максимальной анонимности. Эта сеть отелей выросла вокруг крупных индустриальных зон по шоссе номер 128 и была рассчитана на деловых людей, которым требовалось сделать остановку где-нибудь на пути между Купертино, Сиэтлом и Японией. Если бы мы находились в обыкновенной городской гостинице, то этот служащий непременно наградил бы нас понимающей улыбкой.

Выйдя из дверей, я немного задержалась.

— Спасибо, что выручила, — сказала я. — У меня все началось прямо по дороге к клиенту.

Она пожала плечами, и в ее глазах ясно читалось, что она уже думала о том, как провести остаток вечера.

— Нет проблем, — ответила она. — Пока!

Итак, женщина, которая еще двадцать минут назад страстно меня целовала, скользя языком по моим зубам, вводила палец мне в анус и предлагала незнакомому мужчине посмотреть на это, кусала мои соски... эта женщина быстро уходила в сторону, уже держа наготове ключи от машины. Она отключила сигнализацию, села, завела двигатель и уехала раньше, чем я вспомнила, где припаркована моя собственная машина.

Эта женщина сделала все так, как надо. Мне оставалось лишь подчиниться ее руководству. Услышав об изменившихся обстоятельствах, она позаботилась о том, чтобы занавес поднялся, актеры отыграли свои роли и публика осталась довольна представлением. Я не знала, как можно поблагодарить человека, тем более незнакомого, за такую личную, интимную услугу.

Это вопрос исключительно риторический, потому что у меня даже не было возможности ее поблагодарить. Она все оставила как есть, там, на уединенной парковке, возле гостиницы в Уолхеме. Дело сделано, и говорить было больше не о чем. Обо мне она знала лишь по контурам моего тела и губ, по моей способности действовать синхронно с ней, исполняя экзотический сексуальный танец, единственным зрителем которого был мужчина. Она не думала о том представлении, которое только что закончилось. Она готовилась к следующему акту.

В сфере интимных услуг быстро учишься ценить высокий профессионализм.

Глава четырнадцатая

Закончился семестр, я выставила оценки и получила зарплату. Деньги отправились в банк, и некоторая их часть легла на новенький счет. В эти дни я почти за все платила наличными: это была валюта девочки по вызову.

Несмотря на то, что я стала любимицей своего курса и на весенний семестр у меня было запланировано как минимум четыре разных курса лекций, особой радости у меня почему-то не было. Осенью меня наполняло совсем не такое настроение. Возможно, дело было в том, что идея утратила свою новизну, да и природа вокруг приобрела грязно-коричневый оттенок подтаявшего снега, слякоти на тротуарах и противного промороженного времени года, которое мы называем зимой.

Или, может быть, я просто принимала слишком много наркотиков.

Луис был мне плохим помощником в этом отношении. Друзья колумбийцы отпускали ему товар по низкой цене, поэтому у нас всегда имелся запас кокаина. Луис употреблял кокаин почти каждый вечер и каждую ночь. Обычно нам нравилось заниматься любовью, прерываясь для того, чтобы выпить вина или чтобы Луис сделал «дорожку» на моей обнаженной груди. Мы много смеялись и думали, что так может продолжаться вечно.

Однако суровая правда жизни заключалась в том, что мне было тридцать пять и я больше так не могла. Я теперь принимала кокаин каждое утро, по одной «дорожке». Доза не имеет значения, если начинаешь понимать, что для нормальной работы мозга тебе необходима кокаиновая «дорожка» каждое утро. «Завтрак чемпионов», — бормотала я как заклинание позаимствованную у одной из девушек фразу и наклонялась над коробкой от лазерного диска, чтобы вдохнуть свою дозу. Потом следовали обязательные две или три чашки кофе, и я отправлялась на занятия. Я не могла себе представить, как можно без этого обойтись. Утренний ритуал стал для меня привычкой, чем-то, без чего я не могла обойтись. Мне не приходило в голову, насколько это вредно для здоровья.

Потом вечером я могла вдохнуть еще несколько «дорожек», с Луисом или с клиентом. Они были мне необходимы, чтобы сохранить бодрость, концентрацию внимания и способность двигаться в хорошем темпе. Я подумала, что мне не помешает небольшой перерыв. На каникулах я решила часто ходить в гимнастический зал, потом возобновить традицию долгих прогулок и хорошего долгого сна. Я хотела хорошенько выспаться и сократить употребление кокаина. Мне были необходимы перемены: в конце января меня ожидали четыре дополнительных курса. К началу занятий я должна быть к ним готова и просто обязана проявить все свои способности.

Я также пообещала себе, что во время каникул буду много работать у Персика, чтобы меньше отвлекаться от основных занятий с началом семестра. Итак, я сказала Персику, что пару недель буду в полном ее распоряжении. Именно в этот период я встретилась с Марио.

Я раньше много слышала о нем. Как-то в ноябре я познакомилась на вызове с девушкой по имени Лори. Все прошло замечательно: мы обнимались и гладили друг друга, а потом она стала ласкать клиента, пока я его целовала. Он быстро кончил, что было не удивительно, потому что он мастурбировал все время, пока наблюдал за нашими играми. Ему понравилось. Он заплатил астрономическую сумму, которую с него потребовала Персик (каждая из нас получила по сто восемьдесят долларов, не считая доли Персика), и светился радостью, когда мы от него уходили. Клиент по секрету рассказал нам, что мы стали первыми белыми женщинами, с которыми он занимался сексом. Мне стало любопытно, чем мы отличались от того, что он испробовал раньше.

— Все получилось здорово, — прокомментировала я в лифте. — Клиент был очень мил. — Я говорила это от чистого сердца. Со временем я научилась ценить людей, которые хорошо со мной обращались. В этой сфере они встречаются достаточно редко.

Лифт остановился, и мы вышли в фойе. Швейцар открыл и придержал дверь, сохраняя невозмутимое выражение лица. Мне всегда было интересно, понимали ли они, кто мы такие. Наверное, понимали. По-моему, швейцары в гостиницах — большие знатоки человеческой природы.

— Точно, — ответила Лори, когда мы отошли подальше от дверей. — У меня вообще эта неделя была «супер». — Я подумала, что это выражение должно иметь положительный оттенок. В Лориной версии английского языка было иногда непросто разобраться. — Тиа, ты где припарковалась?

— Возле Коммон.

— Я тоже.

Мы перешли улицу и обогнули парк, автоматически следуя правилам безопасности для женщин, гуляющих в темное время суток. Лори вздохнула.

— Представляешь, я на этой неделе дважды ездила к Марио. Веришь? Я думала, что будет кислая неделька, а тут Марио целых два раза, да еще этот мужик. Прикинь?

— А кто такой Марио? — спросила я скорее из вежливости.

Она остановилась посреди дороги.

— Да ты что? Не может быть, чтобы ты, это, не знала, кто такой Марио! Боже мой! Нет, боже мой! Тиа, неужели ты ни разу не была у Марио? Боже мой! — Недостаток словарного запаса Лори компенсировала эмоциональностью речи и частотой повторений. К моему облегчению, она решила все-таки продолжить путь. На улице было слишком холодно, чтобы провести там хотя бы лишнюю минуту. Я никогда не была в Чикаго, но мне кажется, что зимой Бостон составит ему достойную конкуренцию своими пронизывающими ветрами.

— Слушай, ты просто обязана попросить Персика отправить тебя к Марио. Боже мой! Он же лучше всех! Ну, знаешь, его легче всего удовлетворить. Сечешь?

Я не была уверена в том, что понимаю, о чем идет речь. Но на всякий случай одобрительно кивнула.

— Зачем тогда ты мне о нем рассказываешь? — Дело в том, что мы обычно не делимся своими лучшими клиентами.

Лори не колебалась ни минуты.

— Что мне, жалко, что ли? Глупость какая. У этого парня куча девиц каждый вечер, там хватит на всех. — Она таинственно понизила голос: — Он там что-то вроде мафиози, понимаешь? Только, по-моему, он сам никого не мочит.

Я сдержала улыбку, услышав ее описание хорошего человека, и сказала:

— Ну, да. Наверное, не все мафиози это делают. А чем он любит заниматься помимо своей работы?

Вообще-то, я хотела спросить о его сексуальных предпочтениях, потому что это касалось нашей работы, но у Лори нашлось что сказать по иному поводу.

— Ну, он вроде как владелец какого-то классного магазина, в общем, хозяин. Там, в этом магазине, ну, на Ньюбери-стрит, полно всяких шикарных кожаных штучек, куртки там, сумки и все такое. Я как-то была у него, и он сделал мне огромную скидку на юбку. Так было классно! Он обращался со мной как с важной птицей, будто я его подружка, там, или что-то в этом роде. Ну, сама понимаешь, у него, наверное, не все дома, потому что он мне в дедушки годится, но в магазине все улыбались и вели себя так, будто я действительно была его подружкой. Ты бы видела эту юбку, Тиа! Полный улет! Я надела ее в следующий раз на встречу с ним, ну, чтобы поблагодарить.

Она ушла к своей машине, и я не вспоминала о нашем разговоре до того январского вечера, когда Персик принялась жаловаться мне, как туго идут дела. Чтобы поддержать разговор, я спросила:

— Слушай, а кто такой Марио и почему я еще ни разу его не видела?

Персик вздохнула. Она понимала, что девочки встречаются на совместных вызовах, но ей не нравилось, что при этом происходит обмен информацией. Она была явной сторонницей централизованной власти и нашла бы себе прекрасное применение где-нибудь в Советском Союзе. Я бы не удивилась, если бы в ее квартире случайно обнаружился законспирированный пятилетний план развития агентства. Она говорила людям только то, что, по ее мнению, они должны знать, и злилась, когда они узнавали что-то без ее ведома.

— Он один из наших постоянных клиентов, — нехотя ответила она, — и я никогда не отправляла тебя к нему потому, что он любит совсем молоденьких девочек, студенток, которые выглядят не старше семнадцати или восемнадцати лет.

«Ну да, тех, кто общается междометиями», — подумала я.

Вопрос о возрасте заботил меня все чаще, хотя он никогда не беспокоил клиентов. Мне было уже тридцать пять, но благодаря хорошим генам и постоянным упражнениям выглядела на десять лет моложе. Указывать возраст меньше двадцати пяти я не рисковала, потому что это было уже чересчур. Мне обычно давали двадцать с небольшим.

Тем временем Персик развивала свою мысль.

— Знаешь, а это, может быть, не такая уж плохая идея, — задумчиво протянула она. — Я думаю, ты ему понравишься, если он сможет отвлечься от возраста. Потом, у тебя есть машина, что тоже хорошо, потому что он живет где-то в Уэстоне. Транспорт туда не ходит, а на такси ехать — ухлопаешь все свои деньги. Посмотрим, что я смогу тут сделать.

Персик позвонила через две недели.

— Есть работа, — известила она, как обычно не тратя слов понапрасну. — Только ты должна его уговорить.

— Персик! — возмущенно отозвалась я. Она прекрасно знала, что я терпеть могла вести телефонные переговоры.

— Нет, нет, все нормально. Как только он услышит твой голос, он на все согласится. Только расскажи ему, как ты сексуальна. Это Марио, из Уэстона. Если ты сумеешь его убедить, он тебе очень понравится, гарантирую!

— Этот тот, который любит молоденьких?

— Да, — коротко ответила она. — Я сказала, что тебе двадцать пять, ты мила и, естественно, сексуальна, делаешь первые шаги в этом деле. Еще я сказала, что ему пора перестать быть рабом привычек и попробовать что-нибудь новенькое. Он уже почти согласен.

— Чудесно, — мрачно констатировала я. Еще один клиент, которого надо уговорить, чтобы он встретился со мной. — Диктуй номер.

Он ответил после второго гудка.

— Да?

— Здравствуйте, это Марио?

— Да. Кто это?

— Меня зовут Тиа, я — знакомая Персика. — Я сделала небольшую паузу, чтобы он смог вставить реплику.

— А, понятно. Ты носишь кружевное дамское белье?

Пока все шло как надо.

— Да, у меня есть...

Он прервал меня:

— Ладно, надень что-нибудь приличное. Ну, знаешь, чтобы не выглядело дешево. Не надо всяких чулок с поясом и подобной дряни. Просто что-нибудь такое, на что было бы приятно посмотреть. Какими духами ты пользуешься?

Этот вопрос уже отходил от обычного сценария, но я быстро нашлась с ответом.

— «Шанель № 5», но если вам это не нравится, у меня еще есть...

— Нет, нет, это нормально, — опять перебил он. — Персик сказала, что ты очень умная и с хорошим образованием. Она обманывает? Скажи правду, я не буду обвинять тебя в ее лжи.

Я откашлялась и собралась с мыслями.

— Нет, она говорит правду. У меня есть диплом по психологии от Гарварда и степень магистра от...

Я уже начала привыкать к тому, что он все время меня перебивает, направляя разговор в то русло, которое было ему нужно.

— Да, хорошо. Она сказала, что ты написала книгу.

— У меня вышли четыре книги и несколько статей, — начала я, — я также публиковалась в соавторстве...

— Ладно, хорошо. Так ты приедешь?

— Да, похоже, нам есть о чем...

— Договорились. Только возле дома у меня парковаться негде. У меня самого есть машины, только ты не ставь свой автомобиль на траву. Все девицы паркуются на траве, мой газон уже при смерти. Не надо вставать прямо перед домом, припаркуйся где-нибудь на улице, но только смотри, чтобы не вставать колесами на траву, поняла?

— Да, конечно, — заверила я.

— Хорошо. Откуда ты поедешь? Из Олстона? Смотри, как тебе будет удобнее добираться...

Я надела белые кружевные, не слишком открытые трусики и бюстгальтер в тон им. Поверх белья — свободную трикотажную кофту, похожую на те, которые я часто ношу жаркими ночами вместо пижамы. Она заканчивалась чуть ниже спины и выгодно подчеркивала грудь благодаря своей шелковой мягкой текстуре. К этой кофточке я надела маленький приталенный серый костюм, который могла бы носить на занятия, но не носила. Мне

11 Зак. № 723

показалось, что я заинтересовала его своей образованностью. К костюму я надела черные колготки, которые чуть поблескивали из-за большого содержания в них лайкры, и туфли на небольшом каблуке, решив, что он может расценить «радость фетишиста» как дешевку. Подумав, я добавила к своему наряду серьги, браслет и тонкую цепочку с крестом. Если он действительно мафиози, то должен быть католиком. Я почти забыла про «Шанель», и щедро полилась ими прямо перед уходом. Попытавшись поцеловать Скуззи, который был слишком увлечен попытками напиться из крана, чтобы обращать внимание на такие мелочи, я вышла.

Дом находился в относительно приятном районе Уэстона. Я хочу сказать, приятно относительно стандартов Уэстона, который представляет собой пародию на любимый нуворишами тюдоровский стиль и пропитан неистребимым запахом недавно обретенных денег. По этим стандартам дом Марио был скромен: он простирался в нескольких направлениях и представлял собой пример использования более широкого спектра строительных материалов. При желании его можно было назвать эклектичным. Мне он показался ужасным.

Как оказалось, то были еще цветочки.

Марио сам открыл мне дверь. Ему недавно исполнилось пятьдесят, и он обладал легким намеком на животик и обильной растительностью на всех частях тела. На нем был банный халат и семейные трусы. Когда халат распахнулся, я подумала, что в жизни не видела такого волосатого человека. Ну, может быть на кабельном канале с «Нэшнл джиогрэфик».

— Хорошо, что ты приехала, — сказал он и запер за мной дверь, по-хозяйски обняв меня за плечи. Мы стояли в его гостиной, украшенной копией статуи Давида и немыслимых размеров зеркалом в черной с золотом раме. На полу лежал ковер с длинным ворсом. Честное слово, я не знала, что в девяностые года можно еще купить что-нибудь в этом роде!

После гостиной мы направились на кухню, где взяли две бутылки шампанского и перешли в большую спальню, которая находилась на том же этаже.

— Ванная, — проинформировал меня Марио, показав на дверь. — Этой будешь пользоваться ты.

— Хорошо, — ответила я порадовавшись. С его стороны было очень мило выделить мне собственную ванную. Если он жил один, я ни за что на свете не хотела бы оказаться в той, которой пользуется он сам. Работая с Персиком я повидала столько холостяцких ванн, что мне хватило бы этого на несколько жизней. Некоторыми из них я была вынуждена воспользоваться.

— У тебя замечательный дом, — похвалила я, — здесь все так... удобно!

— Да, мне пришлось тут все переделать, чтобы стало так, как надо, — согласился он. Я ему сразу поверила. Он закрыл за нами дверь в спальню.

В углу комнаты стоял телевизор с устрашающего размера экраном, настроенным на трансляцию баскетбольного матча, звук был выключен. На оставшемся пространстве царила и подавляла своими масштабами огромная кровать с водяным матрасом. Резное изголовье было под стать самой кровати: все покрыто замысловатыми крючками и непонятными приспособлениями. Над изголовьем были полки, позади которых стояло зеркало. Даже телевизор мерк перед величественностью этой кровати.

— На тебе удобная одежда? — поинтересовался Марио, явно не ожидая ответа. — Снимай все, что доставляет тебе неудобства, а я налью нам шампанского.

Я не стала спорить с этим предложением, потому что уже рассмотрела этикетки на бутылках. Вкус Марио не отличался утонченностью в вопросах интерьера, но шампанское он держал великолепное. Это был «Кристалл».

Я сбросила туфли, пиджак и юбку, решив пока оставить колготки. Они неплохо смотрелись с трикотажной кофточкой, составляя эффектное сочетание черного с фиолетовым. Я присела на краешек кровати, что было непросто, поскольку она постоянно колыхалась подо мной, и стала ждать продолжения вечера.

Марио налил шампанское в бокалы для вина и подал один из них мне. Поднимая бокал, он быстро сказал что-то по-итальянски, и я его не поняла. Подняв своя бокал, я начала флирт с тоста: «За тебя». Мы выпили. Шампанское было выше всех похвал.

Какое-то время мы наблюдали за игрой, поскольку Марио сделал на нее ставки. Я спросила, на какую команду он поставил, и стала за нее болеть, что несказанно удивило и развлекло его. Потом мы выпили еще шампанского. Он принес восхитительный поднос с росписью по глазури, который легко мог оказаться самой красивой вещью во всем доме, и высыпал на него щедрую порцию белого порошка из пакета впечатляющих размеров. Разделив порошок на порции и «дорожки», он достал гладкую металлическую трубочку, которая подозрительно была похожа на золотую, и передал ее мне.

Я не возражала. Дело было даже не том, что всем девочкам по вызову полагалось употреблять наркотики. Удивительно большое число клиентов в возрасте после пятидесяти постоянно употребляли кокаин, чтобы расслабиться, и частенько делали это с девочками по вызову. Персик внимательно следила за своими девочками, и если кто-то из них испытывал затруднение с кокаином или другими веществами, не посылала их к клиентам, которые развлекались подобным образом. Остальные решали свою судьбу сами.

Иногда нам встречались и другие наркотики. Один клиент выпил пригоршню различных таблеток и настоял на том, чтобы его гостья сделала то же самое. Меня предупредили об этой особенности клиента, потому что одна из наших девочек чуть не лишилась жизни из-за такого коктейля, и в удобный момент я просто зажала таблетки в ладони, а потом имитировала эффект их воздействия, наблюдая за клиентом.

Но когда мне предлагали кокаин, я с удовольствием соглашалась. Тем более что сегодня он мог быть полезен, чтобы нейтрализовать действие шампанского. Я допивала уже третий бокал.

Мы нюхали кокаин и пили шампанское, а Марио рассказывал мне о безымянной болезни, которую перенес. Я не слушала его, стараясь угадать, что ему нравится в постели. В какой-то момент я решила, что пора идти на сближение. Подобравшись к нему, я помассировала его спину, потом постепенно перешла на массаж передней части тела и сконцентрировалась на стимуляции члена. Я делала это без особой надежды, не зная, как Марио может реагировать на наркотик.

Самым распространенным побочным действием кокаина на мужчин является утрата способности приобретать и сохранять более или менее выраженную эрекцию. Марио замедленно реагировал на мои ласки, но где-то между моими руками и ртом он возбудился, не заметив, как я надела на него презерватив, и во время своей фразы: «Я не думаю, что...» – он кончил. Славно.

Мы ушли каждый в свою ванную освежиться, а потом снова встретились для того, чтобы выпить шампанского и принять кокаина. Он говорил без умолку: о семье, бизнесе, о проблемах, которые у него возникали с непокорным (это его собственное слово — он обладал удивительным словарным запасом) деловым партнером в Майами. Марио планировал поехать туда, чтобы дать этим людям понять, с кем они имеют дело. Он оценивающе посмотрел на меня:

— Я беру одну из девочек Персика с собой. Хочешь устроить себе каникулы?

Я согласилась, что это великолепная идея, но в итоге в Майами поехал кто-то другой. Мне было бы сложно объяснить руководителям двух университетских колледжей, в которых я читала лекции, причину своего незапланированного отпуска. Я уверена, что девушка, поехавшая тогда с Марио, великолепно провела время. Марио должен был об этом позаботиться.

Я подскочила от неожиданного телефонного звонка. Звонила Персик, чтобы напомнить об окончании часа.

— Ты можешь остаться? — спросил Марио.

— Конечно. — Я не могла поверить, что провела с ним целый час. Такое случалось со мной впервые: обычно я с нетерпением ожидаю конца встречи. Марио заговорил в трубку:

— Я продлеваю время еще на два часа. Да, она рядом.

Я взяла телефон.

— Привет, Персик.

— Джен? Все в порядке, дорогая? Ты хочешь остаться?

Я пожала плечами.

— Конечно, он очень милый. Мы прекрасно проводим время.

— Хорошо, тогда переговорим позже.

Марио продолжал говорить, интересуясь моим мнением по различным вопросам, от возникновения Солнечной системы до основных причин развода. Мы говорили о политике, об этике, о переменах, которые он заметил в обществе. Мне было трудно спорить с его мнением, которое основывалось на жизненном опыте, а не на образовании и умении мыслить абстрактно. Я была им очарована.

Он достиг финансового благополучия и понял, что ему этого недостаточно: ему было нужно что-то еще. Он попытался найти недостающее ему в церкви. Постоянно посещая воскресные службы, Марио так и не смог найти ответы на мучившие его вопросы. Мы сделали еще несколько «дорожек». Он стеснительно сказал мне, что я красивая. Пока все это происходило, мне так и не довелось снять трикотажную кофту.

Он продлил мой визит еще на два часа. Я уехала домой в четыре утра с полной сумкой наличных, пакетом подарков и стодолларовой купюрой, засунутой в мой карман в последний момент с напутствием «купить еще таких штучек, которые были на тебе сегодня».

В пакете оказалось два флакона «Шанель № 5». Завершающий штрих. Я прекрасно провела вечер, с удовольствием выпила прекрасного шампанского и заработала больше тысячи долларов. Мне было немного нехорошо после кокаина, но это скоро прошло.

Через два дня Марио позвонил и пригласил меня снова. Я оделась так же: новая кофточка и прежние колготки. Мне удалось приехать вовремя, и меня встретили и проводили в спальню. Предложили то же шампанское, но в этот раз меня ждала речь.

— Тебе, наверное, никто обо мне не рассказывал, но ты совершила чудо. Понимаешь, у меня давно уже не встает, а если и встает, то я никогда не кончаю. Ни с кем. Но с тобой у меня получилось. Получается, что ты – особенная девушка... женщина.

Он был прав. Это произошло потому, что я ничего о нем не знала. Я думала, что события должны развиваться по обычному сценарию, поэтому была нежна, настойчива и рассчитывала на успех. Правда, я не считала, что знание может стать чему-то преградой. Что ж, скоро мы об этом узнаем.

— Я хочу сказать, что тебе не обязательно делать это каждый раз, потому что того раза мне хватит надолго. Знаешь, ты будто сняла с меня проклятье, что ли. То все было в порядке, то вдруг пропало. Я уже достаточно стар, чтобы получать удовольствие от воспоминаний и не требовать большего. Может, иногда ты можешь немного приласкать меня, мне это нравится, но не расстраивайся, если ничего не произойдет. Помнишь, я тебе рассказывал, как когда-то болел? Так вот, с тех пор у меня ничего и не получается.

Я была невнимательна, когда он рассказывал о своей болезни. Судя по тому, что я поторопилась об этом забыть, делал он это с красочными подробностями. Я решила позже расспросить об этом Персика.

— Ты мне нравишься, — сказала я правду. — Может быть, для этого просто нужны два человека, которым хорошо друг с другом.

Марио покачал головой.

— Нет, дело в тебе, — твердо возразил он. — Ты благословенна. Это было похоже на чудо. Я никогда не забуду, что ты для меня сделала.

Мы разговаривали о ставках на лошадиных и собачьих бегах и о том, какие проблемы возникают в этой индустрии. Как оказалось, Марио заработал львиную долю своих денег на азартных играх.

— Я не люблю показуху, — рассказывал он. — И не хожу во всякие казино — это забава для туристов. Я делаю ставки на игры, бои, на тупость городских властей, — его глаза поблескивали, когда он заговорил об этом. — Я всегда ставлю на их скудоумие, и они никогда меня не подводят, недоделки. Они с каждым разом становятся все глупее и глупее.

Он рассказывал о своей матери, но не произнес ни слова об отце. Его брат был рыбаком в Глостере. Все сицилийцы промышляли этим делом, но оно было обречено на угасание.

— Они все заложили свои дома, лодки и думали, что так будет продолжаться вечно. Потом пришли федералы и закрыли побережье для рыбацкого промысла. Вот просто так взяли и закрыли. А эти ребята и школу-то не закончили. Они, кроме рыбы, ничего в этой жизни не знают! Им ведь казалось, что все будет так, как оно было всегда.

Он очень беспокоился о своем брате.

— Ну и что делать парню с баркасом, когда он не может больше ловить рыбу? Ты как думаешь? Не знаешь? Я вот что тебе скажу: он ищет и находит другой груз для своего судна.

— Какой? — Мне было действительно интересно. Моя знакомая, Ирен, написала диссертацию о составе рыбацких команд. — Чем можно заменить треску?

Он долго смотрел на беззвучный баскетбольный матч, и когда заговорил, его глаза на меня не смотрели.

— Героином. Они провозят в порт героин, потому что за это хорошо платят. Глостер уже умер, там ничего сейчас нет. Рыболовецкие предприятия закрылись, каменоломни тоже. Люди живут там только потому, что им некуда больше идти, нечем заняться и нечего ждать. Вот приходят баркасы, и их первыми клиентами становятся их же собратья. Они все время сидят где-то возле Воронье-го гнезда или клуба Святого Петра. Просто сидят, одурманенные, и ждут неизвестно чего.

Он поднялся и посмотрел на меня.

— Я пытался забрать Джо оттуда. Я мог бы вот так найти ему работу! — Он щелкнул пальцами для иллюстрации, и у меня не было ни малейшего повода сомневаться в его словах. — Черт возьми, да я мог бы дать ему денег, оплатить его закладные, мне это ничего не стоит. Но он слишком горд и не хочет ничего брать от меня. И уехать из Глостера тоже не может. Есть такие люди, знаешь, которые просто не могут переступить порог родного дома. Кроме Глостера, у них нет и не может быть родного дома. — Он пожал плечами.

— Джо уважает традиции, и понятия у него остались те же, что и раньше. Он не связывается с наркотой, он выше этого. Эта дрянь не для нас. Но лодка-то у него есть, у Джо, и семья, которую надо кормить, а рыбу ловить нельзя. И еще он слишком упрям, чтобы принять то, что хочет ему дать его брат.

Он замолчал.

— Как же он сводит концы с концами? — спросила я, чувствуя себя участницей этой трагической истории. Обычно антропологи умеют держать дистанцию между собой и объектами исследования, но здесь было не место для научных изысканий.

— Джо ничего не привозит в порт, — наконец сказал Марио. — Он вывозит грузы оттуда. — Он взглянул на меня, будто бы решая, стоит ли говорить дальше, а потом произнес суровые слова: — Он перевозит оружие. Для Северной Ирландии. Все эти Пэдди*, любители пострелять, сидят здесь, в Бостоне, и копят деньги на свое «правое» дело. Они платят наличными и получают оружие и все остальное, что им требуется. Разгрузив лодку, Джо. возвращается домой, как в добрые старые времена. Он проводит в плавании примерно столько же времени, сколько раньше, а вернувшись домой, напивается и продолжает пить до тех пор, пока не наступает время следующей доставки. — Марио замолчал, но не выдержал и взорвался: — Боже мой! Это же несправедливо! Это происходит просто потому, что он любит свой родной дом. И здесь никто ничего не сможет изменить! Что знает это гребаное правительство о рыболовстве? Что они могут знать о моем брате?

---

* Прозвище ирландцев. (*Здесь и далее — прим. пер.*).

Я обняла его и прижала к себе. Мне нечего было сказать, потому что любые слова прозвучали бы здесь пусто, неуместно и оскорбительно. Я встала рядом с ним на колени и, по-прежнему обнимая его, стала слегка покачивать из стороны в сторону.

Я стала встречаться с Марио как минимум раз в неделю. В то же самое время он приглашал к себе других девушек, и я об этом знала. По-моему, Лори была права, и у него действительно почти каждый вечер кто-то был. Кроме суббот, которые он проводил в городе со своими «быками».

По-моему, я была единственным человеком, понимавшим, почему Марио стал нашим постоянным клиентом. Я единственная знала об ужасающей пустоте, которая наполняла его, о волнении за судьбу брата и любви к нему, о мучениях из-за собственного бессилия что-либо изменить в его жизни. Марио пытался заглушить тоску, наполняя свой дом женщинами, шампанским, азартными играми и наркотиком. Я понимала это, но никогда не заговаривала с ним о брате, и он больше не рассказывал мне о нем.

Что интересно, никто из девушек не выказывал признаков ревности к тем, кто тоже навещал Марио: его внимания хватало на всех. Все пили его шампанское, пользовались его наркотиком, слушали его, и, по большому счету, его все любили. Я же оставалась единственной женщиной, у которой он спрашивал совета или мнения.

Однажды ночью я проснулась от телефонного звонка. Как только срабатывал автоответчик, звонок срывался, и потом все повторялось снова. Это действовало мне на нервы: я жила в квартире-студии, которая обладала потрясающим эхом.

Отчаянно ругаясь, я попыталась выдернуть шнур из розетки, но вместо этого случайно сняла трубку. Звонила Персик. Она всегда закрывала службу к двум часам ночи, следуя своей теории поведения человека в отчаянном положении: после двух могут звонить только такие люди. Часы, в циферблат которых я всматривалась, изо всех сил щуря глаза, показывали половину четвертого.

— Персик, у тебя все в порядке? — Персик в свое время совершала драматические попытки свести счеты с жизнью. Ночной звонок вполне мог быть одним из проявлений подавленного состояния души.

— У меня все нормально. Слушай, ты не согласишься съездить к Марио?

— Сейчас? — Я не могла поверить собственным ушам. Мне совсем не хотелось ехать в Уэстон.

— Ему просто нужно, чтобы кто-нибудь побыл рядом. Пожалуйста, съезди, ты меня очень этим обяжешь. Ему очень одиноко, и он подавлен. Мы сейчас ему нужны.

Мне пришлось задуматься.

— А машина? Я не могу поехать на своей, у меня еще вчера сдох аккумулятор, помнишь?

— Возьми такси. Он заплатит. Пожалуйста, Джен!

И я поехала. Конечно, я поехала. Водитель проявлял ко мне интерес до тех пор, пока я не сказала ему, что еду ухаживать за человеком, умирающим от СПИДа. Таксист был гаитянином, и эта новость быстро его остудила. Моя ложь во спасение оказалась очень полезной, поскольку исключила назревающее предложение быстрого секса в машине, которым славились бостонские водители.

Марио был рад меня видеть и несколько раз сказал об этом. Мы отправились в спальню, где все происходило, как обычно: поверхностные разговоры на общие темы, нежные поцелуи и ласки, кокаин и шампанское. Я уехала в семь утра, когда Марио решил, что ему надо поспать.

Он не объяснил, почему ему так понадобилось мое общество именно в эту ночь. Я не стала его об этом спрашивать.

Жизнь продолжалась. Время от времени Марио приглашал к себе двух девушек, но сценарий этих встреч никогда не менялся. Это было приятно, прибыльно и регулярно.

В сентябре начался новый учебный год в учебных заведениях Бостона, и у Персика появились свежие лица. Этой осенью в агентстве начала работать Зоя. Персик много говорила о ней: клиенты обожали ее, она была неутомима, прекрасна и зарабатывала для Персика кучу денег.

В октябре Зоя первый раз поехала к Марио, и с этого дня все изменилось.

Мы все говорили об этом, и никто не мог понять, что между ними произошло. Как бы то ни было, Марио внезапно захотел видеть только Зою и был готов приглашать ее каждый вечер, когда она работала. На других девушек он соглашался, только если Зоя в этот вечер была занята. Он не стал плохо относиться к кому-либо из нас — он просто хотел видеть Зою.

Конечно, нам это не понравилось. Потеря Марио как постоянного клиента означала для нас, что нам придется работать значительно больше, напряженнее и за меньшие деньги.

— Наша работа — рулетка, — любила говорить Персик. — Иногда тебе везет, а иногда — нет.

Я была счастлива услышать, что Марио снова хочет меня видеть в Уэстоне. Обычно девушки выстраивались в очередь на те вечера, когда Зоя не могла приехать к Марио, а мне однажды пришлось отказать ему, потому что я была вынуждена присутствовать на исключительно важном для моей карьеры приеме. Мало кто осмеливался отказать Марио.

Приехав к Марио, я узнала, что Зоя уже там. У хозяина был гость, и я предназначалась как угощение для друга. Марио считал, что этим делал мне комплимент. Я отнеслась к этому философски: друг Марио...

Итак, мы с другом отправились в спальню. Возможно, я ожидала чего-то другого, но друг Марио был совершенно не похож на хозяина дома. Следующие два часа у меня прошли в тяжелом физическом труде. Мужчина употребил достаточно кокаина до моего приезда и неоднократно делал это при мне, но оказался совершенно не готовым признать действие этого вещества на свои сексуальные способности.

— Давай, поработай еще, — подгонял он меня все два часа, не давая даже короткой передышки, чтобы быстро глотнуть шампанского. Мои руки сделали все, чтобы оживить его член.

Я пыталась убедить его принять от меня другие ласки, обещая ему, что они помогут расслабиться. Он согласился на десятиминутный массаж спины с маслом, которое я нашла в ванной, но сразу после него потребовал, чтобы я снова начала стимулировать его вялое достоинство. Пока я трудилась в прямом смысле в поте лица, он лишь усложнял дело тем, что отмерял себе все новые и новые «дорожки».

Он хотел, продлить вызов, уверяя, что до эрекции осталось всего ничего, но я отказалась. В предварительных играх наступает момент, когда понимаешь, что ни пять, ни пятнадцать минут стимуляции уже не спасут положения. Клиент был раздражен тем, что, вызвав девушку и проведя с ней столько времени, не смог заняться с ней сексом.

Мне удалось скрыться в душе, заверив его в том, что мне непременно надо ехать домой и я никак не могу остаться еще на два часа. Тихо проходя мимо закрытой двери в спальню Марио, я почувствовала некоторую ностальгию и ревность по отношению к тому, что за ней происходило, пока я безуспешно «набивала трудовые мозоли».

Больше я туда не ездила. Дело того не стоило, и у меня были свои собственные постоянные клиенты. К тому же я не хотела ездить в этот дом, чтобы закрытая дверь в спальню напоминала мне об искренней привязанности к Марио и о том, что было мне теперь недоступно.

Потом, уже после того как я оставила эту сферу деятельности, я услышала о смерти Марио. Когда я об этом узнала, похороны уже давно прошли и тело было предано земле. Через несколько месяцев, когда я была на мысе Анна, мне удалось разыскать кладбище; на котором, по словам Персика, похоронили Марио. Он оказался там не один: рядом была могила его брата, Джозефа. Надпись гласила, что они умерли в один день.

Вокруг его смерти было много слухов. Кто-то из девушек говорил, что его застрелили по заказу какого-то конкурента мафиози. Я не стала никому рассказывать о том, что знала. Я часто потом думала, что, может быть, жгучую пустоту в душе Марио перестали заполнять алкоголь, наркотики, женщины и даже Зоя.

Мне не с кем было поделиться своими мыслями. В итоге я пришла к выводу, что страшную пустоту в конечном итоге заполнила любовь, способная пожертвовать самой жизнью.

Это могло бы стать ему хорошей эпитафией.

Глава пятнадцатая

Я проводила рождественский вечер в спорах с клиентом.

— Ну, давай, куколка, — снова и снова говорил Фредди. — Просто скажи мне свой номер. Я не буду тебе надоедать, обещаю. Просто позвоню, чтобы поздравить с Рождеством. Ты обязана это сделать.

— Обязана? — Я была поражена. Персик попросила меня позвонить Фредди, чтобы договориться на следующий день после Рождества, День боксера. На само Рождество и вечер накануне агентство закрывалось, и этот звонок оказался последним из тех, что она приняла перед отключением телефонов.

— Просто договорись о дате, — сказала она, когда позвонила мне. — Потом повесь трубку и забудь о работе на пару дней.

Теперь же этот тип пытался играть со мной в игры, чтобы добыть мой номер телефона. Я не собиралась давать его. Неужели я брала себе псевдоним для того, чтобы потом объяснять людям, как со мной связаться?

Фредди сменил тактику.

— Персик не будет возражать, — стал убеждать он меня, хотя мы оба прекрасно знали, что она не просто будет возражать. Она будет в ярости. Первая Заповедь: «Не укради клиента». — Я просто не знаю, когда захочу тебя видеть...

— Хорошо, я перезвоню тебе в полдень, и ты к этому времени что-нибудь решишь, — ответила я. Он не мог проследить мой номер, потому что, начав работать у Персика, я поставила себе «анти-АОН».

— Смотри, они запросто могут сами позвонить тебе, узнав твой номер, — предупредила она меня. — Эта информация дает им какое-то ощущение власти.

Фредди раздражал меня больше обычного. Я устала и отчаянно хотела вздремнуть перед тем, как ехать в Дедем на рождественский ужин с Луисом и его семьей.

— Да брось ты, Тиа. Я сам не знаю, где в это время буду. Давай договоримся так: я воспользуюсь твоим номером только один раз и звонить больше не буду. Я выброшу его.

Замечательно! Какой джентльмен, он даже его выбросит. Если я поверю этому заверению, он точно найдет моему номеру должное применение.

— Нет, — отрезала я.

— Ну и пошла ты, — резкая вспышка ярости захватила меня врасплох. — Пошла ты на хрен, шлюха! Больше на мой заказ можешь не рассчитывать! — Он швырнул трубку, а я сразу же перезвонила Персику.

— В чем дело?

— Ерунда, не обращай внимания. Это просто Фредди, — спокойно произнесла она. — Он постоянно пытается добыть телефонные номера наших девочек. Скорее всего, он будет продолжать делать это и дальше. Не воспринимай его слишком серьезно.

— Зачем он это делает? Он же должен знать, что у него ничего не получится.

В трубке я услышала щелчок зажигалки, и в воздухе повисла пауза первой затяжки.

— Понимаешь, время от времени ему кто-нибудь да уступает. Этого достаточно для того, чтобы он не терял надежды. Не зацикливайся на этом, Джен. Он просто хочет получить телефон проститутки, потому что это его заводит. Вот и все.

Впервые после памятной встречи с Сэтом я слышала это слово применительно к тому, чем занималась. Я была в растерянности. Вдруг я увидела себя со стороны, читающую лекцию на фоне черной доски для мела: «Английский термин „хукер“, определяющий деятельность проститутки, скорее всего, появился благодаря объединенной армии генерала Джозефа Хукера, который во время Гражданской войны позволял проституткам следовать за своей армией, чтобы дать возможность солдатам компенсировать недостаток комфорта, которого они лишились. Группа проституток, следовавших за армией, была известна под названием „дивизии Хукера“, и от нее произошло название рода деятельности этих женщин».

Голос Персика прервал мою воображаемую лекцию.

— Джен! Джен, ты меня слышишь?

— Да, Персик, все нормально, — быстро ответила я. — Забудем об этом. С Рождеством тебя!

— И тебя с Рождеством.

Через три часа я сидела за круглым семейным столом с Луисом и его родителями, изо всех сил стараясь поддержать оживленную беседу. Я была вымотана до предела, у меня болела голова, и меня невыносимо раздражал Луис, пытавшийся эффектно преподнести меня своим родителям, будто он был метрдотель, а я — блюдо дня.

— Милочка, Луис говорил нам, что вы — профессор университета, — сказала его мать, пристально глядя на меня. Я знала, что она тоже обладала этим званием в своем родном Эквадоре. Выйдя замуж за отца Луиса, венесуэльского дипломата, она оставила науку.

— Да. Правда, сейчас я просто читаю лекции. Надеюсь, в скором времени меня возьмут в штат постоянных сотрудников.

— Какова сфера ваших исследований? — спросил меня отец Луиса, впервые за весь вечер оторвав взгляд от тарелки с недожаренной говядиной.

Перед тем как ответить, я сделала глоток вина.

— Докторскую степень я получила по антропологии. А сейчас читаю лекции по... — Луис пнул меня под столом, и я закашлялась, правда, недостаточно убедительно.

Его мать не заметила этой заминки либо решила не обращать на нее внимания.

— Так что за лекции вы сейчас читаете? — спросила она.

Я беспомощно посмотрела на Луиса, но он ничего не сказал и не пришел мне на помощь какимлибо другим способом, поэтому мне пришлось говорить правду.

— Я веду три курса по социологии, предложенные мне университетом, и два по предложенной мной теме. — Я предпочла не вдаваться в детали и молча молилась, чтобы они не стали задавать дополнительных вопросов. Поскольку я не особенно доверяла результативности своих молитв, то предпочла перейти к другой теме разговора.

— Луис рассказывал мне, что вы много путешествуете. У вас есть какие-нибудь планы на ближайшее будущее?

Луис наконец очнулся и ответил за своих родителей.

— Они собираются в феврале поехать в Австралию, — сказал он. — Мама, говядина сегодня просто замечательная!

— А по каким конкретно темам вы ведете занятия? — спросил его отец, проявляя неколебимое желание придерживаться выбранной ранее темы. Что за неудобная черта характера!

Я промокнула губы льняной салфеткой и ответила:

— Темы звучат следующим образом: «Смерть: процесс и результат», «Жизнь в психиатрической клинике» и «История и социология проституции». Кстати, Луис прав, говядина действительно бесподобна.

Его мать выглядела ошеломленной.

— Однако, вы выбрали необычные темы, — неуверенно произнесла она.

— Судя по названиям, это пустая трата времени, — высказался отец, по-прежнему не поднимая глаз от тарелки.

Внезапно я почувствовала сильный гнев.

Меня разозлила его быстрая и бездумная оценка — похожая на ту, которую мужчины все эти века так легко давали происходящему. Ссылки и заключения в лечебницы, которые ничем не отличались от тюрем, безо всякой надежды на освобождение или оправдание. Женщины, вынужденные заниматься проституцией и умиравшие от рук своих же клиентов, мужчин, старающихся скрыть следы одного преступления с помощью другого. Брошенные, измученные и напуганные дети, оставленные один на один с этим странным и жестоким миром потому, что их родителей лишили права на опеку над ними да и на само существование. Потерянные души забытыми голосами взывали к моим студентам и рассказывали о своих мучениях, смерти и унижениях, ставших возможными благодаря такой же легкой и бездумной оценке, данной им кем-то из самовлюбленных, заносчивых самцов, один из которых сидел прямо передо мной, ел свой бифштекс и старательно избегал любой мысли, способной хоть чем-то побеспокоить его узкий мирок.

Я решила стать представителем и голосом загубленных душ и, создав программу этого курса, открыла правду об их жизни тем, кто, как я надеялась, мог это осмыслить и оценить. Эти темы не должны были заинтриговать декана факультета, или гарантировать мне место в постоянном преподавательском составе, или заинтересовать другие учебные заведения, чтобы они приглашали меня в качестве лектора. Конечно, я надеялась, что они помогут мне всего этого добиться, но в тот рождественский вечер поняла, что это не произойдет никогда.

Я возвращала историю тем, у кого ее отняли. Я обеляла честь и достоинство тех, кого лишили их при жизни. Я сеяла сострадание к ним в сердцах молодых людей, которые могли использовать эту информацию для оказания помощи тем, кто в ней нуждался: бездомным, умственно не здоровым, забытым и брошенным людям.

И проституткам.

Я глубоко вдохнула и произнесла как можно спокойнее:

— Простите, но я должна срочно уйти.

Закрывая за собой дверь, я пыталась угадать, сколько времени понадобится Луису, чтобы снова со мной заговорить.

* * *

После Рождества я больше не созванивалась с Фредди, да и вообще заказов было очень мало. Луис уехал с родителями навестить престарелую кузину куда-то под Нью-Йорк. Мне не нужно было готовиться к занятиям и проверять студенческие работы, и я заскучала. Мне было настолько плохо, что я даже сделала маникюр!

В итоге я позвонила Персику просто для того, чтобы с кем-то пообщаться.

— Что у нас происходит? — Мне не помешала бы работа, потому что я потратила слишком много денег на рождественский подарок Луису: часы «Патэ Филипп». Теперь я даже не знала, будет ли у меня возможность подарить их тому, кому они предназначались.

— В общем, ничего, Джен. Ты же знаешь, между Рождеством и Новым годом у нас всегда затишье.

— И что, нет *никаких* заказов? — настаивала я. Да, согласна, я была почти в отчаянии. На другом конце провода раздался вздох.

— Ну, мне тут пришлось отказать клиенту, который хотел двадцатилетнюю азиаточку. Ты хочешь к нему поехать?

— Нет, конечно. Я просто испытываю твое терпение. Позвонишь мне, если что-нибудь наметится?

Я добралась до середины книги которую взялась перечитывать от безделья, когда она позвонила.

— У меня появился клиент, но он обращается к нам впервые. Не знаю, захочешь ли ты с ним связываться.

— Хмм. Я... — Вот как блещут умом и находчивостью мастера острот и колких ремарок. Я порой себя изумляю. Однако мне задали хороший вопрос. С самого начала работы с Персиком я сказала ей, что не интересуюсь новыми клиентами и хочу встречаться только с теми, кто точно не окажется полицейским. Достаточно того, чтобы один человек, близкий к моему кругу, увидел отчет о моем аресте — и я потеряю в своей жизни все самое дорогое.

— Как он тебе показался? — спросила я наконец.

— Вроде бы нормальный, судя по разговору. Ты же всегда можешь уйти, если тебе что-то не понравится.

Итак, я согласилась. Разговаривать с ним было очень трудно, но я привыкла к сложным телефонным переговорам, перестав придавать им особое значение.

Начнем с того, что у нас была странная договоренность: вместо того чтобы нажать на кнопку звонка у дверей, я должна была позвонить ему на сотовый. Сначала я думала, что у него просто сломан звонок, но это оказалось не так. Возле дверей меня встретил очень молодой и очень худой юноша, который разговаривал шепотом и велел мне молчать, пока мы не поднимемся на второй этаж.

На втором этаже была его спальня, обставленная с минимальными претензиями на дизайн и освещенная одинокой лампочкой, подвешенной прямо под высоким потолком. Мы сели на узкую кровать и стали обсуждать деловые вопросы.

— Поскольку ты раньше к нам не обращался, Персик попросила меня взять деньги вперед.

Он вытащил из заднего кармана бумажник, но не открыл его.

— Хорошо, мы договорились на сто шестьдесят, да?

Я почувствовала возрастающее напряжение.

— Нет, двести.

— Но дама, с которой я говорил по телефону, сказала, что это будет стоить сто шестьдесят!

«Дама? Сколько же ему лет?»

— Хорошо, — согласилась я, — давай позвоним ей и попросим все уточнить.

Он снова открыл бумажник, но денег по-прежнему не вынимал.

— Да ладно, я заплачу двести. Я только хочу быть уверенным в том, за что их отдаю. Мы же будем заниматься сексом?

Я застыла. Прозвучала хорошо знакомая мне цитата из «Теории Мира» в интерпретации Персика: полицейские всегда добиваются подтверждения того, что ты предлагаешь секс за деньги. «Или оружие в обмен на заложников», — пронеслось у меня в голове. Сейчас, правда, мне было не до веселья. Персик говорила, что перед арестом они обязаны добиться полной ясности.

— Мы можем заниматься чем угодно, — медленно ответила я, пытаясь сообразить, что же мне делать дальше. — Давай закончим с деловой стороной нашего вопроса и я сообщу Персику, что добралась до тебя. Потом мы обо всем поговорим.

Он хмуро, уставился в пол.

— Я просто хочу выяснить, что будет происходить. Мне надо убедиться в том, что в эту стоимость входит непосредственное занятие сексом.

Боже мой! Только не это! Я предприняла последнюю попытку.

— Знаешь, я не люблю забегать наперед. Давай пока просто познакомимся поближе, а там будет видно.

Его голова упрямо дернулась, и он пристально посмотрел на меня.

— Но мы будем заниматься сексом?

Я встала и как можно спокойнее спросила:

— Простите, вы — офицер полиции?

Мои слова произвели впечатляющий эффект, явно не способствовавший смягчению атмосферы.

— Нет, — ответил он, растерянно покачав головой. — А вы?

Я неправильно его поняла, пытаясь обезопасить себя, что было вполне понятно при моих обстоятельствах. Он оказался ужасно стеснительным юношей с минимальным умственным развитием и навыками общения. После всех обсуждений он отдал мне требуемую сумму, прослушал мой разговор с Персиком и занялся со мной сексом без единого слова.

На этот раз я ошиблась. Но я вполне могла оказаться правой, и с этой мыслью я покинула своего клиента, не дожидаясь исхода часа.

Я предполагаю, что если бы меня все-таки арестовали, то Персик внесла бы за меня залог, и сделала бы все, что было в ее силах. Однако мысль о самой возможности ареста меня пугала. Как я уже говорила, Персик всегда ждала от людей выполнения ее требований. В данном случае меня это совершенно устраивало.

Под Новый год я написала себе список дел на ближайшие триста шестьдесят четыре дня. Обычно я не прилагаю особых усилий к их исполнению. Список всегда получается каким-то запутанным и неприятно однообразным из года в год: сбросить несколько килограммов веса, прочитать больше образовательных книг, серьезно заняться своим здоровьем, выучить новый язык, поддерживать отношения с людьми и стать более аккуратной. В этом году мне пришлось серьезнее задуматься о своей жизни. Конец декабря и начало января выдались тихими. За все это время я была один или два раза на вечеринках, на стихийном новогоднем коктейле на кафедре и на паре туров игры в «эрудит», куда меня заманила Персик. Да, и еще Ирен устроила странноватый карнавал с костюмами. Я ходила всюду, куда меня приглашали, и старалась быть милой и развлекаться.

Все это время я размышляла о том, что со мной происходит, и о рождественском ужине в доме родителей Луиса. Я думала о том, где успела побывать и куда направляюсь дальше.

Мне казалось, что я нахожусь на перепутье. Моя настоящая карьера наконец-то начала развиваться и становиться такой, какой я мечтала ее видеть. Мне пообещали столько часов занятий, сколько мне нужно, и логично было бы предположить, что через год или два при такой востребованности я смело могу рассчитывать на вожделенное место в постоянном преподавательском составе. Я определенно обрастала хорошими связями как в своем университете, так и в других учебных заведениях, куда меня приглашали с лекциями. Моя жизнь выглядела более позитивной и определенной, чем когда-либо раньше.

Однако мне по-прежнему не хватало денег. Я не могла платить за жилье или покрыть накопившиеся за все время кредитные счета, многие из которых были результатом деятельности моего уродского бывшего любовника. К тому же я не полностью вернула кредит за обучение, у меня была довольно дорогая медицинская страховка и многое другое. Уверенность в завтрашнем дне при таких тратах придет только с получением хорошей постоянной работы, такой же зарплаты и всех остальных благ, с ними связанных.

Получалось, что я должна была по-прежнему работать у Персика. Вопрос заключался лишь в том, как долго это будет продолжаться и насколько эта работа может повлиять на мою основную профессиональную деятельность. В то же время

12 Зак. № 723

в моей голове роились сотни других вопросов, планов и списков. Как мне все это соединить, чтобы не разрушить свою жизнь?

В моем нынешнем состоянии не могло быть и речи о проявлении у меня яркого таланта и исключительной работоспособности. Курс, посвященный проституции спас меня, но сложившуюся ситуацию надо было менять. Мои преподавательские способности страдали от недостатка сна и неспособности жить без наркотика, чтобы проснуться, и снотворного, чтобы уснуть. Я не употребляла кокаина с конца семестра и на новогодних вечеринках была сдержана с алкоголем, но тем не менее у меня не было иллюзий на свой счет. При четырех занятиях в неделю и четырех вызовах за тот же отрезок времени возвращение к старым путям неизбежно. Только в этот раз у меня не будет преимущества новизны, которое отвлечет внимание от моих сбивчивых лекций, опозданий и сомнамбулического состояния. На этот раз мне нечем будет прикрыть неприглядную действительность, и моя карьера может оборваться, так и не начавшись.

И Луис... Я понятия не имела, что с ним делать. Его любовь к ночным развлечениям лишь осложняла и без того нелегкую ситуацию. Если бы я работала на Персика только по выходным, то Луис по-прежнему отнимал бы у меня время на неделе. Я быстро подсчитала на крае конверта, что мне необходимо работать три или четыре раза в неделю, чтобы покрыть свои счета.

Самым важным моим делом на этот год было изобретение способа, который помог бы мне выбраться из этого положения. Одного вечера для этого не хватит. Я посмотрела телевизор, подняла за Скуззи бокал вина и пошла спать.

Как оказалось, мне не стоило беспокоиться об отношениях с Луисом. Он сам разрешил эту проблему.

Глава шестнадцатая

Луис и сам видел, куда все шло.

— У взаимоотношений мужчины и женщины может быть лишь два финала, — как-то сказал он. — Жениться или разбегаться.

Спустя несколько месяцев совместной жизни мы поняли, что пожениться не сможем.

Мне кажется, разрыв с Луисом подействовал на меня сильнее, чем мне хотелось бы признать. Я была очень сердита на него и на себя и какое-то время испытывала только это чувство.

Занятия начались в первой декаде февраля. Я работала у Персика по выходным, стараясь за это время сделать как можно больше: два вызова в субботу и один в воскресенье, оставляя неделю для подготовки к занятиям. Персик не понимала происходящих со мной перемен, и даже была оскорблена, когда я пару раз отказалась от ее приглашения на коктейль и партию в «эрудит», ссылаясь на нежелание сталкиваться с Луисом.

Мне было очень нелегко воздерживаться от прежнего образа жизни. Я думаю, что Персик намеренно хотела вернуть меня в свою кампанию, несмотря на мое сопротивление. Я не думаю, что у нее были какие-либо злонамеренные цели: просто я ей нравилась, и она без меня скучала. Как-то она позвонила и пригласила меня на обед, пообещав сразу после него организовать встречу с клиентом. Я не хотела ее злить, тем более что это могло отразиться на моем доходе, и согласилась.

В то время в районе, где проживала основная часть наших клиентов, было достаточно много ресторанчиков. Когда Персик предлагала где-нибудь пообедать, мы почему-то почти всегда встречались в одном и том же излюбленном ею месте. Это был ресторан смешанной азиатской кухни, находившийся в одном из крупных гостиничных комплексов города. Персик каким-то образом сумела подружиться с владельцем этого шикарного заведения. Он часто пользовался ее агентством: для себя, для своих друзей, заезжих компаньонов. У них даже была договоренность с самой гостиницей, и ключи от номеров всегда чудесным образом оказывались в распоряжении тех, кому они были нужны. Я сама встречалась в этой гостинице с клиентами: официантами из ресторана, японскими бизнесменами. Они всегда брали с собой напитки и закуски местной кухни: готовили там исключительно. Однажды владелец этого заведения предложил мне в любое время заходить к нему на коктейль и пообещал каждый раз предоставлять клиента, если нужно. Я не стала ловить его на слове.

Один из клиентов, с которым я там встречалась, оказался шеф-поваром основного ресторана, и в конце вечера он протянул мне свою визитку.

— Это мое новое заведение, — сказал он. Оказалось, что он решил открыть собственное дело, ресторан суши, где-то в пригороде Бостона. Я пожелала ему удачи, взяла карточку, пообещала заглянуть к нему и сразу же об этом забыла. Как оказалось, он был прав, покидая насиженное место: этот ресторан спустя несколько месяцев закрылся, и вместо него осталась какая-то закусочная.

Иногда прошлое накатывает на меня волной, но не для того, чтобы задушить, а просто чтобы напомнить о своем существовании. Прошлым летом я была на конференции в колледже Уэллесли и разговорилась с коллегой о еде.

— Тебе нравится суши? — спросила меня она. — Дам тебе совет: старайся реже питаться в городе. Представляешь, лучший суши-ресторан во всей Новой Англии находится недалеко отсюда! — И она назвала ресторан, который был упомянут на визитке обособившегося повара. Мне приятно было думать, что еще кому-то, кроме меня, удалось выжить и построить свою жизнь.

Смешные мелочи время от времени напоминают мне о прошлой жизни, которая осталась позади. По-моему, нам полезно иногда вспоминать, как мы жили и откуда пришли. На короткое мгновение я улыбнулась воспоминаниям, оказавшись уже не на конференции, а в гостинице с богатым японским бизнесменом, покупающим мне коктейли. Та я, которая осталась в прошлом, была одета в платье за восемьсот долларов и ощущала себя на вершине мира. Я не могу назвать эти воспоминания неприятными, но в тот ресторан предпочту не ходить. Эта глава окончена, и я довольна своей настоящей жизнью.

Кроме того, мой муж терпеть не может суши.

На дворе был февраль, я снова вела занятия, встречалась с Персиком, когда чувствовала, что еще не слишком устала и могу воздержаться от лишней дозы кокаина, и работала на нее исключительно по выходным.

Мне стало гораздо лучше. Может быть, на меня так подействовало суши, которым я питалась все это время. В моих лекциях появилась какая-то новая страсть, убежденность, которой не было раньше. Возможно, эта перемена произошла благодаря позиции Луиса, задевшей в моей душе самые тонкие, болезненные струны. Домыслы и стереотипы всегда были спутниками недостаточного знания и неумения критически мыслить. Мне нравится высказывание Эммы Голдман: «Самый страшный враг общества — неведение». Я чувствовала, что должна что-то с этим делать: гнев и злость, которую я ощущала с того времени, как ушел Луис, наконец-то нашла форму и направление для своего выражения.

Первая часть курса по изучению явления проституции была построена исключительно на исторических фактах. «Вестфальские девственницы и все такое», как говорила мой новый администратор Вики. Она не была еще ассистентом преподавателя, но очень помогала мне, делая ксерокопии материалов и подбирая для меня литературу в библиотеке. Я жалела, что не могу смешивать два совершенно далеких друг от друга мира, — Персик и Вики могли бы прекрасно сработаться. Яркая, энергичная, невозмутимая, незамужняя и постоянно нуждающаяся в деньгах девушка, у Персика Вики могла зарабатывать не меньше тысячи долларов в неделю.

Я решила включить в лекцию тему мужской проституции, поскольку потребность в приобретении сексуальных услуг выходила за рамки половой принадлежности, понятий о возрасте и расовых или этнических традиций. Я без труда нашла упоминания об этом явлении в хрониках Древнего мира, более терпимого к гомосексуализму, чем современная культура. Правда, как свидетельствует история, толерантность была крайне непостоянной спутницей развития общества.

Утром во вторник я стояла перед своими учениками, приготовившись шокировать их информацией, которую они вряд ли хотят услышать и едва ли сумеют проигнорировать, возвращаясь к ней в ночных кошмарах. Меня всегда удивляли люди, считавшие историков кроткими наивными мечтателями. Так могут думать только те, кто не имеет понятия о цикличности насилия и кошмаров, составляющих суть истории человеческой расы. Поверьте мне: историки знают об этом лучше кого-либо другого.

— Когда я готовилась к выпуску из университета, — обратилась я к студентам, — у меня был приятель, который часто шутил: «Константин принял христианство, тем самым положив начало эре заката великой империи». — Студенты вежливо улыбались и даже позволили себе пару негромких смешков. — Мой друг был прав, — продолжила я. — Последователь Константина, Феодосий, под страхом смертной казни запретил продажу мальчиков для проституции. К сожалению, люди, которым было поручено исполнить это указание, исказили его суть и, вместо того чтобы наказывать работорговцев, стали преследовать самих мальчиков. В Риме проституток выволакивали из мужских публичных домов и заживо сжигали на улицах под одобрительные крики толпы. — В аудитории повисла тишина. Больше никто не улыбался. Я продолжила уже мягче. — Зная о лицемерной человеческой сущности, мы можем предположить, что среди толпы обязательно находился один или два постоянных клиента убиваемой жертвы.

Я немного подождала, затем пригласила студентов к обсуждению.

— Как вы думаете, почему гомосексуализм подвергался такому гонению во времена правления Феодосия, хотя до него гетеросексуальная и гомосексуальная проституция были обычным явлением для империи?

Ответом мне снова была тишина. Студенты либо пытались избавиться от страшных картин, которые я нарисовала, либо размышляли над моим вопросом. В воздух поднялась рука.

— Потому, что христианство считало проституцию грехом, а император был христианином?

Я кивнула.

— Проблема заключалась в гомосексуализме или в том, что его практиковали проститутки?

Другая рука.

— И то, и другое. Разве Церковь не утверждала, что секс должен служить продолжению рода? Ни гомосексуалисты, ни проститутки не собирались рожать детей.

В аудитории послышалось хихиканье, дающее выход нервному напряжению.

— Хорошо. Я вижу, вы прочитали свое домашнее задание. — Я вышла из-за своего стола и присела на него. — Есть еще одна причина. Власти видели в гомосексуализме суть использования мужского тела таким образом, как должно быть использовано тело женщины во время полового акта. Кто воспринимал это как надругательство?

В этот раз руку не поднял никто. Ну что ж, они хотя бы прочитали часть из того, что им было задано, все лучше, чем ничего.

— Вспомните Августина, апостола женоненавистничества. Он сказал, я цитирую, — я взяла книгу и стала читать: — «Тело мужчины совершеннее тела женщины, и оно выше его, как душа выше тела».

Глаза слушателей заблестели. Теперь они принадлежали мне и были готовы слушать, слышать и размышлять. Больше рук никто не поднимал, но это не мешало им разговаривать.

— Вы хотите сказать, — начал молодой человек из первого ряда, — что гомосексуализм стал неприемлем потому, что делал мужчин похожими на женщин? Так это все было с самого начала против женщин?

Я пожала плечами.

— А вы как думаете?

Я не пыталась никого ни в чем убедить. Я только хотела, чтобы они могли сами прийти к выводам, размышляя над конкретной информацией. Я хотела внести свой вклад в развитие человечества, чтобы следующее поколение избавилось от менталитета овцы, слепо верящей отрывочным сведениям, которые ей предлагают средства массовой информации или политические деятели. Умение учиться, узнавать, оценивать то, что узнали другие, позволит человеку основывать свои убеждения на чем-то большем, чем слухи и ощущения.

Хорошо, признаюсь, в глубине души я идеалистка, и в то снежное утро, стоя в своей аудитории, думала, что все это возможно.

Глава семнадцатая

Лекция о публичных домах Римской империи вернула меня к мыслям об организации проституции как сферы обслуживания и о том, кому это выгодно. Кто решает, как будут вестись дела в публичном доме или агентстве эскортных услуг? Как это отражается на благополучии их работников?

Если я задумывалась о том, правильно ли выбрала агентство Персика, то вскоре стала понимать, что мне просто удивительно повезло. Для того чтобы прийти к этому выводу, мне было достаточно встретиться и поговорить с другими девушками, работавшими у Персика.

Некоторые из этих молодых женщин привыкли к частым вызовам, можно сказать, даже стремились к тому, чтобы больше работать. Кто-то слишком легко тратил большие суммы. Шальные деньги часто лишают человека способности трезво оценивать ситуацию. Особенно часто это происходит, если он молод, чувствует себя почти всемогущим, постоянно нуждается в средствах и уверен в том, что такая жизнь будет продолжаться вечно. Таким девушкам были нужны деньги в больших количествах, чаще и быстрее, чем мне. Поэтому помимо работы на Персика они старались подрабатывать в других агентствах, где клиентов было больше и вызывали их чаще. Это увеличивало риск возникновения неприятных ситуаций, но о них на тот момент никто не думал. Персик не могла гарантировать четыре или пять вызовов за вечер, а некоторые агентства могли, — и это было важнее.

Встречаясь с девушками на парных вызовах, подвозя их домой, знакомясь с ними на вечеринках и праздниках, я начала понимать, как тревожна реальность такой жизни.

Я расскажу несколько историй в качестве учебных примеров, своеобразных этюдов частной жизни.

Жила-была Пола. В Нью-Гэмпшир она приехала, чтобы учиться в колледже. Устроившись на временную работу в баре, она с удивлением поняла, что в ее обязанности входит оказание сексуальных услуг некоторым из клиентов. Из бара Пола ушла, разбив по дороге несколько бутылок. Она решила, что сама будет определять, когда, где и с кем заниматься сексом, и стала ездить в Бостон на автобусе, чтобы две ночи в неделю работать на Персика.

Мы познакомились на двойном вызове в Куинси, после которого я подвезла ее на Южную автобусную станцию. Мы рано закончили и, поскольку у меня не было других вызовов на этот вечер, решили перекусить в «Блю Диннер» и поболтать.

Пола перешла работать к Персику, потому что ей не нравились порядки в ее прежнем агентстве.

— Хозяин агентства, Ли, не разрешал нам пользоваться своими машинами. Вот мы всегда и зависели от милости водителей, которые все были редкостными уродами. — Произнося эту тираду, она зажгла сигарету. Да, хорошие были времена, когда позволялось курить в публичных местах!

— Последним испытанием для меня стала прошлая весна. Я приехала, чтобы обслужить несколько клиентов, которые обратились в агентство. На станции меня встретил водитель и отвез в какую-то квартиру в районе Дорчестера. У Ли тогда появилась новая идея: он собирался заняться распространением секса по Интернету, ну, знаешь, всякие сайты с видеозаписями. Он даже начал организовывать для этого студию, такую комнату, где стоит только кровать и камера. Понимаешь? Вот, водитель отвез меня в эту студию и оставил там, сказав, что, как только появится работа, они сразу позвонят мне на сотовый.

— Они оставили тебя в пустой квартире? — ужаснулась я. Пола пожала плечами.

— Да. Меня могли оставить там или в каком-нибудь баре. Одно место не лучше другого. Кстати, я не уверена, что та комната была совершенно пуста. Мне кажется, что они тогда уже смонтировали и подключили камеры. У меня было неприятное чувство, что за мной постоянно наблюдают, казалось, что, быстро обернувшись, я смогу увидеть того, кто это делает. К тому же я не знала, у кого есть ключи от этой квартиры, поэтому мне было неуютно и страшно засыпать. Туда мог войти кто угодно.

Ловкач Ли оставил Полу в этой комнате на три дня. Она не могла уйти, потому что у нее не было денег ни на автобус, ни на такси, чтобы добраться до станции. Она ничего не брала с собой, потому что рассчитывала в Бостоне не тратить деньги, а зарабатывать. Девушка звонила в агентство, ее уверяли, что работа появится очень скоро, и она продолжала сидеть там под светом одинокой лампочки. Сначала прошел час, потом второй и третий. Она продолжала звонить в агентство, пока ей не сказали, что если она не прекратит беспокоить их понапрасну, то работы ей не видать.

Она задремала, а утром ей позвонили с объяснением, что в агентстве нет свободного водителя, чтобы довезти ее до станции, но если она согласится остаться, то этим вечером у нее точно будет работа. В квартире не было еды, и здание, в котором она находилось, похоже, стояло в жилом районе.

Пола боялась выйти без разрешения хозяина, и у нее все равно не было денег, чтобы купить еды. Ее отправили к клиенту лишь в четыре часа ночи. В соответствии с правилами этого агентства, деньги у клиентов собирали водители, а тот, которого прислали с Полой, не дал ей ни цента. Ли заявил, что ей ничего не заплатят до тех пор, пока она следующим вечером не обслужит еще одного клиента, который заказал именно ее.

В половине шестого утра девушку опять высадили у этого здания в Дорчестере. Она по-прежнему ничего не ела. В течение дня ей удалось немного поспать, и в десять вечера ее отвезли на запланированный вызов. После этого ей неохотно заплатили, но к тому времени она уже опоздала на автобус до Манчестера. Ей пришлось провести третью ночь в квартире на Дорчестере, а утром Пола вызвала такси и с автобусной станции позвонила Ли, чтобы заявить о своем увольнении.

Не можете в это поверить? Тем не менее это правда.

Кими до встречи с Персиком тоже работала в других агентствах. Ее последний хозяин, как мне кажется, тоже мужчина, отправил ее на рыбалку за пределы Глостера.

— Я должна была стать подарком на день рождения для одного клиента, — объясняла она мне, когда мы разговорились в одном из модных баров, где Персик устроила вечеринку. Это место находилось в деловом районе города и пряталось под одной крышей с банком.

— В общем, так было спланировано. Водитель отвез меня в Глостер, потому что Хови не позволял нам передвигаться самостоятельно. Это позволяло ему держать нас на коротком поводке. — Она вздрогнула, а я стала с любопытством ее рассматривать. Кими была великолепна: длинноногая блондинка с прекрасными зелеными глазами необычной формы. Она была очень приятной девушкой: помогала своим престарелым соседям, бесплатно участвовала в программе искоренения неграмотности среди взрослых. К тому же она готовилась к выпуску из вуза по специальности, связанной с химией, и в одиночку растила ребенка. Мне было неприятно думать о том, что кто-то мог бессердечно с ней обойтись.

— День был чудесный, я заранее приехала на лодку и стала ждать именинника в спальне, сидя на кровати с большим бантом на груди. Таким, с длинными лентами, представляешь себе?

— Представляю, — подтвердила я.

— В общем, гости собрались, лодка вышла на большую воду, а потом они заглушили мотор. Присутствующие уже выпили по третьему бокалу пива и достали свои удочки. Потом они послали кого-то за мной. Это действительно был сюрприз. Для меня.

Заговорив снова, Кими не смотрела мне в глаза. Она отчаянно шарила взглядом по яркой обивке мебели, стоящей вдоль стены, где сидела Персик, смеясь и болтая с одним из владельцев бара. Кими согласилась на вызов, который должен был длиться целый день, когда ее заверили в том, что он был оплачен друзьями новорожденного в качестве подарка, и ее единственным партнером будет именно он, если только она сама не решит иначе. Однако все решили за нее.

— Это нельзя было назвать изнасилованием, — задумчиво продолжила Кими, глядя вдаль перед собой. — Правда, меня вынудили на все это согласиться. Я думаю, если бы я не согласилась, то это можно было бы считать изнасилованием.

Вынужденное согласие исключает насилие? Мне по-прежнему трудно принять этот факт. Даже сейчас, после всего, что мне довелось пережить.

Самое худшее началось, когда кончилось пиво и лодка подошла к пристани. Кими шла, с трудом переставляя ноги, ей было холодно и больно. Водитель ждал ее в машине.

— Ты можешь себе представить, он опросил каждого из присутствовавших, чем он со мной занимался, и, мать его, составил дополнительный счет! — Кими закусила губу. — Хови с самого начала знал, что там будет происходить. Он просто не стал меня об этом предупреждать.

С Энджи мы познакомились на двойном вызове в ортопедической клинике, после которого я подвезла ее к бару на юге Бостона, где она встречалась со своим любовником. Она работала на два агентства одновременно. Ей больше нравилось работать у Персика, но у нее часто бывало меньше заказов, чем в других агентствах. Энджи называла Персика и хозяина второго агентства, на которое она работала, «агентами», что делало все происходящее похожим на жизнь в мире шоу-бизнеса.

Каждый вечер она отмечалась в обеих службах и, как только получала вызов от одной из них, — предупреждала об этом другую. Когда встреча с клиентом заканчивалась, она снова давала о себе знать. Для меня все это выглядело слишком сложно. Все время, пока она сидела у меня в машине. Энджи звонила по телефону, читала сообщения со своего пейджера и перебирала бумажки с записями, чтобы организовать оставшуюся часть вечера.

Второе агентство явно было двойником того, которым управлял Ли.

— Черт, они хотят отправить меня к Джерому, — вздохнула она.

— Сложный клиент? — спросила я с сочувствием.

Как оказалось, сам Джером не был сложным клиентом. Сложной была договоренность, которой он достиг с агентством.

— Мне всего лишь надо принести ему кое-что от водителя. Джером платит мне за это сверх обычной таксы за вызов.

У меня не было никаких заблуждений о том, что значит слово «кое-что».

— И сколько ты должна принести?

Она заерзала на сиденье.

— Двадцать восемь.

Я чуть не слетела с дороги.

— Что? Двадцать восемь граммов? Ты с ума сошла?

Она внимательно рассматривала свои длинные, красные накладные ногти.

— Меня всего лишь просят передать ему пакет.

— Всего лишь? — Единственным, чему меня научила жизнь с уродом Питером, было представление о том, каким может быть наказание за торговлю наркотиками. Он постоянно об этом говорил, что, правда, не мешало ему продолжать свой бизнес. Ему просто нравилось размышлять об этом вслух.

— Значит, он просто высаживает тебя перед домом, ты заходишь внутрь с пакетом, а час спустя выходишь оттуда без него. Он просто сидит и ждет тебя, и никому в голову не приходит заинтересоваться тем, что происходит?

Она снова заерзала.

— Он высаживает меня на улице, не доезжая до самого места.

Еще лучше.

— Энджи, тебя могут упрятать за решетку на пятнадцать лет. Эта деятельность называется «распространение наркотиков», а Массачусетс славится строгим отношением к распространителям.

Она повернулась и посмотрела на меня.

— Оставь меня в покое, поняла? Я должна это делать, ясно тебе? Мне нужна работа. У меня дома двое детей, и если я не буду оказывать агенту услуг, он просто не будет давать мне работу. Так что давай закроем тему.

И я ее закрыла.

Послушав такие истории, я поняла, что мне не просто повезло с Персиком. Я поняла, что в любом другом месте была бы обречена.

Я не могла представить себе, как можно работать в службе, которая не только торгуется за каждый «пункт меню», но и принуждает саму девушку заниматься улаживанием финансовых вопросов. К тому же, если заработанная сумма не устроит водителя или хозяина агентства, винить в этом они будут только ее.

Елена, одна из многих русских девушек, работавших в Бостоне этой зимой, объяснила это так:

— За то, что ты приедешь к клиенту, он должен заплатить шестьдесят долларов. Дальше он рассказывает тебе, чего хочет, а ты подсчитываешь, сколько это будет ему стоить. Поцелуй и объятия стоят сорок долларов, минет — шестьдесят, обычный половой акт — сто и так далее.

«И так далее»... Эти простые слова задели мое воображение, заставив его рисовать причудливые сцены. Я представила себе самых сложных клиентов, которые и так затевали с нами сложные игры, стараясь полностью нас контролировать. С ними было достаточно тяжело даже без необходимых пререканий из-за стоимости. Я четко увидела, как они в течение десяти или пятнадцати минут, которые, кстати, не будут оплачены, терзают меня вопросами о том, каким именно образом я сделаю минет сто́ящим тех денег, которые за него просят. Для меня это было бы сплошным унижением, а клиент так и не понял бы, что для него этот процесс не менее унизителен, чем для меня.

Для того чтобы перейти от состояния спора, брани и противостояния к сексуальной близости, нужно обладать особенным сознанием.

В общем, я была рада, что нашла агентство Персика.

Должна признаться, что иногда я чувствовала некоторое самодовольство. Однажды я была на настоящем свидании, которое организовала для меня Ирен. Мы ходили в китайский квартал на суп и лапшу, а домой ехали по Ниланд-стрит, где на каждом углу, возле каждого фонарного столба стояли девочки. Они были на виду, им негде было спрятаться. Вместо того чтобы испытывать благодарность судьбе за то, что мне не приходится быть одной из них, я почувствовала свое превосходство над ними. Пусть агентство Персика и не обслуживало политиков высшего ранга и самых сексуальных актеров Голливуда или самых богатых людей Силиконовой долины, но даже пребывание на ранг или два ниже того уровня было приятным.

Я не горжусь этим чувством, но оно мне знакомо.

Снег растаял только во второй половине марта. Все вокруг говорили: «Не расслабляйтесь. Помните бурю и снегопад в апреле?» Жители Новой Англии любят так говорить, хоть пресловутый снегопад ни разу не повторялся с тех пор в течение нескольких лет. Прошла сессия, и я целую неделю не звонила Персику, потому что мне было необходимо собраться. После того как я закончила, у нее не было для меня вызовов три или четыре вечера, и я никак не могла понять, случайность ли это.

Я была в фитнесс-центре, где после двадцати пяти кругов в бассейне блаженствовала в ванне с гидромассажем. В этот момент мне позвонила Персик. Мой сотовый зарегистрировал сообщение, и я сразу же ей перезвонила.

— Что нового?

— Джен, я подумала, что тебе лучше будет услышать это от меня, — сказала она с показной грустью в голосе. — Умер Билл Френсис.

Я принялась ворошить память.

— Билл Френсис? — Потом я его вспомнила — он был одним из самых давних и преданных клиентов Персика. Я иногда с ним встречалась: он жил в Бикон-хилл, в одном из домов, фотографии которых помещают на открытках. Я помнила только, что он был неплохим человеком. Просто еще один ничем не выдающийся мужчина. Если подумать, то почти все они такие. Очень хорошие и очень плохие были исключением из общего правила. Персик продолжала говорить:

— Я просто не хотела, чтобы ты расстраивалась.

— Как он умер? — спросила я, поскольку было ясно, что она изнемогает от желания рассказать мне об этом.

— Я слышала, что кто-то вломился к нему в дом, а хозяин пострадал, когда попытался их выгнать. Не знаю, как все произошло, знаю только, что он умер.

Я не стала спрашивать, откуда она получила эту информацию.

— Мне очень жаль, Персик. Ты, наверное, очень расстроилась? — Не только из-за потери клиента: Персик разговаривала с ними по нескольку раз в неделю, иногда это были долгие разговоры. Некоторые из клиентов приобретали для нее статус хороших знакомых.

Билл Френсис ничего для меня не значил, и я была очень удивлена следующей ночью, проснувшись в слезах и поту, не в силах избавиться от остатков ночного кошмара. Я видела смерть.

По моему лицу бежали слезы. Я зажгла все светильники в квартире и заставила себя смотреть поздние телевизионные шоу, но черные мысли не уходили, притаившись в уголках моего сознания в ожидании того часа, когда я снова лягу спать и окажусь в их власти.

Я сидела, неосознанно раскачиваясь вперед и назад, будто бы пытаясь себя утешить. Слезы не останавливались, и я ничего не могла с ними поделать. Я почти не знала этого человека, у меня не было связанных с ним историй, и я не помнила ничего из того, что он мне говорил. *Он просто был одним из клиентов*. И все равно, мои слезы не иссякали.

Мне снился не сам Билл. Скорее, это были видения о горе, потере, о тех, кто когда-либо был мне дорог, о моих страхах, о том, что меня ждет впереди.

На следующий день я вела занятия по теме «Смерть: процесс и результат».

Там я рассказала о своем умершем «друге», о кошмарах, которые мне приснились накануне, о ярких мертвящих образах, и весь рассказ постепенно перешел к теме, которую я хотела оставить на более позднее время, но внезапно изменила свои планы. Мы стали говорить о смерти и искусстве. Я перешла к ней потому, что искусство большей частью исходит от подсознания, где смерть непостижимым образом связана с жизнью. Мы перешли к обсуждению Гойи, Дали и Босха.

Наблюдая за активным участием студентов в работе, я размышляла о том, что мог подумать Билл Френсис, узнай он, что одна из его девочек историей о нем тронула сердца других людей. Мне хочется думать, что ему это было бы приятно.

Глава восемнадцатая

В мае предстояли экзамены, а затем – свобода летних каникул. Мне становилось все труднее удерживать внимание студентов на теме занятий, да и вообще они стали гораздо реже их посещать. Как оказалось, вопрос дисциплины в этом колледже стоял особенно остро.

Кто знает, может, я когда-нибудь поеду преподавать в Китай. Генри рассказывал мне, что студенты там уважают своих профессоров, считают возможность учиться привилегией и работают на износ. В нынешнем году, правда, мне не удастся это сделать.

На лекциях о жизни в психиатрической клинике мы говорили об использовании средств, ограничивающих подвижность пациентов. В девятнадцатом веке людей просто привязывали или пристегивали к чему-то неподвижному: к стулу, колонне или стене.

– Итак, что мы узнали? – саркастически спросила я старшекурсника.

— В наше время в клиниках используются химические средства для ограничения подвижности пациентов. Им просто делают укол, и они становятся зомби.

— Да, — подхватил его другой голос. — Как в той песне: «Зеркала на потолке, розовое шампанское на льду!»

— Что? — переспросила я, с удивлением услышав цитату из песни моего поколения. Более того, мне совсем не хотелось, чтобы обсуждаемое понятие обросло дополнительными толкованиями. — Что вы хотите этим сказать?

— Это слова из песни «Иглз», — терпеливо объяснил он.

— Я *знаю*, что это из песни «Иглз». Но я всегда считала, что в ней идет речь об использовании наркотиков.

— Ну да, только не наркотиков, а наркотических лекарственных средств, — подтвердил мои догадки студент. — Понимаете, я раньше подрабатывал в психиатрическом отделении, где лечились подростки. Во всех комнатах там были специальные зеркала в углу и на потолке, чтобы, заглянув туда во время обхода, вы всегда знали, чем занимается пациент в палате. Один из препаратов, который там применяли, я видел в шприцах, только забыл его название. Так вот, он всегда использовался охлажденным и был розового цвета. Поэтому я думаю, что «Отель Калифорния» — это название психиатрического госпиталя.

Для меня эта новость была поразительной, потому что давала возможность иначе взглянуть на привычную классику. Я решила его поддержать.

— Так вы работали в современной психиатрической клинике! Можете рассказать, какие средства для ограничения подвижности пациентов там использовались?

Он оглянулся на сокурсников, впервые подумав о своем имидже.

— Ну, я понимаю, что это было жестоко, и так далее, но там, понимаете, это все кажется логичным и необходимым.

По аудитории разнесся неодобрительный шепот.

— Расскажите, как именно это происходит, — мягко попросила я его.

— Понимаете, доктор Эббот, эти пациенты похожи на детей, а дети иногда не могут собой управлять. Они становятся не просто неуправляемыми, а опасными. В таких случаях, чтобы успокоить пациента, необходимо вмешательство других людей. Иногда эти ребята сразу же остывали, как только их связывали.

— Ну да, — заметил кто-то из класса. — Сторонники фашистских методов тоже хорошо умели обосновывать свои действия.

Эта реплика не сбила говорившего с толку.

— Нет, все было совершенно не так. Пациенты сразу чувствовали себя в безопасности. Какие бы кошмары ни населяли их головы, они знали, что мы не дадим им причинить себе вред. Они понимали, что их связывают или делают им уколы для того, чтобы уберечь их от самих себя.

В ответ оратору прозвучал еще один голос, и я дала развернуться дискуссии. Я сама вернулась назад во времени к тому моменту, когда поняла, что моя мать при смерти, и признала леденящую душу правду: она больна раком. Это было еще до знакомства с Питером. Я вспомнила, как сидела на кровати, плача и крича одновременно от гнева и боли, а мой любовник держал меня, пока я металась, не находя себе места. Я не знаю, что случилось бы со мной в ту ночь, не будь его рядом. Мне было очень плохо, но в то же время я чувствовала себя в безопасности, зная, что мне не позволят зайти слишком далеко. Я помню, как думала, что он не отпустит меня, не даст мне сорваться. Если бы я оказалась тогда одна, со мной могло случиться все, что угодно. Он сдерживал меня, пока я билась в истерике и злилась на него, мою мать и весь мир. Я выжила... Да, я могу понять необходимость и пользу применения некоторых ограничивающих средств.

Я вернулась в настоящее время и стала прислушиваться к тому, что говорили люди вокруг меня.

— Слушайте, ведь элементарные права человека требуют, чтобы никого не заключали в тюрьму без суда и следствия. Помещая людей в клиники и ограничивая свободу их передвижения, мы просто нарушаем их права.

— Работники таких лечебниц постоянно принимают решения в интересах своих пациентов, только пациенты могут не всегда быть с ними согласны. Что, если...

Я решила прервать разговор.

— Итак, время истекло! — Я сделала руками соответствующий жест спортивного рефери. — К нашей следующей встрече в среду кратко сформулируйте ваши взгляды на использование средств ограничения подвижности пациентов в условиях клиники. Вы можете выразить только свое мнение, но будет лучше, если сумеете подкрепить его реальными фактами. До встречи.

Студенты постепенно вышли из класса, продолжая спорить на ходу. Мне было приятно, что я смогла разбудить их мышление, разбередить их сердца так, чтобы они оказались способны к такому горячему выражению чувств и точек зрения. Чудом было уже то, что мне удалось сделать это в самом конце семестра.

Я же вынесла с этого занятия резкую головную боль.

Я села за стол и стала собирать свои бумаги. Ограничения... Я немного знакома с ними теоретически, с точки зрения средств, используемых в психиатрических лечебницах, и прекрасно знала о них по своей второй работе.

Мне всегда было трудно согласиться надеть наручники на вызове с клиентом. В моем представлении средства ограничения свободы плохо сочетаются с самим понятием секса. Я категорически отказывалась связывать себе руки, если не была хорошо знакома с клиентом. Не просто хорошо знакома, а знала его досконально.

Я делала небольшие исключения для постоянных клиентов, как только узнавала их поближе и приобретала уверенность в том, что они остановятся, когда я попрошу их об этом, и не станут переходить заранее оговоренные рамки.

Мне кажется, что фантазии об ограничении свободы посещают практически каждого человека, иногда так и оставаясь фантазиями. В отеле «Дабл-Триз» на Сторроу-драйв фойе не было ограничено потолком, и пространство над головой входящего заканчивалось только у самой крыши. Стеклянный лифт позволял пассажирам наблюдать за всем, что происходило на этажах, которые они проезжали: в гостиных, зонах отдыха и части жилых комнат через случайно открытую дверь.

Сам пассажир тоже оставался открытым для взора каждого любопытствующего.

Один из моих постоянных клиентов каждый месяц останавливался в этом отеле, приезжая в Бостон в командировки. У него был свой ритуал: встречая меня в фойе гостиницы, он сразу же надевал мне на руки наручники. То, что он делал это в публичном месте без единого слова объяснения, возбуждало его, как ничто другое. Он шел через фойе рядом со мной, держащей перед собой руки в наручниках, которые могли быть видны каждому, кто проявил бы любопытство. По-моему, ему больше всего нравилось подниматься в стеклянном лифте с женщиной, закованной в наручники, и понимать, что это может увидеть кто угодно. Эта ситуация провоцировала у него сильнейшее возбуждение. Однажды он даже кончил в штаны, просто проехав в лифте.

Я вздохнула и потерла виски. Эта бесполезная процедура никогда не облегчала головную боль, но я почему-то все время к ней прибегала. Размышления о наручниках постепенно перетекли в логическое продолжение этой темы. Сами по себе наручники как орудие ограничения свободы и осуществления дисциплины были только верхушкой айсберга.

Я часто сталкивалась с тем, что клиенты меня шлепали. Если я при этом не была связана, эта процедура меня нисколько не смущала, поскольку я всегда могла управлять ходом событий. Главное, чтобы клиент не был склонен к насилию и слушал, что я ему говорю. Мужчины всегда старались делать это легко, только для того, чтобы увидеть отпечаток своей ладони у меня на заднице. Я даже научилась угадывать, какой реакции они от меня ждут: слез или стоического молчания.

Если клиент был мне хорошо знаком, то ограничение свободы не причиняло мне беспокойства. Честно сказать, игра и некоторая интрига ускоряет ход времени и делает происходящее интереснее. Можно связать руки за спиной, над головой, пристегнуть их к дверному косяку или изголовью кровати. Однажды клиент попросил меня согнуться в поясе и пристегнул мои запястья к лодыжкам. Это положение может неплохо выглядеть в теории, но в практическом исполнении не слишком удобно. Мы использовали наручники, веревку, шарфы... Мы разыгрывали те фантазии, в которых мужчины не хотели признаваться ни самим себе, ни своим женам. Иногда они просто находят что-то в порножурналах или фильмах и хотят испытать это на себе, попробовать запретный плод.

Судя по тому, что я читала в прессе и Интернете, люди интересовались не только наручниками. Мне тоже это было интересно. У меня был опыт в садомазохистских сексуальных играх — они нравились человеку, который был моим любовником до Питера. Мне они тоже понравились. Очень понравились.

В тех отношениях я была подчиненной, а Люк доминантой. Когда я рассказала об этом своей подруге Ирен, она была поражена.

— Объясни мне, зачем в постели играть те же самые роли, которые навязывает нам повседневная жизнь? — потребовала она. — Похоже, ты просто усиливаешь негативные стереотипы.

Мне кажется, по отношению к некоторым ситуациям и людям ее высказывание было бы правомерным, но для нас с Люком выбранные роли и место их исполнения подходили идеально.

В те времена я еще работала над получением докторской степени. Я была просто обязана проявлять исключительную компетентность в области исследований и осведомленность о существующих по моей теме материалах. Их знания требовали университеты, в которые я обращалась. Я постоянно ходила на собеседования и была вынуждена изображать подходящего кандидата на любую из немногих вакансий, человека с железным стержнем, способного выдержать все нагрузки. Раз за разом мне приходилось предлагать себя на продажу. Я должна была стать воплощением собранности, убедительности и ответственности. Так получилось, что в своей жизни я сама принимала решения и отвечала за них. Когда мы с Люком стали играть в садомазохизм, даже при наших первых робких попытках я почувствовала невероятное облегчение из-за того, что ответственность за меня взял кто-то другой. Полностью доверяя Люку, я могла погружаться в свою роль настолько, насколько мне этого хотелось. В этих играх я узнала о себе нечто сокровенное, тайное, о чем и не подозревала раньше. В них я поняла, кто я такая и в чем заключается суть моего естества. Такое знание не давали ни дорогостоящие сеансы психоанализа, ни многочисленные курсы по психологии.

13 Зак. № 723

Мне повезло, что тогда рядом со мной был Люк. Для того чтобы садомазохистские игры носили здоровый характер, необходимы доверие и крепкие отношения между партнерами. Это не означает, что некоторые фрагменты таких игр нельзя использовать в отдельных ситуациях. Наручники являются любимой игрушкой многих партнеров, и, по-моему, многие мужчины хотели бы зайти немного дальше и попробовать запретные игры и игрушки, но стесняются признаться в этом даже девочкам по вызову.

Большинство сексуальных нужд и предпочтений наших клиентов находятся внутри определенных предсказуемых параметров. Чаще всего, не отважившись попросить чего-то более смелого, они получали банальный «ванильный» секс. С той лишь разницей, что он происходил в разных позах и местах: на кухонных столах, на улице, в дверях, на тренажерах. Клиентам нравилось, когда мы разговаривали, вернее, ругались такими словами, которые они сами использовать не решались.

Я же была настроена на нечто более необычное и причудливое. Если мне не приходилось пробовать какую-либо форму секса на практике, то я о ней читала. Многие вещи, о которых я читала, шокировали бы большинство наших клиентов. Более того, они шокировали меня саму.

Я заставила себя очнуться от грез, собрала свои книги в портфель и вышла в коридор, который был совершенно пуст. Студентов отделяли от свободы всего несколько экзаменов. Если к ним кто-нибудь и готовился, то это явно происходило не на территории университета.

«Ты превращаешься в брюзгу! – пробормотала я про себя. – Тот факт, что ты была одержима учебой в их возрасте, не означает, что все должны быть такими же, как ты. Живи и дай жить другим. Есть множество разных способов влезть на елку и сохранить в целостности все нежные части тела. К тому же нельзя судить о людях, не побывав в их шкуре. – На минуту я замолчала. – И хватит пользоваться банальными идиомами», – добавила я, подумав.

У меня в машине был «экседрин». Я потянулась к нему с трепетом богомольца, простирающегося к святой иконе. Для верности я проглотила сразу три таблетки.

По дороге в Олстон, в ожидании действия «экседрина», я снова думала о том, как нелепо мое разочарование в недостатке фетишей у моих клиентов. Это может означать, что мне просто необходимо оживить свою собственную личную жизнь. Ради бога! Неужели я ожидаю от клиентов удовлетворения собственных потребностей?

Итак, что же нравится большинству мужчин?

Скорее, я больше знаю о том, что им не нравится. Они поразительно придирчивы к внешнему виду девушек и сторонятся женщин, которые в чем-то выходят за рамки узких критериев признанной красоты. Удивительно, но большинство клиентов четко заявляют, что не хотят встречаться с девушками с пирсингом. Я думаю, они имеют в виду проколотые пупки, брови и губы, с чем я в принципе могу согласиться, поскольку их вид может сбивать с настроения. Однако по отношению к колечкам в соске и на вульве мнения разделяются. Правда, избирательность мужчин служит им плохую службу, поскольку сейчас в Бостоне почти все девушки, достигшие двадцатилетнего возраста, носят украшения по меньшей мере в одном непривычном месте. Некоторые из них выглядят так, будто упали с лестницы, держа в руках открытую коробку с рыболовными крючками.

Однако пирсинг является прерогативой юности, а большинство наших клиентов находились, как сказали бы французы, «в определенном возрасте» и не могли оценить прелестей металлического декорирования тела.

Почти все клиенты обожали ощущение власти, что во многом говорило об их самооценке. Некоторые из них старались использовать любую ситуацию, чтобы надавить на девушку, приехавшую на вызов. Если она опаздывала, они устраивали из опоздания феерическое шоу, давая ей понять, что уже недовольны ею. Многие девушки, работавшие на Персика, не воспринимали эти игры всерьез, но новички, поверившие высказываниям недовольного клиента, часто переживали. Клиенты об этом прекрасно знали.

Среди таких типов был один, сыскавший себе особенную славу среди девушек Персика. Встречаясь, мы делились друг с другом историями о нем и в конечном итоге пришли к выводу, что он возвел манипуляцию людьми в ранг искусства.

Он всегда старался вмешаться в обычный ход жизни девушки. У него были серьезные проблемы со здоровьем: слабое сердце и сонм сопутствующих болячек. К тому же он весил около двухсот килограммов. Я не преувеличиваю. Единственная форма секса, которая могла произойти у Эйба с женщиной, заключалась в энергичном стимулировании его пениса руками, и то после того, как он будет найден в обширных складках его живота. Разумеется, он пользовался своим состоянием. Сначала он играл на жалости, выставляя себя жертвой обстоятельств. Это всегда проходило на «ура» — на свете много женщин, готовых пожалеть несчастного страдальца.

Затем он внимательно прислушивался к любой информации, которая поступала от вас. Вы вдруг начинали рассказывать Эйбу то, что и не подумали бы сказать кому-либо другому. Он же накапливал эту информацию, дожидаясь момента, когда она могла ему пригодиться.

Одна из девушек Персика, Эсти, подрабатывала в магазине, где продавали лазерные диски,

«Ньюбери Космик». Однажды она мимоходом упомянула, что работает в музыкальном магазине. Эйб обзвонил все торговые предприятия Бостона, пока не нашел ее. Потом он просто стал звонить ей на работу, иногда для того, чтобы договориться о вызове, а иногда просто, чтобы поговорить. Эсти пришлось нелегко, потому что управляющий не разрешал сотрудникам разговаривать по телефону во время работы, да и временами, когда звонил Эйб, перед ней скапливалась целая очередь нетерпеливых покупателей. Если она говорила Эйбу, что не может с ним сейчас разговаривать, он начинал возмущаться, перезванивая ей снова и снова и угрожая рассказать Персику, что она встречалась с ним, минуя агентство. Он прекрасно знал об основном правиле Персика: «Не укради клиента».

Эйба было бы тяжело «украсть», потому что он сам настаивал на этом. Он отказывался принимать девушку во второй раз через Персика, убеждая ее в том, что если в ее сердце есть хоть капля сострадания, то она согласится встретиться с ним помимо агентства. Тут дело было уже не в деньгах, а во времени и способности управлять человеком.

Подобно многим до меня, я не устояла перед просьбами Эйба и согласилась встретиться с ним без ведома Персика. У меня настоящий дар принимать неправильные решения!

Он попросил меня остаться у него на ночь.

— Просто побудь со мной, и я заплачу тебе четыреста долларов, — сказал он. — Мы будем слушать музыку (он узнал о моих вкусах и заманивал великолепными записями оперной музыки), выпьем вина, побалуемся и уснем. Все будет легко и спокойно, и никаких телефонных звонков.

«Почему бы нет? – подумала я. – Четыреста долларов, и я уйду отсюда на рассвете. Нет проблем». Я уже оставалась с клиентами на ночь. Ничего особенного: выпивка, наркотики, секс и сон.

Однако у Эйба были на это другие взгляды. Сон, судя по всему, не рассматривался как форма совместного проведения оплаченного времени. Я должна была массировать ему спину и шею, приносить напитки, целовать его, целовать много и везде, давать ему возможность почувствовать себя сексуально привлекательным.

– Я так хочу спать, – запротестовала я, когда стрелка часов перевалила за три ночи.

– А я нет, – ответил он. – Приласкай мой член.

Я ласкала его член, массировала его ноги, целовала губы, шею, грудь и пальцы. Я подавала ему лекарства, вино и еду. Клянусь богом, мне даже пришлось около пяти утра в полусонном состоянии кормить его кота!

Совершенно очевидно, что Эйб рассчитывал получить первоклассный *сервис* за свои деньги.

Наконец наступило утро. Я сполна прочувствовала то, что Алистер Маклин описывал в «Ночи без конца». Я должна была готовить еду, подавать завтрак и мыть за собой посуду. Как только я упомянула о том, что мне пора уходить, он пришел в ярость.

— Почему ты так торопишься? Тебе нет дела ни до чего, кроме денег! Ты нужна мне здесь. Мне необходимо, чтобы ты обнимала меня, чтобы у меня хватило сил встретить новый день в этом мире.

Вам может показаться, что любое терпение имеет пределы и у меня всегда есть возможность уйти. Мне очень хотелось это сделать, но только Эйб еще не расплатился со мной и, очевидно, не собирался этого делать, пока не высосет из меня последние капли сил.

Я доставала и убирала диски с записями, вела беседы, делала уборку в его гостиной, сидела рядом с ним на кровати и с готовностью слушала, как он подпевает исполнителям «Дона Джованни», «Риголетто» и «Севильского цирюльника». Я приготовила ему обед. В конце концов я сказала, что должна присутствовать на важном собрании, которое начинается в час дня. Следующие двадцать минут он провел, пытаясь выяснить, где именно будет проходить это собрание. Разумеется, он спрашивал только для того, чтобы сказать мне, сколько времени у меня уйдет на дорогу туда. Он хотел знать, чему будет посвящено это собрание и не могу ли я приехать к нему после него, жаловался, что я слишком быстро собираюсь уехать и ему не стоит платить мне всю оговоренную сумму.

Я выбралась из его дома сразу, как только смогла. Это была нелегкая задача: до самого конца он колебался с тем, стоит ли мне платить сейчас, настаивая, что я должна прийти позже, и тогда он заплатит мне за эту ночь и за все остальное. Я отказалась, сославшись на планы на этот вечер. Эйб тут же уцепился и за эту информацию, стараясь любыми средствами задержать меня рядом с собой. Какие планы? С кем? Что я собираюсь делать? Он же спрашивает об этом только потому, что очень меня любит и хочет представить себе, как у меня будет протекать этот день...

Я забрала у него четыре сотни и спаслась бегством.

Дело этим не закончилось. Он пригласил меня на ужин, не уточняя, что последует за ним и сколько это будет стоить. Я отказалась. Эйб не принимал отказов.

— Ты где-то преподаешь, — неожиданно заявил он.

Я застыла на месте. В желудке у меня появился холодный тугой комок, которого я не чувствовала раньше. «Нет. Этого не может быть».

— Откуда ты знаешь? — спросила я. Перед первым визитом к Эйбу Персик посоветовала мне, держать рот на замке, поэтому я сообщила ему, что я писатель и работаю дома.

— Мне кое-кто рассказал.

«Замечательно. Спасибо, девушки!» Не могу сказать, что это известие меня удивило — я знала о феноменальной способности Эйба добывать у людей информацию, когда они об этом даже не подозревают. Я и сама могла проговориться о том, чего ему не следовало бы знать.

— Да, я иногда даю уроки. В общем, извини, что не смогу прийти на ужин, но...

Он перебил меня.

— Я также знаю, что тебя зовут Джен и ты живешь в Олстоне. Остальное я могу узнать сам. На самом деле, скрывая от администрации учебного заведения правду о тебе, я оказываю им плохую услугу. Представляешь, как они расстроятся, узнав, что ты употребляешь наркотики? А если они узнают, что ты работаешь на службу эскорта? Я всего лишь прошу, чтобы ты приехала на ужин. Это же не так много?

Он был великолепен. Умен, изобретателен и умел управлять людьми. Он задавал девушкам вопросы о них самих и о других, делая вид, что у него уже есть информация, которую он пытался у них добыть. «Знаешь, Тиа сказала мне, как ее зовут на самом деле, так что ты можешь сказать мне свое имя».

Он звонил диспетчерам такси и обменивал информацию о том, где и когда таксисты высаживали девушек, приезжавших к нему домой, на «перкосет», постоянно востребованное лекарство, к которому он имел неограниченный доступ. Он сидел в своей квартире, как в информационном центре, собирая и анализируя полученную информацию.

Еще одна из девушек Персика, Анна, попала с ним в неприятную историю. Она подрабатывала у Персика, уделяя основное время занятиям музыкой. Заработанные в агентстве деньги Анна тратила на уроки вокала. У нее была цель, и она стремилась к ней изо всех сил. Однако работа допоздна и активная трата сил привели к тому, что она стала много пить и употреблять слишком много наркотиков. Она встречалась с Эйбом и через агентство, и минуя его. Анна была молода и поверила словам Эйба о том, что она ему небезразлична. Когда ее избил любовник, она обратилась за помощью к Эйбу. Тот принял ее с распростертыми объятиями. Он уверял ее в том, что не будет оказывать на нее никакого давления. Она спала на его кровати, занималась с ним сексом, составляла ему компанию, давала возможность почувствовать себя кому-то нужным. И очень много с ним говорила. Ей вообще не следовало с ним разговаривать.

Анна постепенно становилась сильнее. Из состояния, в котором она оказалась, могло быть только два выхода: либо она позволяла наркотику затянуть себя на дно, либо становилась сильнее. Третьего не дано. Она вдруг ясно увидела свою жизнь и решила, что ее стоит изменить. Девушка бросила пить, рассталась с наркотиками и «перкосетом», отдала все свои силы музыке. Она даже стала ходить на собрания «Анонимных алкоголиков». Анна по-прежнему работала с Персиком, но обслуживала только «ранних» клиентов. К десяти вечера она уже снова была в квартире Эйба и засыпала на диване. Жизнь складывалась подобно сказке со счастливым концом.

Однако такой конец устраивал всех, кроме Эйба. Ему было необходимо, чтобы люди нуждались в нем. Ему нужна была больная Анна, наркоманка, содрогающаяся в ломках после дозы кокаина, пока он держал ее в объятиях. Он хотел быть источником ее ощущения безопасности и уюта. Он хотел давать ей таблетки «перкосета», которые бы она принимала. Это лекарство делает для наркомана мир более привлекательным и не таким суровым. Анна была нужна ему беспомощной, мягкой, уступчивой и благодарной. Она должна была признаваться ему в том, что не смогла бы выжить без него, массировать его спину, подкармливать его эго, давать ему то, что он требовал в благодарность за свою поддержку, и только потом засыпать.

Когда Анна стала сильнее, он всего этого лишился. В ее жизни произошла важная встреча: представитель Королевской оперы был в Бостоне и, услышав ее, проявил интерес и сделал несколько предложений. Она очистилась морально и физически и стала лучше к себе относиться. Поблагодарив Эйба за его дружбу и поддержку, она собралась переезжать на квартиру, где решила пожить одна.

Эйб не мог этого допустить. Он не мог позволить ей не нуждаться в нем и выйти у него из повиновения. Анна не смела иметь собственной мечты и жизни, в которой для Эйба не было места. Поэтому он сказал, что позвонит ее родителям и расскажет, что их дочь занимается проституцией.

Эйбу зачем-то необходимо было властвовать над женщинами, которые попадались ему на жизненном пути. Он заманивал нас в западню, играя на жалости: «Персик звонит сразу по окончании часа! Она не понимает, что с моим здоровьем я не могу все делать так, как другие!» Он всячески подкреплял иллюзорные отношения лестью, жалобами или помощью — всем, что годилось для этой цели.

Я с цинизмом относилась к уровню культуры людей, которые меня окружали, и он воспользовался этим, предлагая послушать оперу и представляясь более умным и образованным человеком, чем был на самом деле. Для Анны он стал надежным убежищем. С другими девушками он выбирал себе иные роли. Потом он обязательно начинал пользоваться нами. Он шантажировал нас, угрожая обо всем рассказать Персику, или использовал информацию, которую мы нечаянно выдали ему, чтобы вынудить нас сделать то, что ему было нужно.

Поразительно, но он сумел проделать это и с Персиком, которую я считала неуязвимой для такого рода домогательств. Для нее деньги всегда стояли на первом месте, а Эйб был постоянным клиентом и тратил всю свою пенсию на девочек Персика. Поэтому она решила отнестись к нему со снисхождением. Он мог позвонить ей в любое время. Если она была вынуждена прервать беседу, чтобы ответить на другой звонок, он бывал обижен, оскорблен и даже гневался. В конце дня она всегда перезванивала ему, чтобы успокоить и задобрить... После того как она мне об этом рассказала, у меня отпало всякое желание быть с Эйбом вежливой и обходительной. Он действительно нуждался в помощи окружающих, но использовал свою нужду, чтобы причинять им боль. Он жаждал управлять и властвовать, чтобы таким образом чувствовать себя хозяином жизни. Он был жалок и опасен, но это не делало его нетипичным клиентом.

После столкновения с Эйбом предложения других мужчин использовать веревки, наручники и матерщину казались мне детскими забавами. Их пристрастие к садомазохизму было вполне логично, поскольку все они были чем-то похожи на Эйба. Если мужчине удавалось подчинить себе девушку, то сексуальные игры, исполненные в том же ракурсе, становились для него приятным дополнением, десертом к основному заказанному блюду.

Конечно, никто из клиентов на самом деле не обладал той властью над женщинами, которую себе воображал. Девушки по вызову присматривались к желаниям клиента, и если они замечали, что он стремится к доминированию, то просто подыгрывали ему. В конце концов, кто платит, тот и заказывает музыку. Единственным человеком, управлявшим всем в маленьком мире нашего агентства, была Персик. Все остальное было иллюзиями и играми, в которых все ходы подчинялись строгим правилам.

Садомазохизм в играх с клиентами может представлять собой лишь легкий намек, атмосферу и привкус небольшого отличия от обыкновенного секса. В ситуации, когда у партнеров есть только час и они практически ничего не знают друг о друге, сцена с садомазохизмом практически невозможна. Или небезопасна.

В реальности общения с клиентами о доверии не может быть и речи. Дело в том, что клиенты, в общей своей массе, обладали сложным характером, были эгоцентричны, иногда скандальны и всегда очень требовательны. Такие партнеры не подойдут для исполнения сцены, в которой все строится на доверии. Клиенты часто прибегали к различным трюкам, стараясь нас зацепить, выдумывая причины для того, чтобы оставить нас на более длительное время, и пытались встрять между нами и Персиком.

Я знала одного офтальмолога в Хале, которого я время от времени навещала и который не мог кончить даже после тридцатипятиминутного минета. Я специально засекала время по часам на прикроватной тумбочке. Он обязательно орал на

Персика по телефону, когда она звонила по окончании часа:

— Она никуда не годится! Я должен получить еще полчаса в качестве компенсации! Мне вообще не следует платить за это время!

Насколько я знала, он не кончал ни с кем и орал на Персика каждый раз, независимо от того, кто к нему приезжал.

Были постоянные клиенты, хорошо знакомые с нашей системой, но тем не менее пытавшиеся дать мне денег меньше оговоренной суммы.

— Я заплачу в следующий раз. Персик знает, что я всегда держу слово.

Как же. В этой профессии я поняла одно: секс как наркотик. Как только заканчивается его действие, никто не будет за него платить. Они просто будут копить средства на следующую дозу. Были и такие клиенты, которые заставляли нас просить у них заработанные деньги, отдавая их нам по десятидолларовой банкноте. Для некоторых мужчин деньги стали таким же фетишем, как шлепки по голому заду, или требования назвать себя шлюхой, или желание оттрахать меня на своем столе. Мне не нравилось это унижение, и я старалась по возможности его избегать.

Персик старалась нам в этом помогать. С новых клиентов мы всегда брали деньги вперед, но большинство постоянных платили в конце часа. На самом деле так было лучше, потому что мы могли представить себе, что это не вызов, а свидание, а деньги являются просто приятным дополнением к нему.

Постоянные клиенты рассчитывали на эту фантазию, но сначала они должны были заслужить такое доверие. Если Персик узнавала о том, что кто-то из них вздумал играть в игры с деньгами, она сразу же лишала его привилегий.

— Уолтер, — говорила она, когда от такого клиента поступал следующий заказ, — вынуждена сказать тебе, что теперь ты будешь платить вперед, или я скажу девушке, чтобы она уезжала. Я никому не позволю издеваться над своими девочками.

И Уолтер, Фред или Гарри смирялись с наказанием, ворчали и спустя пару месяцев при хорошем поведении добивались того, что Персик всетаки позволяла им платить по истечении часа.

Именно поэтому я влипла в эту дурацкую историю с Эйбом. Он привык платить в конце и пользовался этим. Только в этот раз никто ему не звонил, чтобы поставить его на место. Можно сказать, что я получила хороший урок, и больше не думала о том, чтобы встречаться с клиентами без ведома Персика.

Любопытно, что Эйб в конечном итоге блефовал. Он не позвонил в университет, чтобы пообщаться с мои работодателем, и не стал звонить родителям Анны. Наверное, даже он понимал, что не должен пересекать последнюю черту, потому что оттуда возврата не будет. Он был самовлюбленным эгоистом, но не злодеем.

Итак, стяжатели власти были для меня наиболее неприятными, но не единственными источниками дохода. Слава богу! Мартин, живший в Молдене, компенсировал мне многих неприятных клиентов. Работая с ним, я не шла на компромисс со своими моральными принципами. У него не было ни жены, ни любовницы, ни потенциальных претенденток на эти роли. Он отставал в умственном развитии, жил на свою страховку, а деньги, которые получал на работе в гастрономическом магазине, тратил на то, чтобы раз в месяц приглашать к себе девочку по вызову. Он всегда обращался только к Персику, а она всегда хорошо обращалась с такими людьми, как он. Еще один клиент, к которому я ездила довольно часто, был парализован, и пока я была с ним в спальне, его медсестра терпеливо ждала окончания встречи на кухне. Ни с кем другим Персик не была такой вежливой и предупредительной, как с этим человеком.

Она могла кричать и ругаться с клиентами, которые пытались обмануть ее или обидеть ее девочек, но у нее всегда хватало материнского терпения и любви на таких людей, как этот паралитик и Мартин.

У нас с Мартином сложился свой ритуал. В его маленькой комнате всегда работал телевизор. Причем он не был настроен ни на эротику, ни на порнофильм, а просто работал на том канале, который Мартин смотрел до моего прихода. Я медленно раздевалась перед ним, потом недолго целовала и ласкала его, затем делала минет, а в конце аккуратно разворачивала его тело так, чтобы оказаться на нем сверху. После этого он довольно быстро кончал. Расплачиваясь со мной, он всегда давал мне чаевые, которые от любого другого человека были бы для меня в высшей степени оскорбительными, но в этих обстоятельствах выглядели очень трогательно. Чаще всего они представляли собой сумму около трех долларов и восьмидесяти семи центов. Потом он дарил мне магнитик из магазина, где работал, в качестве дополнения к чаевым и шептал по секрету: «Если ты в этом магазине скажешь, что мы знакомы, они продадут тебе сэндвич на доллар дешевле!» У меня до сих пор где-то лежит небольшая коллекция этих магнитов. Даже сейчас я не хочу их выбрасывать, потому что для него они очень много значили.

Мартин был исключением из общих правил. С остальными клиентами приходилось держать ухо востро, потому что им нельзя было доверять. Я точно знала, что ни при каких обстоятельствах не соглашусь оказаться в ситуации, когда мне могут причинить физическую боль.

Я знаю о том, что существуют женщины, которые могут на это пойти. Более того, я знаю, что некоторые из них специализируются на садомазохизме, и видела их рекламу. Я понимаю, как это важно. Должно быть, мужу трудно невзначай сказать жене: «Дорогая, я бы хотел помучить тебя сегодня ночью!» Гораздо легче сделать это с профессионалкой.

Я просто не хочу становиться профессионалом в этой конкретной отрасли. Эту часть своей сексуальности я предпочитаю сберечь для своей личной жизни.

* * *

Когда я пришла домой, Скуззи ждал меня возле дверей. Аромат, витающий в комнате, напомнил мне, что ему давно пора было менять наполнитель туалета. Я налила себе чаю и села за стол. Голова болела по-прежнему, а мне еще предстояло подготовить вопросы для заключительного экзамена по всем четырем курсам. В принципе, два курса могли сдавать один и тот же экзамен, но я еще не забыла свои студенческие годы, чтобы питать иллюзии о том, что первая группа, сдав экзамен, не поделится вопросами со второй. За определенное вознаграждение, разумеется.

Я твердо усвоила, что в этой жизни купить можно все.

Может быть, я просто дам им экзаменационные вопросы с собой, чтобы они ответили на них дома.

Меня взволновали воспоминания о матери. Впервые за все время работы у Персика я позволила себе задуматься о том, как моя мать могла отнестись к тому, чем я занимаюсь. Скорее всего, ей бы не понравилась ни одна из моих профессий. В моей семье не стремились к высшему образованию. Я первая в семье получила степень магистра, не говоря уже о докторской степени. Эти достижения не вызвали у родителей особого восторга. Думаю, мать хотела бы, чтобы я вышла замуж, нарожала детей и иногда писала, если бы у меня выдавалось для этого свободное время. Ей бы не понравилось, что я преподаю в колледже. Тем более работаю в службе эскорта.

«Ну, что ж, эту реакцию легко было бы предугадать! — горько заметила я себе. — Можно подумать, миру известны матери, которые гордились бы тем, что их дочери работают проститутками! Отрицательная реакция в таком случае была бы вполне логичной». Но что-то по-прежнему не давало мне покоя. Только через полтора года после смерти матери я смогла понять, каким она была человеком, почему она поступала тем или иным образом. До того как она умерла, я не могла этого сделать.

Мама всегда уделяла много внимания внешнему виду. Она все время воображала, что живет в одном мире, на самом деле пребывая совершенно в другом. Настоящая жизнь была почему-то плохой и грязной, и она решила, что для нее реальным станет ее воображаемый мир. Погрузившись в реальную жизнь и отвернувшись от фантазий матери, я предала ее.

Я отогнала от себя эти мысли. Мне нельзя было углубляться в такого рода размышления, чтобы не позволить себе увязнуть в чувстве вины и собственной неадекватности. Мне надо было работать, а чертова головная боль все никак не уходила.

В средние века считалось, что если человека посетила навязчивая головная боль, то в эту ночь появится привидение.

Я снова потянулась за «экседрином». Моя мать неотступно преследовала меня в самые приятные моменты моей жизни. Я не собиралась помогать ей в этом.

Глава девятнадцатая

Этим летом я впервые за многие годы поехала в отпуск.

Персик была этим недовольна, но я сказала ей, что уеду ненадолго, всего на две недели. У меня было целых четырнадцать дней полной свободы между двумя летними сессиями. Я не могла больше сидеть на месте, — пьянящий вольный ветер звал меня за собой. Поразительно, как легко мы соглашаемся на бегство от реальности, когда у нас хватает на это средств.

Скуззи на время поселился у Вики, моей ассистентки, и всю дорогу до ее дома жалобно мяукал в машине. Ирен согласилась поливать в это время мои цветы.

Больше меня ничто не держало в Бостоне.

Я прилетела в Лондон «Британскими авиалиниями», как два года назад, когда летом была приглашена на лекции и начала размышлять о том, не попробовать ли мне себя в службе эскорта. В этот раз я остановилась в скромной гостинице, что было большим прогрессом по сравнению со студенческим общежитием, которым я была вынуждена воспользоваться в прошлый приезд. Я ела восхитительные, насыщенные холестерином обеды в пабах и изображала из себя туристку. Биг Бен, смена караула у Букингемского дворца, два незабываемых дня в Британском музее, мясные пироги, чай со взбитыми сливками, теплое пиво и холодные тосты.

На этот раз голос в метро, советовавший внимательно смотреть под ноги, не показался мне таким раздражающим. Может быть, меня перестал смущать властный тон дикторши, когда я поняла, что зарабатываю больше нее самой.

В Лондоне девочки по вызову, явно работающие только на себя, занимаются саморекламой, оставляя в телефонных кабинках разноцветные карточки, призывающие позвонить, как только вам захочется хорошо провести время. По-моему, это замечательно придумано. Почему мы не догадались до этого в Штатах? Правда, у нас там гораздо больше людей с отклонениями, чем в Лондоне. Кто знает, кому может попасться этот номер? Англия – более цивилизованная страна, чем Штаты. Во всяком случае, здесь маленькие мальчики с автоматами еще не догадались расстрелять всю школу.

Я посмотрела «Кошек» и, по дороге обратно в гостиницу, вдруг нашла определение недугу, мучившему меня с весны. Он был похож на облако, на призрачное ощущение, не позволяющее себя рассмотреть, но постоянно напоминающее о своем существовании. Он наполнял шепотом пустые комнаты за моей спиной, выдавал свое присутствие, шевеля занавески на моем окне, и прятался за моей беспомощностью найти ему имя.

В тот вечер я внезапно поняла, что это такое. Меня преследовало одиночество.

У меня были друзья. Я обросла знакомыми, которые могли прийти ко мне в гости, я пила с ними вино, играла в игры и разговаривала. У меня были приятели, с которыми я могла куда-нибудь пойти и протанцевать всю ночь до утра. Я оставалась одна, только когда хотела этого. В любой момент я могла найти себе компанию, если она была мне нужна.

Но с того дня, как ушел Луис, у меня не было единственного близкого мне человека, которому я тоже была бы дорога.

Я никогда не думала, что это для меня так важно. Мое подсознание явно придерживалось другого мнения. Город был населен парами, которые обнимались, целовались и счастливо смеялись. Стоило мне это заметить, как я перестала видеть что-либо, кроме них.

Лондон – идеальное место для фантазий о незнакомцах. Британские мужчины обладают потрясающим акцентом, сочетающим в себе культуру, интеллект и сексуальность. Я обожала их голоса. Представьте, как вы идете по улице и вдруг слышите позади себя такой мужской голос, что у вас по спине пробегают мурашки. Вы оборачиваетесь и видите перед собой крепенького лысеющего коротышку с сигаретой в зубах. Насколько я знаю, голос не имеет ничего общего с внешним видом человека.

Вернувшись в номер после мюзикла и вспомнив голоса, которые я слышала за этот вечер, я легла в постель. Лаская себя, я отчаянно хотела избавиться от одиночества.

* * *

Я вернулась в Бостон в яркий солнечный день. Было ужасно жарко, но кондиционер в такси не работал. Какая неожиданность! В Англии все предметы выполняли выделенные им функции. Если они ломались – их чинили, чтобы они продолжали нормально функционировать.

Добро пожаловать домой.

Мое одиночество лишь усилилось. Я стояла на весах, не веря своим глазам. Стрелка показывала, что у меня прибавилось полтора килограмма. Я попыталась представить себе, какой может быть жизнь, когда временное появление лишних килограммов не имеет никакого значения просто потому, что человек, с которым ты делишь свою жизнь, будет любить тебя независимо от твоего внешнего вида. Тогда твое благополучие, чувство собственного достоинства и образ жизни не будут зависеть от восприятия тебя случайными людьми, которые оценивают только твой экстерьер. Такое возможно лишь в том случае, если у тебя есть дом, где тебя любят и ждут.

Внезапно горячие слезы наполнили мои глаза. «Нет, я не буду плакать. Я не собираюсь становиться жалким посмешищем и рыдать всякий раз, когда почувствую себя одинокой. Кроме того, одной мне будет лучше».

С этой мыслью я наконец-то начала распаковывать вещи. Пока я работаю у Персика, мне следует оставаться одной. Представительницам моей профессии, которые хотят поддерживать личные отношения с каким-нибудь мужчиной, придется выбирать меньшее из двух зол. Они могут не говорить ему о том, кем работают, постоянно выворачиваясь и живя в страхе разоблачения. Или они скажут ему об этом, и тогда партнер может даже проявить удивительную гибкость и либерализм, но дальнейший разрыв станет лишь вопросом времени.

Я не могу осуждать мужчину, который откажется поддерживать отношения с женщиной в этой ситуации. Лично я знаю, как отношусь к своим клиентам. Секс с ними в моем представлении является обыкновенной профессиональной деятельностью. Занимаясь любовью с Луисом и обслуживая клиентов, я никогда не смешивала эти две стороны жизни. Можно сказать, что Луис любил Джен, а клиенты занимались сексом с Тиа. Я знаю, что этот пример выглядит несколько упрощенно, но тем не менее это так.

Этот сложный выбор придется делать в самом начале отношений. Мне лучше будет подождать, пока в моем шкафу не останется скелетов. Вопрос только в том, наступит ли такое время, когда их у меня не будет? У каждого человека есть в жизни событие или поступок, которого он отчаянно стыдится. У всех есть свои грязные маленькие секреты, скрытые ложью и тщательно охраняемые от любопытных глаз. Так что можно сказать, что все шкафы заселены. Просто мой скелет чуть страшнее остальных. Мне было трудно представить себе счастливый исход такого разговора:

— Э, дорогой! Ты спрашивал меня, где я подрабатываю, так вот...

Как можно сказать любовнику о том, что ты — проститутка? Его это возбудит? Сначала, может быть и так, но не надолго. В соответствии с вековым сценарием развития отношений мужчины и женщины он будет заниматься со мной любовью со всей страстью, на которую способен, но домой, знакомиться с мамой, он повезет совсем другую женщину. Таких, как я, замуж не берут.

Дело закончится тем, что он, подобно моим клиентам, будет фантазировать обо мне, занимаясь любовью со своей уставшей равнодушной женой.

Да, я готовила себя к худшему. Но даже представляя себе такой сценарий развития событий, я хотела узнать, как все будет на самом деле. Мне был нужен близкий человек. Я больше не хотела оставаться одна.

В конце концов я поняла, что даже самое детальное и тщательное планирование может оказаться неэффективным. Когда я познакомилась со своим мужем, Тони, он знал, что у меня была знакомая, управляющая собственной службой эскорта, и мне известны женщины, которые у нее работали. Он не только не возражал против моих знакомых, но даже не проявлял к ним никакого интереса.

Я выбрала ложь. Я стала скрывать свой скелет, стараясь закрывать его в шкафу как можно плотнее. Мне нужен был этот мужчина. Потом, мы же говорим о периоде жизни длиной только в три года. Что в этом особенного? У меня все вполне могло получиться.

Правда, иногда я проговаривалась. Однажды я сказала что-то вроде: «Это было еще тогда, когда я работала у Персика», — но мне удалось исправить ситуацию, объяснив Тони, что время от времени Персик просила меня подвезти кого-нибудь из ее девочек. Я действительно один или два раза делала это для Персика, когда кто-то из ее водителей был занят, и Тони мне поверил.

У меня могло все получиться. Я могла и дальше хранить свой секрет, поддерживать легенду и отрицать прошлое. Но случилось так, что однажды вечером я не сумела спрятать свой скелет, потому что, пока меня не было рядом, Тони сам открыл тайную дверь.

Тогда мы жили вместе, но еще не были женаты. К тому времени я уже два года не работала у Персика. Я даже не вспоминала об этом, если не читала лекции на тему истории и социологии проституции. На занятиях я не переставала изумляться тому, как люди отчаянно не хотят расставаться со старыми, выношенными клише. Слово «унизительно» употреблялось в дискуссиях чаще остальных. Тогда я задумалась о том, что мне стоило бы написать книгу о настоящем мире девочек по вызову, чтобы расставить все по своим местам.

Тони первым узнал о моей идее.

— Я уже несколько лет знакома с Персиком и наблюдаю за ее работой. Она может снабдить меня самыми разнообразными историями, а я их запишу! — сказала я ему. Тони меня поддержал. Он всегда меня поддерживал. Однако для того чтобы принять окончательное решение, мне было недостаточно мнения моего мужа, который к тому же не обладал полной информацией. Когда я назвала Сэта единственным человеком, знавшим об обеих сторонах моей жизни, я была не точна. Несколько месяцев спустя после того ужасного вечера в «Ритц-Карлтон», я была в баре со своим другом Роджером и внезапно решила все ему рассказать. Роджер был голубым и едва ли стал бы выкладывать деньги на стойку бара и расстегивать передо мной штаны. В ответ на мое признание он спокойно сказал, что в этом нет ничего особенного и он сам подумывал этим заняться. Обменявшись этими репликами, мы спокойно продолжили свою беседу.

Роджер переехал, и мы поддерживали связь по электронной почте. Размышляя о том, стоит ли мне писать книгу, я хотела узнать мнение близкого мне человека. Кого я могла об этом спросить? Только не Персика, потому что она пришла бы в ужас и сделала все, что в ее силах, чтобы отвратить меня от этой мысли. И не Сэта, потому что он побоялся бы появиться на страницах этой книги. Впрочем, его страх нельзя было назвать беспочвенным.

Итак, я написала Роджеру в Ки-Уэст и спросила его, что он думает о моей затее. Она ему понравилась, и он сообщил, что обязательно купит эту книгу, как только она выйдет. А еще он только что познакомился с одним восхитительным мужчиной и очень хочет мне об этом рассказать...

Я пошла в кровать, а Тони не спалось. Мое письмо было раскрыто на «рабочем столе», и он не мог на него не наткнуться, когда сел к компьютеру, чтобы разложить пасьянс. Я не слышала ни единого звука, предупреждающего о том, что происходит в нескольких метрах от меня, и у меня не появилось никаких предчувствий. Я спала, а дверь секретного шкафа открылась без единого скрипа.

Кто знает, может, мне и стоило самой открыть ее задолго до этого вечера. Наверное, так было бы честнее и справедливее, во всяком случае добрее по отношению к Тони. Я лишь могу себе представить, что он испытывал, читая это письмо, думая о том, какие еще тайны я могу от него скрывать и в чем еще его обманывать.

Нет, я не должна этого говорить. Такое невозможно представить. Это был настоящий ад.

Мы его пережили. В конечном итоге мы пришли к выводу, что являемся идеальной парой. Я не хочу показаться излишне сентиментальной, но мы любили друг друга достаточно сильно, чтобы найти в себе силы пройти это испытание. Так исчез мой скелет.

Вспоминая о своих мыслях в тот день в Олстоне, когда я только вернулась из Лондона и страдала из-за отсутствия любимого человека, я повторю: у меня был секрет. Тайна, которую было трудно хранить... и очень страшно открывать.

Глава двадцатая

И снова пришла осень. Это время года я всегда встречала с эмоциями, близкими к панике. Наступает новый учебный год, а у меня все еще нет постоянной работы и так далее и тому подобное. Но теперь я была очень близка к тому, чтобы наконец-то получить ту работу, к которой так долго стремилась. Профессора с известными именами звонили мне и писали письма. Декан, столкнувшись со мной в коридоре, без усилий вспомнил, кто я такая.

Воздух дышал чистотой и свежестью. Я купила новую одежду, и она казалась стильной и удобной, как любая новая одежда. У меня был план, я почти достигла цели, и меня наполняла радость и предвкушение грядущих событий. Впервые за много лет я тоже верила, что этот учебный год откроет передо мной новые восхитительные возможности и перспективы. Мне казалось, что вон там, за следующим поворотом, меня ждет что-то прекрасное и удивительное.

Теперь я работала один, реже — два вечера в неделю. Персик была не слишком этим довольна, но вела себя безукоризненно. Она никогда не принуждала девушек делать что-то, чего они не хотели сами. Я дала себе обещание, что в этом семестре буду работать только по пятницам и субботам.

Шла третья неделя занятий, и в пятницу Персик позвонила мне с предложением.

— Есть работа, — живо сказала она. — Правда, он живет в Милтоне. Ты знаешь, где это?

— Найду. Что ты ему обо мне сказала? — В Англии я набрала полтора килограмма, и у меня были большие подозрения, что взбитые сливки сыграли в этом не последнюю роль. Сбросить вес мне еще не удалось, и я очень нервничала из-за этого.

— Успокойся! Тебе это понравится. Он попросил прислать самую старшую девушку из тех, кто у меня есть. Я сказала, что он может встретиться с женщиной по имени Тиа, которой тридцать девять лет. Тогда он спросил, точно ли у меня нет никого старше. А я ответила, что нет и что Тиа ему обязательно понравится.

— Все это очень странно, — сказала я. Мне ни разу не приходилось лгать о своем возрасте *в этом смысле*. В профессии, которая настолько зависит от возраста и внешнего вида, мне при моих тридцати шести уже легко было стать самым старшим представителем своего дела. Кто знает, может быть, ему этого было недостаточно. Может быть, у него фетиш на морщинах?

— Да нет, Джен. Все на самом деле замечательно. Мне он понравился. Давай, позвони ему, и увидишь сама. Я знаю, что тебе не нравятся новые клиенты, но мне кажется, что с этим все будет в порядке.

Клиент не особенно понравился мне по телефону, но поскольку он был настроен на встречу со мной, я не стала сопротивляться.

— Что ты хочешь, чтобы я надела? — спросила я по привычке. Мой вопрос, похоже, его удивил.

— Э, то, что тебе самой нравится. Одевайся, как тебе удобно.

По дороге к нему я слушала Спрингстина, выжав из своей магнитолы всю мощь, на которую она была способна. «Мистер, я не мальчик, я мужчина, и верю в Землю обетованную», — подпевала я во все легкие, и мне хотелось понять эти слова, окунуться в их смысл и боль и узнать о том, кто их написал.

Я уже давно не вспоминала о Земле обетованной.

Гленн встретил меня у дверей в квартиру. Он был огромен, волосат и неряшлив: неухоженная борода, нечесаные волосы, клетчатая фланелевая рубаха поверх относительно чистых брюк. И татуировки. *Огромное количество* татуировок.

— Привет, я Тиа.

— Привет, проходи.

Вся его квартира была заполнена, как бы это назвать, запасными частями, атрибутами и аксессуарами от «харли дэвидсона». Плакаты с изображением мотоциклов, фотографии мотоциклов и людей рядом с ними. Гленн пил пиво, но мне его не предложил. Я села на диван рядом с ним. Мы разговаривали, и я положила руку ему на колено, а через несколько минут начала его целовать. Когда я только начинала работать в этой профессии, то позволяла клиентам задавать темп развития событий. Если я вижу, что клиент знает, чего хочет, то делаю это и сейчас. Однажды вечером мне пришлось так долго уговаривать нервного индийца, что нам пришлось наброситься друг на друга за несколько минут до звонка Персика. После этого случая, видя, что клиент не уверен в себе, я брала руководство событиями свои руки.

Мы с Гленном побаловались на диване, и через какое-то время он предложил перейти в спальню. Это было мило с его стороны. Перед тем как последовать за мной, он был вынужден избавиться от излишков выпитого пива.

Он нервничал все больше и больше. Я молилась о том, чтобы он не оказался наркоманом, или обладателем больного сердца, или чего-нибудь еще, что могло бы привести нашу встречу к фиаско. Потом в какой-то момент я поняла, в чем было дело. Этот крутой байкер, который управлял своим собственным предприятием днем и гонял на мотоцикле по вечерам, оказался девственником! В этих обстоятельствах становилась понятна его просьба прислать самую опытную женщину, которая больше всех остальных могла проявить свое сочувствие и понимание. Это было трогательно и очень мило.

Мне пришлось изрядно поработать. Мы экспериментировали с различными позициями и ритмами, и постепенно Гленн понял, чтоб больше всего ему нравится классический минет. Я достаточно хорошо могу его делать даже с презервативом и, к сожалению, имею некоторый опыт в длительном оральном сексе. Гленн держался целую вечность. Я то и дело бросала подозрительные взгляды на электронные часы в спальне, когда у меня появлялась возможность поднять голову, и испытывала ни с чем не сравнимое изумление. И очень большую усталость.

Когда мы приблизились к сорок восьмой минуте, и я решила через две минуты отказаться от своей затеи и попытаться добиться успеха одними руками, он наконец кончил. Учитывая то, как он был мил со мной после секса, как обнимал и развлекал разговорами и потом добавил двадцать долларов сверх запрошенной суммы, я была готова забыть о том, какого труда мне стоило его удовлетворить.

В следующую пятницу он снова позвонил и попросил меня приехать. Я обрадовалась появлению нового постоянного клиента в начале осеннего семестра. Я надеялась, что на этот раз у нас все получится гораздо быстрее. В прошлый раз все было для него впервой. Кто знает, какую роль сыграла нервозность в его неспособности эякулировать? Я надеялась, что теперь у нас все пройдет быстрее и легче.

Увы. Мне пришлось перейти на массаж руками просто из-за того, что я очень устала физически. Удивительно, Гленн был одним из самых приятных и одновременно самых сложных клиентов, с которыми мне приходилось работать.

Мы с Персиком договорились, что в интересах дела мне стоит встречаться с Гленном не чаще чем через неделю.

Осень этого года была какой-то тусклой для агентства. Я все больше внимания и сил уделяла свой профессиональной жизни, работая с материалом, необходимым для моих текущих лекций и тех, которые у меня могут быть. Все выходные слились у меня в одно целое.

Некоторые клиенты из тех времен, однако, сохранились у меня в памяти. Я помню одного жителя Наханта, который хотел заниматься сексом на тренажерах и смотреть на себя в зеркало в процессе. Были студенты с Коммонуэлс-авеню, которые хотели узнать, что такое любовь втроем. Они были неприятно удивлены тем, что должны платить по двойному тарифу.

— Каждый клиент оплачивает свой час, — заявила Персик голосом, не терпящим препирательств. Ее правило было достаточно логичным: с двумя клиентами работать приходилось больше, чем с одним.

Мне также довелось испытать несколько неприятных моментов. Один клиент на Северном побережье мог заниматься сексом только на том диване, где умерла его жена. К счастью, он сказал об этом только после того, как мы закончили, но тем не менее это не меняло самого факта. В разговоре с другим клиентом я узнала, что он поддерживал близкие отношения с моим бывшим научным руководителем. Несмотря на то, что он не меньше меня хотел сохранить нашу встречу в тайне, мне было неспокойно.

По правде говоря, я чувствовала, что где-то внутри меня тикают часы, отсчитывая оставшееся в моем распоряжении время. Я уже не так часто засиживалась допоздна, и полуночные развлечения не доставляли мне такого удовольствия, как раньше. По утрам я вставала заранее, чтобы приготовить себе эспрессо, вместо кокаиновой «дорожки», а по вечерам, когда не нужно было ехать к клиентам, я засыпала, не дожидаясь одиннадцатичасовых новостей.

Это ощущение не было продиктовано разумом и держалось исключительно на эмоциях. Я чувствовала, как работа со всей ее непредсказуемостью и нервным напряжением медленно наваливается мне на плечи, повисая на них как старое изношенное пальто, отслужившее свой век и ждущее отправки в дальний шкаф.

Персик пригласила меня к себе на карнавал, посвященный Дню всех святых. Я давно у нее не была, поскольку, набравшись мужества, призналась себе в том, что больше не могу бодрствовать и пить до пяти утра и проявлять признаки умственной и физической активности на следующий день. Это понимание далось мне нелегко и стоило нескольких тяжелых вечеров и дней. Главное — я это осознала. К тому времени я успела забыть, на что похожи всенощные бдения у Персика.

Ее огромная квартира, реализованная мечта архитектора, была наполнена смеющимися, разговаривающими и пьющими людьми. Я пришла в костюме Мортиции Адамс. Сначала я хотела стать Женщиной-Кошкой, но мои лишние полтора килограмма помешали мне воплотить эту идею, и пришлось удовольствоваться Мортицией.

Около трети гостей были мне знакомы. Я бродила по квартире, разговаривала с людьми, пила и ела. В результате я оказалась на крыше, окруженной мерцающими огоньками, с человеком, который на мраморном столе разделял белый кокаиновый порошок на «дорожки».

Внезапно все происходящее показалось мне очень старым. Ни плохим, ни грустным, а просто старым. Может быть, это я состарилась?

Сидя на этом столе, я знала, что не хочу бодрствовать до восхода солнца, приводить с собой домой какого-нибудь мужчину, чтобы утром вынужденно ходить на цыпочках, давая ему возможность поспать до полудня. Я не хотела мучиться от головной боли поутру, пить «экседрин» и убеждать себя в том, что недомогание является необходимым атрибутом хорошо проведенного времени.

Хорошим времяпрепровождением мне казалась порция диетического орехового мороженного, мой любимый диван, компания кота и телевизор, показывающий что-нибудь из произведений по мотивам Агаты Кристи или Колина Декстера.

Персик не заметила, как я ушла. Даже если она видела, что я покидаю ее дом раньше обычного, у нее не было никаких оснований считать мой уход началом конца наших отношений.

Я сама тогда об этом еще не знала.

Глава двадцать первая

Я уже была близка к решению закончить свою карьеру девочки по вызову, когда это случилось. Сначала все выглядело как обычно, но постепенно события переросли в настоящую катастрофу. Все началось с простого вызова.

В тот вечер было холодно, это я хорошо помню. Когда я вспоминала о нем, а я делала это часто после того, как все закончилось, то меня сразу же охватывало ощущение холодного пронизывающего ветра. Еще я помню снег, который летал и лежал повсюду, делая процесс вождения и паркования машины источником постоянного раздражения. Было очень холодно.

Поэтому я не особенно обрадовалась, когда Персик позвонила мне с известием, что у меня есть клиент в Кембридже.

В самом Кембридже невозможно спокойно припарковаться независимо от времени суток, тем более вечером. Это явление относится к разряду загадок этого города, которые не поддаются моему пониманию. Каждую зиму здесь идет снег, но каждый год он застигает всех врасплох. Все водители начинают вести себя на дороге так, будто они впервые видят снег и понятия не имеют, что это такое. С парковкой дело обстоит еще хуже. После каждого более или менее обильного снегопада владельцы машин счищали снег с крыш своих автомобилей и проникались уверенностью, что потраченные на это усилия дают им право на свой участок для парковки на улице. Они приносили из дома маленькие кухонные стулья, сделанные из алюминия и пластмассы, и ставили их на то место, которое зарезервировали для себя.

Я достаточно долго живу в Бостоне, чтобы сформировать свое мнение относительно этих действий, но всегда держу его при себе. Не стоит связываться с человеком, надорвавшимся с лопатой до такой степени, чтобы почувствовать себя вправе присвоить часть городской земли. Представьте, что вам придется выйти из машины и оставить ее на этом самом спорном месте без присмотра. Вы готовы к последствиям?

Поэтому я не обрадовалась предложению съездить в Кембридж.

— Он тебе понравится, — заверила меня Персик по телефону. Она говорила об этом, сидя на мягком диване в теплой комнате, за увлекательной книгой и чашкой экзотического кофе.

— Ты можешь запросто сделать его своим постоянным клиентом, потому что он попросил умную девушку.

— Да, лесть всегда была эффективным орудием убеждения, — ответила я, все же польщенная ее комплиментом. Закутавшись в огромное пуховое пальто, надетое прямо поверх маленького черного платья, я отправилась в путь. Припарковавшись в шести кварталах от дома на Бродвее, я всю дорогу до парадной отчаянно ругала клиента. Моя шикарная обувь была безвозвратно загублена в мокром снегу. Никому не пришло в голову расчистить тротуар от снега. Зачем? Там же нельзя поставить кухонный стульчик. Температура была минусовая, а пронзительный ветер делал воздух еще холоднее. «Как хорошо, наверное, сидеть в своей славной тепленькой квартирке и раздавать другим заказы на секс», — бормотала я про себя. В тот вечер на улице были лишь я да мальчик, развозящий пиццу.

По разговору клиент показался мне приятным. Молодой умный пакистанец. Он спросил меня, какой сорт бренди я предпочитаю. Такой вопрос мне задают не часто, и мне это понравилось.

Его квартира оказалась великолепной. Полированная антикварная мебель, картины в золоченых рамах, книжные шкафы во всю стену. На полу в гостиной лежал яркий персидский ковер, на буфете стоял бронзовый самовар, над столом висели индонезийские церемониальные марионетки. Судя по всему, он знал толк в путешествиях.

Хозяин квартиры предложил мне сесть и протянул бокал с уже приготовленным «Хайн Антик». Пока мы разговаривали, он постоянно покачивал и помешивал свой напиток.

Его звали Кай. Он много читал, и вся книжная полка рядом с нами была заполнена книгами Рашди. Я забыла о том, что передо мной клиент, которого я должна соблазнить.

— Что ты думаешь о смертном приговоре Рашди? — я спросила из чистого любопытства. Мой собеседник был пакистанцем, а значит, мусульманином. В таком случае, бренди плохо сочеталось с его вероисповеданием. Потом, если он был сторонником приговора, то едва ли стал бы читать книги этого автора.

Он покачал головой.

— Человеку не следует пытаться изменить Коран так, как ему удобно, — тихо сказал он. — Ислам не так к нему относится.

В разговоре возникла пауза. Я потягивала бренди и ощущала тепло, растекавшееся в груди. Мне нравилось это ощущение и нравился мой собеседник.

Мне следовало обратить внимание на этот опасный признак, но, отогнав тревожные мысли, как только они появились, я позволила событиям идти своим чередом. Мне нужно было поймать эту мысль и тут же изменить свою роль и собственное отношение к происходящему, не позволяя себе забыть о том, что я на работе.

Мне так хотелось прикоснуться к нему, заняться с ним любовью, прижать к себе его красивую голову и попробовать его губы на вкус. Я пребывала в уверенности, что между нами может произойти нечто уникальное и восхитительное. Внутри меня просыпалось возбуждение и радостное предвкушение, горячее и соблазнительное, как глоток бренди.

Последние клетки моего мозга, не успевшие утратить свою функциональность, попытались напомнить мне, что этот мужчина — мой клиент и я должна перестроить мысли на более профессиональный лад, но я уже была готова с ними поспорить. «Да, да, это работа. Что в этом особенного?

Что плохого в том, чтобы получать удовольствие от того, чем ты зарабатываешь себе на жизнь?» — пронеслось у меня в голове.

Вспышка здравого смысла мигнула еще один, последний раз и угасла. Голос разума замолчал, понимая, что проиграл этот спор.

— У меня нет времени на то, чтобы искать женщину, — говорил Кай, объясняя причину, по которой он обратился в службу эскорта. Многие клиенты считают необходимым рассказать, почему они решили выбрать секс за деньги. Обычно я нахожу эти объяснения надуманными или смешными, но рассказ Кая почему-то показался мне трогательным.

Можно подумать, ему было важно мое мнение.

Он продолжал говорить, развивая свою тему.

— Я учусь в Гарварде на двух специальностях сразу: компьютеры и бизнес. Мне приходится нелегко, но я должен это делать, потому что мне отпущено не так много времени на пребывание в этой стране. Поэтому мне все время приходится заниматься, и на знакомства и ухаживание времени просто не остается. — Он слегка пожал плечами. — Я бы хотел близких отношений с женщиной, но на этой стадии моей жизни это не возможно.

И я ему поверила. Я не позволила себе сказать, что если он действительно хотел каких-либо отношений с женщиной, то ему стоило бы обратиться не в службу эскорта, а в службу знакомств или на соответствующий сайт Интернета. Мне хотелось думать, что я — именно та женщина, которую он ищет.

— Я тебя понимаю, — произнесла я. Учеба в Гарварде, конечно, меня заинтриговала. Меня всегда возбуждал интеллект, а сочетание его с мягкостью и не типичным для мусульманина уважением к моему мнению и личности заставило меня потерять голову.

Когда он повернулся ко мне и, приблизив к себе, поцеловал, все происходящее показалось мне очень естественным. Это был долгий, глубокий поцелуй, исследовавший неизведанную новизну другого человека.

Мы перешли в затененную спальню и стали срывать друг с друга одежду, и невозможно было определить, кто из нас больше хотел того, что там происходило. Кай был нежен и щедр в постели, расточая ласки своих длинных тонких пальцев моим волосам, груди и ложбинке между ног. Когда он в меня вошел, это тоже было естественно, правильно и совершенно.

Он очень элегантно расплатился со мной, вложив в мою руку конверт так, что я этого почти не почувствовала. Когда он поцеловал меня на прощание у дверей, я была готова поклясться, что чувствовала сожаление от расставания в его объятии.

— Мы еще встретимся, — прошептал он, и я почувствовала прилив внезапной радости, окатившей меня с головы до ног.

Да, вы, наверное, поняли, что со мной происходило. В тот момент это было очевидно всем, кроме белок, верещавших на дереве напротив окна моей квартиры, но даже они стали поглядывать в мою сторону с подозрением. Единственным человеком, не подозревавшим о том, что ему предстоит пережить, была я.

Из машины я позвонила Персику, дожидаясь, пока разогревшийся мотор растопит лед на ветровом стекле.

— Все в порядке? — спросила она.

— Да, — ответила я, стараясь, чтобы мой голос звучал как обычно. — Он очень мил и понравился мне. Сделай мне одолжение, если он позвонит еще раз, отдай его мне.

— Он уже звонил, — сказала Персик. — Он хочет только тебя, и никого другого. Ты получила еще одного постоянного клиента, детка.

«Да, но это продлится лишь до первого дня, когда он позвонит, а я не буду работать». Персик держит слово, но не в ущерб бизнесу. Конечно, она уговорит его принять кого-то из девушек.

Голос Персика прервал мои размышления.

— Ты хочешь еще поработать сегодня? Сейчас только половина двенадцатого. Если ты пару минут подождешь, я быстро организую тебе еще одну встречу.

Сама мысль о том, чтобы после случившегося пойти еще к одному клиенту, показалась мне неприятной, почти кощунственной. Обычно я спокойно уходила от одного мужчины и отправлялась к другому, но сегодня профессиональная невозмутимость девушки по вызову меня подвела. Сегодня все было иначе: я ушла от клиента, улыбаясь и напевая, вместо того чтобы подсчитывать выручку.

— Нет, Персик, на сегодня мне уже хватит. На улице слишком холодно, и я хочу домой, к коту и уютному дивану.

Эти события произошли в воскресный вечер, а в четверг, во время моих приготовлений к ужину, зазвонил телефон.

— Есть работа, — обрадовала меня Персик. — Позвонил твой постоянный, из Кембриджа, хочет встретиться с тобой сегодня вечером.

— Пакистанец? — буднично поинтересовалась я.

— Он самый. Позвони ему 555-74-83. Когда поедешь, дай мне знать.

Я записала номер на салфетке и почувствовала нервное напряжение, снова взяв в руки трубку. «Это просто смешно, — уговаривала я себя. — Он всего лишь очередной клиент. Мне он нравится, но это нормально, потому что компенсирует раздражение, которое вызывает у меня второй постоянный клиент из Кембриджа. Тот, который заставляет меня все время повторять, какой у него большой член».

Когда Кай ответил, я не услышала в его голосе особенной теплоты.

— Да, Тиа. Во сколько ты сможешь приехать?

Я наклонила голову, чтобы увидеть циферблат часов, стоявших на кухне.

— Так, сейчас пятнадцать минут девятого. В девять часов будет удобно?

— Да, вполне. До встречи.

— Я буду ее с нетерпением ждать, — ответила я, но он уже повесил трубку.

Я оставила ужин на кофейном столике, переключила телевизор с видео на обычный канал и открыла шкаф. Черная бархатная юбка. Особой фантазии с бельем не требуется, потому что Кай предпочитал раздеваться в полумраке. Черный бюстгальтер, черная кружевная рубашка и серая шаль. «Шанель № 5». Поправляя косметику перед зеркалом в ванной, я вдруг почувствовала себя шестнадцатилетней девочкой, собирающейся на свидание.

Скуззи запрыгнул на крышку унитаза и внимательно за мной наблюдал.

— Я собираюсь пойти развлечься, — сказала я ему. — Как ты думаешь, оставить волосы распущенными или завязать в хвост?

Взгляд кота остался беспристрастным. Как обычно, его мои сомнения совершенно не интересовали. Я же оставила волосы распущенными.

В машине я сделала радио как можно громче, чтобы не оставить себя возможности подумать.

Кай впустил меня по домофону, и я на лифте поднялась на второй этаж. Он уже ждал меня, стоя на лестничной площадке.

Он не говорил ни слова, пока я молча шла к нему. Внезапно он схватил меня и прижал к себе, сразу же найдя мой рот губами. О нежности здесь не было и речи.

Мы как-то вошли в прихожую. Он ухитрился захлопнуть за нами дверь, а я уже стояла на коленях на великолепном персидском ковре и расстегивала его джинсы.

Позже он вспоминал эту сцену как нечто постыдное для него. Он показывал фотографии своих родителей в Карачи, брата в Париже.

— Мне очень нравится встречаться с тобой, — сказал он, не отрывая глаз от фотографий. — Мне нравится, когда ты приезжаешь сюда. Жаль, что я не могу позволить себе больше часа с тобой. Я бы с удовольствием пригласил тебя на ужин или в Музей изобразительных искусств.

Я сделала глубокий вдох.

— Мне бы тоже этого хотелось. — Я хорошенько подумала, прежде чем продолжить, потому что если Персик об этом узнает, мне придется искать новую работу. — Если хочешь, я дам тебе свой номер телефона. — Он все еще молчал, но теперь мне было трудно смотреть ему в глаза. — Я бы хотела встретиться с тобой вне рабочей обстановки, — добавила я.

На его лице зажглась улыбка.

— Я бы тоже этого хотел, — серьезно произнес он.

Я почувствовала новый прилив смелости.

— Хорошо. Тогда я должна тебе сказать, что меня зовут не Тиа, а Джен.

— Мне твое настоящее имя нравится больше, чем псевдоним. Если я приглашу тебя на завтрашний вечер, это не будет слишком скоро? Я могу заехать за тобой, и мы поужинаем у Бибы.

— Да, то есть, я хотела сказать, что не слишком скоро. Это было бы замечательно. — Часть моего сознания никак не могла воспринять нелогичность ситуации, в которой у этого молодого человека хватает средств на то, чтобы жить в такой квартире, учиться в Гарварде, ужинать у Бибы, но нет лишних двухсот долларов, чтобы встретиться со мной. Даже осознавая эти мысли, я продолжала светиться радостью. Я ему понравилась, и он хотел настоящих отношений со мной! Я хотела в это поверить, и в результате я в это поверила.

Женщины известны этим своим качеством: мы всегда находим способ заставить себя поверить в невероятное. Судя по всему, девочки по вызову ничем не отличаются от остальных представительниц нашего вида.

Итак, мы стали встречаться. В своих беседах мы избегали многих тем. Одна из них касалась того факта, что я по-прежнему работала у Персика, а он встречался со мной только поздними вечерами и не представлял меня никому из своих друзей, о которых часто рассказывал. Мы старались игнорировать опасные вопросы и строили разговор так, чтобы их не касаться. Иногда это омрачало мои мысли, но к тому времени я уже научилась рассеивать свои собственные сомнения.

Мне было весело... мне было хорошо. Мы ходили в этнические рестораны, пробовали различные кухни мира, и за шашлыком и суши разговаривали о литературе, технологии, политике и этике. Мы смотрели фильмы, снятые иностранными режиссерами на Кендал-сквер и Кулидж-корнер, слушали новые группы в Миддл-Ист и на Центральной площади, и джаз и блюзы в Скулерз и Уэйлиз. Мы ни разу не были у меня в квартире, потому что у Кая была аллергия на кошек. Каждый вечер он уходил в свою квартиру на Бродвее, где я часто проводила ночь.

Его манеры были безупречны, а мысли — непроницаемы.

Персик понимала, что со мной что-то происходит. Мне пришлось ей все рассказать, когда я поняла, что она подозревает нечто худшее, чем было на самом деле. Она думала, что я за ее спиной встречаюсь с Каем как девочка по вызову.

Она не удивилась, и я заметила у нее лишь тень легкого раздражения из-за того, что она потеряла клиента. Впрочем, она прекрасно понимала, что ее потеря носит временный характер, хотя и не стала делиться со мной своими мыслями.

— Помнишь, я тебе в самом начале говорила, что ты влюбишься в одного из клиентов? – сказала она. — Это со всеми случается. Всегда находится какой-нибудь «особенный» мужчина, ради которого ты пускаешься во все тяжкие, чтобы потом больше не повторять своих ошибок.

Да, если у человека есть хоть капля разума, он не станет повторять своих ошибок. Я знала одну или двух женщины, которые попытались пойти этим путем, но у них ничего не получилось, несмотря на все их усилия. Тот факт, что отношения начались при таком неравном положении, не изменится ни при каких обстоятельствах. Мужчина пребывает в уверенности, что секс с этой женщиной всегда будет таким, каким он был на профессиональном уровне. Задача проститутки — ублажить клиента, в то время как ее собственные нужды и желания остаются в тени. Поэтому она весь час их оплаченного общения проводит, полностью сосредоточившись на желаниях клиента. Как только эти же два человека оказываются вовлеченными во взаимоотношения, интенсивность внимания, оказываемого мужчине, снижается. Он обязательно разочаруется в ней, потому что профессионалка внезапно становится женщиной, человеком, подверженным своим собственным слабостям, желаниям и нуждам.

Персик все это знала, как знала и то, что в моих интересах будет завершить эти отношения до того, как они слишком далеко зайдут. Однако опыт говорил ей, что в ее положении ей не следует проявлять сочувствие ко мне или давать советы.

— Просто так получилось, — беспомощно сказала я. — Мне он очень нравится, Персик.

Итак, я продолжала посещать клиентов и иногда говорила Каю, что не могу с ним встретиться, потому что занята на работе. Я по-прежнему находилась во власти иллюзии, что это было своеобразным вариантом нормы. Я сумела убедить себя в том, что этот парень — единственный мужчина, который осознает разницу между «рабочим» и «личным» сексом и понимает, что моя работа с клиентами никак не связана с тем, как я занимаюсь любовью с ним.

Я не думала, что сама вышла за рамки собственного правила, тем самым лишив себя его защиты.

Однажды, после того как мы посмотрели фильм с Катрин Денев, выпили бренди и занялись любовью, я заночевала в его квартире. В тот день я проспала. Обычно утром я уходила, потому что мы еще не дошли до той стадии отношений, на которой мне можно было бы хранить в его квартире свои вещи. Я была одета для вечернего времяпрепровождения и по утрам предпочитала тихонько уходить домой. Мне не хотелось, чтобы меня увидели и сочли бабочкой-однодневкой. Для меня было важно защитить его репутацию. Удивительно ироничное обстоятельство!

Я устала, на улице было холодно, а под одеялом – тепло. Я не слышала, как зазвонил телефон. Затем заработал автоответчик, и мужской голос заговорил.

– ...Слушай, парень, ты не перестаешь меня удивлять. Дэн только что рассказал мне, об этом гудит весь кампус! Бесплатная проститутка – это вещь! Такого трюка тут давно никто не выделывал! Да за это тебя надо определять в Галерею славы! Когда ты приведешь ее сюда, чтобы мы могли на нее посмотреть? Вот классно! Ну ты и жеребец! Ладно, поговорим позже.

Щелк!

Я не помню, как встала, оделась и ушла. Я не хотела ждать, пока он выйдет из душа, и не стала оставлять ему записки. Наверное, я находилась в состоянии шока или просто поняла, что слова сейчас излишни.

Помните, какие чувства я представляла себе, когда начинала работать проституткой? Я тоже помню.

Скуззи был рад моей депрессии. Я позвонила на кафедру и, сославшись на семейные обстоятельства, попросила ассистента провести несколько занятий в мое отсутствие, в то время как кот лежал, развалившись на непроверенных работах студентов. Я сидела с ним дома, отправляя кассету за кассетой в видеомагнитофон и одно угощение за другим в его пасть. Я каждый вечер заказывала ужин на дом. Я слишком много ела и не давала себе труда заняться уборкой, поэтому в течение нескольких дней вся моя квартира наполнилась пустыми коробочками. Скуззи решил, что это новые замечательные игрушки, приобретенные исключительно для его удовольствия. Я засыпала на диване, не разбирая постель, а довольный Скуззи устраивался у меня на груди. Я не мылась, что он счел новым проявлением моей чувственности, поскольку сам не любил воду и все, что с ней было связано.

Я знала, что Персик будет мне звонить, но выключила телефон и автоответчик. Мне было наплевать на все. Да, со мной и до этого мерзко обращались. Правда, знакомое чувство? Но то, что произошло на этот раз, не укладывалось ни в какие рамки. Это было грязно, извращенно и превосходило все унизительные фантазии, в которых мне приходилось участвовать, вместе взятые. Там были эксперименты, сублимация, а это — жестокость в чистом виде. Он получил «бесплатную проститутку». Мне можно было дать определение, меня можно было заменить. Я была ничем, общей характеристикой, ни Джен, и даже ни Тиа. Я была «бесплатной проституткой».

Может быть, они заключили пари. Я могу представить себе его смеющихся друзей с пивными бутылками в руках.

— Ерунда! Ничего у тебя не выйдет! Ни одна проститутка не даст тебе бесплатно!

— Спорим, я заставлю ее умолять трахнуть ее даром! — Это было своеобразным самоутверждением для него, иностранца в англосаксонском государстве, мусульманина, вынужденного пользоваться деньгами, на которых написано: «Мы верим в Бога». Американцы должны были платить за то, чтобы заняться со мной сексом, а он мог таким образом отыграться за их подозрительные взгляды и ксенофобию. Пусть они платят, а он мог иметь меня даром, в любое время и так часто, как ему заблагорассудится.

«Да за это тебя надо определять в Галерею славы!»

Я смотрела телевизор и не слышала ничего, кроме этих слов, постоянно звучащих в моей голове. Мне было больно, как никогда раньше.

Наконец я почувствовала запах собственного тела и отправилась в душ. Следующим шагом был поход в магазин за продуктами, на следующий день я постирала белье и включила телефон.

Персик была очень эмоциональна.

— Где тебя черти носили? Что у тебя с телефоном? Я звоню тебе каждый день! Ты будто исчезла с лица земли! — Она почти кричала на меня. — Ты бы подумала о ком-нибудь, кроме себя! — продолжала она. — Обо мне ты подумала? У меня тоже бывали проблемы, ты об этом знаешь. Я понятия не имела, что мне говорить людям, когда они о тебе спрашивали!

«Разумеется, больше всего на свете меня должно беспокоить твое эмоциональное и социальное благополучие!»

— Прости, Персик, — сказала я устало. — Теперь все позади.

— Так ты будешь сегодня работать?

Я перевела дыхание. Мне было не понятно, могу ли я доверять клиентам и могу ли я доверять себе. Не сорвусь ли я на злосчастном клиенте, который имел неосторожность сказать что-то не то или упомянуть одно из мест, где я была с Каем. С другой стороны, если я не выйду из этой квартиры в ближайшее время, то сойду с ума.

— Хорошо, Персик. Имей меня в виду, когда начнется смена.

Я решила сделать над собой усилие и вернуться к жизни. Я привела в порядок ногти и накрасила их темно-красным лаком, выщипала брови, втерла увлажняющий крем во все досягаемые части тела, расчесала волосы сто раз, как требовала того моя бабушка. В телевизионной викторине я ответила на все вопросы по европейской литературе, но почувствовала себя полной идиоткой, когда там говорили о периодической системе элементов. Я сделала ставку на финальную игру и проиграла, потому что понятия не имела, какой президент подписал акт, о котором я даже не слышала. Чтобы компенсировать горечь поражения, мне пришлось съесть целых три печенья.

Если я в кратчайшее время не попаду в гимнастический зал, то при настоящем режиме потребления пищи уже никогда не смогу работать у Персика.

Я попыталась заинтересовать себя последним произведением Патриции Корнуэлл, но, как всегда, разозлилась на ее филологическую несостоятельность и в очередной раз решила написать ее издателю, понимая, что никогда этого не сделаю.

К девяти часам я решила проверить, нет ли новостей. Почти все мои постоянные клиенты были ранними пташками, но я какое-то время отсутствовала и не тешила себя иллюзиями относительно лояльности Персика. Она легко уговаривала клиента на встречу с новенькой девушкой.

— Привет, это Джен. Что-то тебя не слышно. Что у нас происходит?

— Ничего, тихий вечер.

Я уже не могла сидеть в четырех стенах.

— Я возьмусь за любой вызов, Персик. Мне надо выбраться из дома.

Молчание. Она либо размышляла, либо была увлечена тем, что происходило на экране ее телевизора. Если она смотрела «Элли Мак-Бил», то я могла лишиться ее внимания на весь оставшийся вечер. Она была известна тем, что могла подвесить звонок матери в режим ожидания, если показывали «Элли Мак-Бил».

— Ничего пока нет, Джен. Дай мне еще час, хорошо? Я постараюсь что-нибудь организовать для тебя.

За этот час я могу снова вернуться к размышлению о том, что со мной случилось, и почувствовать себя распоследней дурой.

— Что, никто не звонил? Да ладно, Персик, это не обязательно должен быть принц на белом коне!

Она не выдержала.

— Послушай, единственный человек, который пока позвонил, — твой пакистанец из Кембриджа. — Она была в бешенстве и, возможно, пыталась меня от чего-то защитить. Я должна была оценить ее заботу, но не могла остановиться.

— Что он сказал? Ты говорила ему, что я сегодня работаю?

— Боже мой, Джен. — Еще одна короткая пауза. — Хорошо, я сообщила ему, что ты работаешь, и сказала о том, кто еще сегодня на смене. Он заявил, что ему все равно — ты или кто-нибудь другой. Я отдала этот вызов новенькой девочке из Садбери. Мне показалось, что ты не захочешь туда пойти.

Я ничего ей не ответила. Мне трудно было осознать тот факт, что, несмотря на произошедшее между нами, он мог снова пригласить меня к себе как профессионала. Ему было все равно. «Без разницы», как он сам сказал. Действительно, какая разница, будь то Тиа или девушка из Садбери, если я по сути была всего лишь проституткой, которую ему удалось в течение какого-то времени иметь совершенно бесплатно. Не получается бесплатно, — он готов платить деньги.

Я думала, что мне никогда не станет хуже, чем в тот момент.

Я ошибалась.

* * *

На следующий день, сидя в своем новеньком кабинете, я выслушивала жалобы студентов по поводу оценок, которые не должны были их особенно удивить.

К семи часам я уже закончила занятия в тренажерном зале, приняла душ и съела диетическую пиццу.

Позвонив Персику, я коротко сказала:

— Заступаю на смену.

Она перезвонила спустя полчаса.

— Есть работа. Он из новеньких, но ты с этим справишься. Я его проверила, он остановился в «Шератоне», и консьерж говорит, что не в первый раз. Мне он понравился. Расскажешь потом, что ты по его поводу думаешь.

Я решила, что если консьерж подтвердил благонадежность клиента, то в нем не может быть ничего страшного. К тому же я просто обязана выбраться из квартиры.

Пока я разговаривала с клиентом по телефону, у меня не возникло никаких предчувствий.

Наверное, я пребывала в эмоциональном возбуждении, потому что мне всегда нравились вызовы в гостиницы. Роскошные фойе, зеркальные коридоры, идя по которым я ощущала себя сильной, желанной и привлекательной женщиной, которая только что заработала двести или сто пятьдесят долларов. Я надела свободную юбку и свитер, который скрывал мои слегка расплывшиеся после недавнего заточения формы, и с выключенным радио и молчащим внутренним голосом поехала в «Шератон».

Я нашла комнату и клиента, но, войдя в номер, почувствовала некоторую нервозность. Новые клиенты всегда заставляли меня проявлять излишнюю бдительность. Он оказался приятным мужчиной и предложил мне бокал вина из открытой бутылки.

— Мы можем сначала поговорить?

— Я бы тоже этого хотела, — автоматически ответила я, наблюдая за тем, как он рассматривает мои ноги, пока я усаживаюсь на край кровати. Он не помог мне раздеться, поэтому я сама сняла пальто и положила его на край кровати.

— Я хочу сразу прояснить ситуацию, — тем временем говорил клиент. — За двести долларов мы будем заниматься сексом, правильно? Я хочу сказать, я смогу кончить? Может быть, два раза?

Ну что ж, тонкостью тут и не пахло, но я к этому уже привыкла.

— Давайте пока просто присмотримся друг к другу, — предложила я, не забывая добавить томления в голос. — А там будет видно.

Он отмел в сторону мое предложение.

— Но мы сможем заняться сексом, правда? — Он должен был казаться нетерпеливым, но не казался. У меня создалось впечатление, что он разыгрывал хорошо разученную роль. — Я хочу сказать, что за такие деньги должен получить все сполна.

«Странное выражение для сорокалетнего мужчины», — подумала я. Что-то было не так. В последний раз, когда меня посетило это чувство, все оказалось вполне безопасным и клиент был просто стеснительным. Может быть, в этот раз все обойдется так же?

А если нет?

Я поставила бокал на стол и откашлялась. Если я ошибаюсь, то могу поставить себя в глупое положение и потерять вызов, но что-то мне подсказывало, что я права. Возможно, во мне с опытом развилось шестое чувство, предупредившее меня об опасности.

— Извините, — громко и четко обратилась к нему я, распростившись с сексуальным голосом. — Вы офицер полиции?

Он им был, увидела это по его глазам еще до того, как он замер и бросил взгляд на зеркало шкафа.

— Мне дали понять, что вы пришли сюда для того, чтобы оказать сексуальные услуги за денежное вознаграждение.

— Вас ввели в заблуждение, — мило ответила я ему. — Мне позвонили из службы знакомств и сказали, что вы хотели провести час в компании молодой женщины. Вы находитесь в Бостоне проездом, а я могла показать вам наши достопримечательности, и мы бы присмотрелись друг к другу. — Я была рада, что надела свободную одежду, а не свою «форменную» кружевную рубаху. — Потом, я никогда не ложусь в постель с человеком на первом свидании. Поскольку вы заинтересованы только в этом, похоже, наш вечер не состоится. — Я встала и взяла свое пальто. — Поэтому позвольте еще раз спросить вас: вы офицер полиции или просто придурок?

Евангелие от Персика гласит, что если вы задаете этот вопрос, то можете быть свободны. Если вы спросили и получили положительный ответ, то все можно объяснить: возникло недоразумение, и Персик владеет службой знакомств. Если мужчина не отвечает на вопрос, являясь тем не менее офицером полиции, то последующий арест не будет иметь юридической силы. Я плохо разбиралась в деталях, но основная схема была мне понятна.

Он встал вместе со мной и вытащил из кармана бумажник. На какой-то момент я подумала, что он собирается заставить меня взять у него деньги, но потом увидела, что он показывает мне жетон.

— Предъявите ваши документы, — сказал он.

Адреналин, который подпитывал меня все это время, куда-то пропал, и я внезапно ощутила страх и свою беззащитность. Я не могла попасть под арест. Если это произойдет, мне никогда не дадут преподавать. Меня возьмут разве что учителем в вечернюю школу какого-нибудь образовательного центра. Ни за что! Никогда!

— Зачем вам мои документы? — спросила я. Он уже достал блокнот.

— Обычная процедура, — ответил он. — Ваше имя?

— Я не обязана называть вам свое имя, — сказала я. — Вы обманным путем заманили меня в свой номер. Оказавшись здесь, я отвергла ваши поползновения и попыталась уйти. Теперь вы хотите установить мою личность. Кто вы такой? Может быть, вы маньяк или насильник?

Он снова посмотрел в зеркало.

— Никакая видеосъемка, сделанная в этой комнате, не будет признана судом, так что не пытайтесь меня запугивать.

Мое счастье, что у меня был клиент адвокат, и мне вдвойне повезло, что, пока он пытался сразить меня своей осведомленностью о том, как закон может быть применим в моей профессии, я внимательно его слушала. Вот уж никогда не знаешь, где найдешь, а где потеряешь!

— Ваше имя и адрес, пожалуйста, — повторил он. — Вы сопротивляетесь офицеру при исполнении служебных обязанностей. — Он выглядел очень самодовольно, и внезапно я поняла, что с меня хватит. Мне надоело самодовольство на лицах мужчин, обязанность подчиняться их фантазиям и прихотям и необходимость делать удовлетворение их похоти своей профессией. Мне надоели мужья, лгущие своим женам и трахающие девушек по вызову для того, чтобы почувствовать себя выше своей несчастной верной половины. Мне надоела порнография и игры, вынужденность покориться врагу, который любит и ненавидит вас одновременно и может разрешить этот конфликт, только сваливая на вас вину за свои ошибки, отнимая у вас человеческую сущность и превращая вас в объект.

Мадонна. Шлюха. Девственница. Проститутка. Сиськи. Зад. Утроба. Феминистская сука. Медуза. Цирцея. Пенелопа. Жена. Блядь.

Полицейский, стоящий передо мной, был заинтересован во мне не больше клиента, оплатившего час моего времени. Для него я была не Джен, не Тиа, а просто «проститутка». Разница между ним и клиентами была только в его способности найти себе такую работу, на которой он мог заниматься вуайеризмом и получать за это зарплату, вместо того чтобы платить другим.

Я внезапно устала мириться с отвратительным поведением и потворствовать ему своим участием в том, что творилось вокруг. Мне надоело удовлетворять нужды людей, которым пора было лечиться в специализированных учреждениях, надоело лгать, мурлыкать, играть в игры и чувствовать себя на вершине мира из-за того, что на исходе ночи мои карманы полны денег. Я сделала глубокой вдох.

— Сейчас я ухожу, — сказала я. — Если вы попытаетесь меня остановить, я буду кричать и заявлю о попытке изнасилования, причем буду делать это до тех пор, пока вас не переведут обратно в патрульные, а ваша жена не подаст на развод. Я пришла в эту комнату за общением, но с тех пор как я сюда попала, вы говорите только о сексе.

В комнате открылась вторая дверь, и в нее вошел еще один мужчина. Он был старше первого полицейского. Открыв дверь шкафа, он выключил камеру, закрепленную на штативе. Он выглядел уставшим.

— Как ты узнала? — просто спросил он. — Как ты узнала, что он — подстава?

Я какое-то время молча смотрела на него.

— Вы старомодны. — Мне было интересно, действительно ли мой голос звучал на грани срыва, или мне это только казалось. — Раньше я ничего подобного не слышала. Хотя, может быть, я просто вращаюсь в других кругах. — Я быстро надела пальто. — Езжайте на Ниланд-стрит. Я видела там много женщин. Если вы притормозите, они сами подойдут к вам и обо всем с вами поговорят. Держу пари, они хорошо знают, что такое подстава и работа на сутенера. Там вы найдете типаж, который ищете. — Я подняла воротник. — А что, если бы я действительно оказалась девочкой по вызову, офицер? На кого бы вы были похожи, приведя меня с собой в участок? На мне нет косметики, тело прикрыто одеждой, и я очевидно хорошо образована. Я ведь так похожа на вашу жену, или сестру, или дочь. — Я думала, что он мне что-нибудь скажет, но он только рванулся в резком движении, которое сам же остановил. Я была измучена и понимала, что ничего уже не изменить. Ни здесь, ни где-нибудь еще.

Выходя из фойе, я позвонила Персику.

— Берегись, подружка, меня чуть не арестовали.

— Что случилось? — Она думала, что меня остановил дорожный патруль или что-то в этом духе.

— Твой новый клиент с положительными флюидами оказался полицейским, с видеокамерой за стеклом и другими атрибутами.

— Что? Что случилось? Как он на нас вышел? — Обычно полицию интересовали более крупные агентства с рекламой в «Желтых страницах».

— Я сама не знаю. Я ему сказала, что у тебя служба знакомств. Все в порядке, никаких зацепок у него нет, но на твоем месте я была бы осторожнее.

— С тобой все в порядке? — Она немного запоздала с этим вопросом, но я знала, что он был искренним. Она старалась изо всех сил. Нет, она делала то, что считала в своих силах. Она искренне верила, что может все исправить с помощью своего голоса, смеха и заботы. Я позволяла себе обманываться на ее счет в течение трех лет, но теперь снова приобрела способность видеть.

К тому же я была не в настроении спорить.

— Не знаю. Я еду домой, принимаю душ и выбрасываю всю свою рабочую одежду. На какое-то время я вернусь к старому образу жизни бедного человека. Мне надо готовиться к урокам. Мне надо... Боже, я не знаю! Я сама не знаю, что мне нужно. Я только знаю, что этим все не кончится.

Она, конечно, попыталась отговорить меня от этого решения. Я заработала для нее достаточно много денег, и меня спрашивали чаще, чем двадцатилетних блондинок. Гораздо чаще. Я помогала Персику определиться с образом ее агентства и занять собственную нишу. Меня будет нелегко заменить.

Она тоже помогла мне заработать хорошие деньги. Не могу сказать, что я не чувствовала искушения вернуться к этой профессии, проигнорировать внутренний голос, мою гордость и чувства и просто сделать это. Раздвинуть ноги, сказать «да, детка, да!», а затем вернуться домой и заплатить по счетам. Но мой живой еще разум больше не позволял мне с этим мириться.

Я всегда считала, что глупым людям легче жить. Я и сейчас настаиваю на правоте этого суждения.

Глава двадцать вторая

На самом деле я не знаю, почему ушла из агентства.

По-моему, сейчас это уже не важно. Выбирайте то объяснение, которое вам больше нравится: я ушла, потому что испугалась, пострадала в результате своей работы, или потому что просто выросла из нее, или по каким-либо другим причинам, которые мне самой могут быть неизвестны.

Думаю, что мне просто пришло время уходить. Эта профессия дала то, что мне было нужно. Я получила финансовую поддержку во время подготовки к развитию своей карьеры. Я смогла почувствовать себя красивой и желанной в тот момент, когда Мэдисон-авеню настаивала на том, что мне нечего делать в этой жизни. К тому же я получила возможность ощутить накал страстей, когда жизнь балансировала на острие ножа, когда я красиво рисковала и избежала расплаты за это.

Я знаю, что многие женщины уходят из этой профессии, но потом возвращаются, потому что им не хватает этого чувства, они скучают по своим переживаниям. К тому же мало найдется специальностей, которые бы так же хорошо оплачивались. Если не проявлять осторожности, такой стиль жизни может стать привычкой.

Мне повезло, потому что я с самого начала знала, что этот период моей жизни — временное явление. Я понимала, что мое время ограничено. Возраст и сила земного притяжения постепенно одержат победу над моим телом и я окажусь в такой ситуации, которую не смогу объяснить и оправдать мои искаженные представления об этике. С самого начала я понимала, что эта часть моей жизни не заменяет собой всего остального. Это занятие было временным, эфемерным и преходящим. Помня об этом, я в любой момент могла уйти, не причинив себе вреда.

У меня были свои преимущества. Я долго жила одна — несколько лет, не считая нескольких месяцев, которые провела с уродом любовником. Хотя, даже это положение можно было оспорить: за всю свою жизнь я не чувствовала себе такой одинокой, как рядом с ним. Выходит, это время тоже нельзя считать.

Я знала, как обращаться с пустотой внутри себя. Я не игнорировала ее и не отрицала ее существова ние. Я принимала ее и позволяла ей принимать за меня решения. К тому времени, как я покинула службу эскорта, я уже работала в качестве постоянного преподавателя в университете, занималась тай-чи, рассталась с кокаином и начала писать вторую книгу.

Я не могу сказать, что ни о чем не жалею. Иногда, даже сейчас, когда стрелка доходит до семи часов, я прекращаю свои дела и думаю о том, что происходит сегодня вечером. Кто работает, какие клиенты звонят. Конечно, я уже никого из них не знаю, потому что в этом мире время идет быстрее.

На самом деле имена не имеют никакого значения, потому что нужды остаются неизменными. Я знаю, что телефоны будут звонить, водители будут подъезжать к загородным домам, а девочки — поправлять макияж перед зеркалом заднего вида. Без тени сожаления я вспоминаю позирующих, требовательных, злых, жалких и бесцветных клиентов. Я знаю, что сегодня, как и в любой другой вечер, деньги снова сменят своих хозяев. В чьей-нибудь ванной будут выложены тонкие «дорожки» кокаина. Девочки по вызову будут дарить удовольствие, возбуждение, тайну, надежду и очарование. И все это время хронометры будут отсчитывать часы и минуты, не останавливаясь ни на мгновение.

Я думаю об этом, потом оживаю и иду на велосипедную прогулку или на пробежку или нагружаю машину детьми, чтобы съездить в книжный магазин. Вспомнив о том, какой соблазнительной я была раньше, я завлекаю мужа в спальню, желая убедиться в том, что я не утратила своих чар. Он заверяет меня в том, что еще не утратила.

Я обнаружила, что проживать свою собственную жизнь в сто раз интереснее, чем профессионально подыгрывать чужим фантазиям.

Я по-прежнему живу и работаю в Бостоне. Выйдя замуж, я сменила имя. К своему удивлению, я даже обросла семьей. Я счастлива, находя себе выражение и применение в любимой работе. У Скуззи появился свой микроскопический дворик, в котором он пытается воплотить свою безумную фантазию о поимке белок.

Мой муж по-прежнему вынужден жить со знанием о моей бывшей профессии. Однажды я спросила его, как бы он отнесся к тому, что кто-либо из его друзей узнал о моем прошлом.

— Ты слышала, как после рекламы говорят: «Демонстрацию вели подготовленные профессионалы, не пытайтесь повторить это дома»? — спросил он. — Я им просто скажу, что мы попытались повторить это в домашних условиях!

После того как Тони прочитал мое письмо к Роджеру, ему пришлось долго избавляться от мифов и стереотипов. До этого момента он считал себя человеком довольно свободных взглядов. Мне же пришлось испытать его убеждения на твердость. Он лучше всех уже потому, что был готов пройти это испытание вместе со мной.

* * *

У Персика сейчас тоже все в порядке. Она замужем, владеет домом, больше не является центром внимания восхищенных поклонников и в гимнастический зал ходит чаще, чем в новейшие клубы и рестораны города. Она много путешествует, устраивает пикники. Наши жизненные пути разошлись, но, по-моему, она счастлива.

Не думаю, что кто-нибудь из нас помнит, когда мы в последний раз бодрствовали всю ночь в вечернем наряде, слушая музыку, выпивая и веселясь до рассвета. Сомневаюсь в том, что кто-либо из нас жалеет о тех временах.

Я не могу вам ничего сказать о судьбе остальных людей, которых описывала в этой книге. Я не стыжусь той части своей жизни, но и не держусь за нее. Те связи, которые сформировались у меня в то время, больше не имеют ко мне никакого отношения. Некоторых из этих людей мне жаль, и я думаю, что от этого чувства будет не так легко избавиться.

Я надеюсь, что некоторые женщины подобно мне продолжили свой путь, чтобы организовать профессиональную и личную жизнь в соответствии со своими желаниями и полученным опытом. Я также понимаю, что многие из них не сумели остановиться. Современный мир провоцирует людей именно на такой образ жизни.

Иногда в нелегкие дни, когда дети не дают покоя, а передо мной лежит стопка не проверенных студенческих работ, я вспоминаю блеск и роскошь тех дней, и они по-прежнему дарят мне улыбку.

Эпилог

Я пишу эту книгу спустя много лет после того, как происходили описанные события. Этим утром я слушала репортаж Би-би-си о девушках из обнищавших стран Западной Европы, которых продали в качестве проституток для обслуживания нужд миротворческих сил в Косово, и мне внезапно стало плохо.

Даже сейчас я возмущена тем, как люди представляют себе проституцию и участие в ней женщин. Меня продолжает задевать и возмущать распространенное мнение о том, что мужчины, пользующиеся услугами проститутки, нормальны, а женщины, которые эти услуги предоставляют, каким-то образом ниже их по достоинству.

Я рассказала вам свою историю. Я осознанно пришла в службу эскорта, и ни тогда, ни сейчас не жалею об этом решении. Благодаря существованию таких агентств, как у Персика, где не эксплуатируют и не калечат женщин, кто-то из нас еще способен обрести некоторую финансовую стабильность в мире, в котором женщине это сделать в принципе нелегко.

Я также знаю и хочу, чтобы об этом не забывали и вы, что большинство женщин приходят в эту профессию не потому, что работают над докторскими диссертациями или должны вернуть банку кредит на учебу. Многих из них насилуют, обманывают, увозят из родного дома, отнимая у них всю жизнь и не давая ничего взамен. Более того, к ним относятся как к морально неполноценным существам, потому что они служат для удовлетворения сексуальных и финансовых аппетитов предположительно морально превосходящих их мужчин.

Многим женщинам, даже детям, не была знакома роскошь моего выбора. Это положение осталось неизменным. Меняются только лица и имена, потому что на этой земле существует неограниченный запас молодых красивых тел, пригодных для удовлетворения прихотей разнообразных хищников.

Многие женщины день за днем живут в том мире, который я лишь вкратце описала в этой книге. Их намеренно втягивают в наркоманию, чтобы полностью поработить и удешевить их жизни. Наркотическая зависимость, по сути, является страшным недугом. То, что она насаждается осознанно, и используется как средство управления людьми, с моей точки зрения не вписывается даже в представление о преступной деятельности. Я очень надеюсь, что у Данте для таких людей есть особенный круг ада.

Прекратить торговлю молодым телом и ограничить доход, который она приносит определенным лицам, можно только с помощью легализации проституции. Легализация позволит управлять этой отраслью, а управление гарантирует безопасность.

У моей истории счастливый конец, но я совсем не уверена в том, что мой опыт идентичен опыту большинства женщин, работавших в этой сфере.

Я начала писать, чтобы ответить на некоторые вопросы о работе служб эскорта среднего уровня. Я хочу закончить свой рассказ просьбой о том, чтобы ваш интерес не ограничивался этой книгой. Прочитайте что-нибудь еще по этой теме.

И прошу вас, не называйте нас так легко проститутками и не судите нас. Мы можем быть вашими матерями, сестрами, подругами и дочерьми. Даже вашими преподавателями в университетах.

Нет, я скажу иначе. Не важно, кем мы можем быть. Главное, кем мы являемся, если верить статистике.

Приложение

Интернет постоянно меняется, как вы знаете, и эти сайты могут быть уже закрыты, но если вы воспользуетесь любой поисковой системой, задав ей параметр «проституция», то сможете найти эти и многие другие сайты, содержащие множество информации.

То же относится и к книгам и статьям: в печати постоянно появляется что-то новенькое. Те из них, которые я прочитала, я разделила на три секции: книги о проституции для широкого читателя, исследовательские и художественные.

Надеюсь, вы найдете здесь что-нибудь, что заинтересует именно вас.

Литературно-художественное издание

Джаннетт Энджелл

ДЕВОЧКА ПО ВЫЗОВУ

Ответственный редактор *Елена Шипова*
Литературный редактор *Наталия Смирнова*
Художественный редактор *Егор Саламашенко*
Технический редактор *Татьяна Харитонова*
Корректоры *Людмила Быстрова, Ольга Смирнова*
Верстка *Максима Залиева*

Подписано в печать 16.08.2004.
Формат издания 75×100 1/32.
Печать офсетная.
Усл. печ. л. 20,01.
Тираж 6000 экз.
Заказ № 723.

Торгово-издательский дом «Амфора».
197342,
Санкт-Петербург,
наб. Черной речки, д. 15, литера А.
E-mail: amphora@mail.ru

Отпечатано с готовых диапозитивов
в ФГУП ИПК «Лениздат»
Федерального агентства по печати
и массовым коммуникациям
Министерства культуры
и массовых коммуникаций
Российской Федерации.
191023, Санкт-Петербург,
наб. р. Фонтанки, 59.